El siglo XVI

Historia de Europa Oxford

Editor de la colección: T. C. W. Blanning

Historia de Europa Oxford

Editor de la colección: T. C. W. Blanning

El siglo XVI

Edición de Euan Cameron

Traducción castellana de
Teófilo de Lozoya y Juan Rabasseda-Gascón

CRÍTICA
Barcelona

Título original: *The Sixteenth Century*

Realización: Ãtona, S. L.

© The Several Contributors 2006
The Sixteenth Century was originally published in English in 2006.
This translation is published by arrangement with Oxford University Press.
El siglo XVI se publicó originalmente en inglés en 2006. Esta traducción se publica por acuerdo con Oxford University Press.
© 2006 de la traducción castellana para España y América:
  CRÍTICA, S. L., Diagonal, 662-664, 08034 Barcelona
  e-mail: editorial@ed-critica.es
  http://www.ed-critica.es
ISBN-10: 84-8432-747-7
ISBN-13: 978-84-8432-747-9
Depósito legal: M-33807-2006
Impreso en España
2006. Brosmac, S.L., Polígono Industrial 1, calle C, Móstoles (Madrid)

Prefacio del editor de la colección

Escribir una historia general de Europa es una tarea que presenta muchos problemas, pero lo más difícil, sin duda, es conciliar la profundidad del análisis con la amplitud del enfoque. Todavía no ha nacido el historiador capaz de escribir con la misma autoridad sobre todas las regiones del continente y sobre todos sus variados aspectos. Hasta ahora, se ha tendido a adoptar una de las dos soluciones siguientes: o bien un único investigador ha intentado realizar la investigación en solitario, ofreciendo una perspectiva decididamente personal del período en cuestión, o bien se ha reunido a un equipo de expertos para que redacten lo que, en el fondo, es más bien una antología. La primera opción brinda una perspectiva coherente, pero su cobertura resulta desigual; en el segundo caso, se sacrifica la unidad en nombre de la especialización. Esta nueva serie parte de la convicción de que es este segundo camino el que presenta menos inconvenientes y que, además, sus defectos pueden ser contrarrestados, cuando menos en gran parte, mediante una estrecha cooperación entre los diversos colaboradores, así como la supervisión y encauzamiento del director del volumen. De esta forma, todos los colaboradores de cada uno de los volúmenes han leído el resto de capítulos, han analizado conjuntamente los posibles solapamientos u omisiones y han reescrito de nuevo sus aportaciones, en un ejercicio verdaderamente colectivo. Para reforzar aún más la coherencia general, el editor de cada volumen ha escrito una introducción y una conclusión, entrelazando los diferentes hilos para formar una sola trenza. En este ejercicio, la brevedad de todos los volúmenes ha representado una ventaja: la necesaria concisión ha obligado a centrarse en las cuestiones más relevantes de cada período. No se ha hecho el esfuerzo, por tanto, de cubrir todos los ángulos de cada uno de los temas en cada uno de los países; lo que sí les ofrecemos en este volumen es un camino para adentrarse, con brevedad, pero con rigor y profundidad, en los diferentes períodos de la historia de Europa y sus aspectos más esenciales.

T. C. W. Blanning

Sidney Sussex College
Cambridge

Introducción

Euan Cameron

Pocos se atreverían a poner en duda que el siglo XVI constituye un punto de inflexión en la historia de Europa. La Europa de finales del siglo XV era un continente que seguía definido por el legado político, intelectual y espiritual de la Edad Media. En 1600 todos los puntos de referencia habían cambiado. Los europeos habían experimentado la primera gran oleada de comunicaciones tecnológicas en masa y las primeras fases de los cambios y conflictos por motivos ideológicos. Habían visto cómo la población y la economía pasaban de un ligero declive a un crecimiento estructural a veces doloroso. Se habían visto obligados a afrontar un mundo mucho más amplio con una mezcla de confusa perplejidad y agresiva determinación de llevar sus valores culturales al resto de la humanidad. En la historiografía pasada esa transformación de la cultura europea de fenómeno regional a fuerza dominante en todo el mundo probablemente diera lugar a una retórica mucho más triunfalista. Pero ése no es el caso hoy día, y de hecho reflejaría burdamente la atmósfera del siglo que nos interesa. El siglo XVI fue un período de ajustes, una época en la que la gente se vio obligada a pensar todo tipo de cosas hasta entonces impensables. Con semejantes cambios radicales en el universo mental llegaron toda clase de traumas y conflictos, tanto para los europeos como para los pueblos con los que se encontraron.

El escenario en 1500

Tradicionalmente los especialistas en historia económica analizaban la pujanza o la actividad de una economía en términos de ciclos de crecimiento y contratación. Esa dialéctica no reflejaba las percepciones económicas de la época en cuestión: la idea existente por aquel entonces habría sido más bien la de un constante estado ideal de precios justos y relaciones fijas, en el que cualquier proceso dinámico fuera probablemente el resultado de los pecados y la codicia humana. No obstante, al menos hasta 1470 aproximadamente la vida económica de Europa occidental se había visto dominada por una serie de factores que impulsaban la contratación. Durante la segunda mitad del siglo XIV imperó una tendencia hacia un catastrófico declive de la población, que no empezó a recuperarse hasta la segunda mitad del siglo XV como poco. El mercado de los productos alimentarios básicos sufrió una notable caída debido, simplemente, a que había pocas bocas que alimentar. En consecuencia, las comunidades agrícolas se diversificaron, dando lugar a la aparición de ciertas zonas especializadas en la producción de vinos, tintes, etc. Ya en 1500 Europa vivía en una economía basada más en el comercio regional e internacional que en la mera subsistencia.

Sin embargo, los modelos de comercio experimentaron necesariamente un cambio. La economía mediterránea de la Alta Edad Media se basaba en el control latino y bizantino del norte y en el control musulmán de la ribera sur, con importantes colonias comerciales latinas de las potencias marítimas italianas, Venecia y Génova, en las islas de Levante. En la segunda mitad del siglo XV la polaridad norte-sur había sido sustituida por la este-oeste, con la conquista por parte de los otomanos del resto de Asia Menor, seguida, a partir de 1526, por la de toda Grecia y el sur de los Balcanes. Esta circunstancia no aisló el mundo oriental del occidental: el comercio y toda forma de intercambio, pacífico y no tan pacífico, siguieron adelante. Sin embargo, las reglas y los jugadores habían variado, y los márgenes sudorientales de Europa se habían trasladado hacia el noroeste de su emplazamiento tradicional e histórico. Este cambio geopolítico creó por primera vez cierta ambigüedad en torno a la condición de parte de los Balcanes en el marco del mundo europeo. Esa misma ambigüedad proyectaría una larga sombra, percibida en la observación que hizo Tony Blair en 1999 en el sentido de que Kosovo, región situada al noroeste de Grecia, se encontraba en el «umbral de Europa».[1]

En las esferas política y militar, los años centrales del siglo XV vieron también la finalización gradual de una fase distinta de la historia de Europa. Las disputas que durante siglos enfrentaron a las monarquías inglesa

[1] Véase: http://www.pbs.org/wgbh/pages/frontline/shows/kosovo/interviews/blair.-html; véase asimismo http://lrb.veriovps.co.uk/v21/no9/gleno1_.html.

y francesa por el territorio de Francia acabaron en 1453 con la expulsión final de los ingleses de las tierras de Gascuña. La paz de Lodi de 1454 vino a inaugurar un período de cuarenta años de paz interna en Italia central, que acabaría brutalmente en 1494 con la invasión de Carlos VIII de Francia. En el resto de Europa el último cuarto del siglo XV supuso el último respiro de la tradicional guerra feudal de caballeros, que pasó a ser en breve tiempo totalmente obsoleta. La artillería y la infantería suiza, por la que pagaba el rey francés Luis IX, fue reduciendo poco a poco el poder político del incipiente cuasi estado de Borgoña-Flandes, que en sí mismo no era más que una especie de nostálgico salto atrás a la idealizada caballería medieval. A partir de 1477 los Habsburgo y los reyes de Francia se repartirían las posesiones de los duques de Borgoña. Entre otras cosas, ese proceso señaló la ascendencia militar de dichas potencias, capaces de emplear en los campos de batalla el mayor número de cañones y picas.

La estructura social del mundo de finales del medioevo seguía estando dominada en gran medida por la clase de la nobleza militar que desde aproximadamente el año 1000 había constituido la aristocracia europea. Los atributos culturales distintivos de esta clase de élite, fundamentales para sus privilegios fiscales y legales, así como para su derecho a ser escuchados en cuestiones políticas, seguirían siendo los mismos de siempre: suficientes bienes raíces para excluir la necesidad de llevar a cabo cualquier tipo de trabajo remunerado productivo; y las habilidades adecuadas para servir a su soberano en la guerra. Los factores seculares y bélicos tenían una importancia especial incluso entre los príncipes de la Iglesia: basta considerar el caso de Matthäus Lang von Wellenburg, arzobispo de Salzburgo (1468-1540), que durante largo tiempo fue un líder político y militar al servicio de Maximiliano I y que recibió las órdenes sacerdotales sólo un día antes de acceder a su arzobispado en 1519. Sin embargo, ya en 1500 empezaron a aparecer indicios de que el futuro iba a pertenecer a una elite de funcionarios políticos caracterizada por algo más que la pura ociosidad y la violencia. Los libros de la corte anunciaron la necesidad de que los integrantes de los consejos fueran individuos más cultos y refinados. Incluso Carlos el Temerario de Borgoña había intentado gobernar a través de un «gran consejo» en sus fragmentados dominios de Flandes. La administración de la política, y a su debido tiempo su formulación, se vería influenciada cada vez más por una clase burócrata laica en la que tendrían cabida individuos no pertenecientes ni a la nobleza militar tradicional ni al clero (aunque estos últimos no perderían su importancia).

La lenta y progresiva aparición de una clase administrativa estuvo acompañada de un sutil pero profundo cambio del funcionamiento del gobierno y la política. El siglo xv fue un período de crecimiento gradual del uso del papel. El papel no sólo permitió que la producción de libros fuera muchísimo más barata y fácil que la de los pergaminos, cuyos costosos materiales exigían horas de concienzuda preparación, sino que también hizo posible recoger lo efímero de la administración y la correspondencia general con mayor precisión y abundancia que antes. El gobierno podía recoger por escrito sus propias decisiones y disputas; pero los individuos también podían exponerse al riesgo que supone dejar documentos escritos con sus pensamientos. Un historiador especializado en la época de la Reforma ha señalado el gran número de cartas (¡que se conserva!) en las que aparece la posdata «quemadla una vez leída». El siglo XVI sería testigo de un continuo crecimiento masivo del número y la variedad de informes escritos de las actividades de los europeos.

Por debajo de las elites gobernantes, el cambio fue algo más lento y menos drástico. Debemos tener presente que estamos hablando de una época en la que el ideal era la estabilidad y la permanencia en el orden social. El cambio era, cuando menos, una necesidad inevitable e indeseable. Tal vez las cuestiones más importantes para la sociedad de finales de la Edad Media fueran la comunidad y la diferenciación social. «Comunidad» significaba el entramado de relaciones laterales y horizontales que unían a los hombres y mujeres que vivían y trabajaban como parte del mismo organismo social, ya fuera en una aldea rural viviendo de la agricultura, en un animado pueblo o en la parroquia de una ciudad. En algunas regiones de Europa (sobre todo en el suroeste de Alemania) el sentido de «colectividad» podía estar fuertemente arraigado, aunque no dejaría de sufrir algunos estragos y conmociones bajo las presiones del siglo XVI. «Diferenciación social» significa la idea indiscutible —que sorprende a muchos oídos modernos— de que en el verdadero orden social sancionado por Dios, cada individuo debía ocupar en el sistema un lugar por debajo de unos y por encima de otros. La igualdad de clase, de generación o de género era la última cosa que pasaba por la mente de un individuo de finales de la Edad Media. La mayoría de las sociedades laicas estaban estratificadas con bastante claridad en alta o baja nobleza, burguesía, artesanos, grandes y pequeños terratenientes y por último los jornaleros y los criados. En Europa, además de la población laica, había una compleja sociedad paralela constituida por el clero, incluidos monjes, frailes, monjas y, hasta cierto punto, todos aquellos que tenían el estatus de «clérigo» (en la Edad Me-

dia, hombre de letras, aunque no hubiera recibido las órdenes sagradas).
En un sentido el clero estaba por encima del resto de la sociedad por su
condición privilegiada, por la exención (a veces teórica) de la obligación de
prestar servicios militares y fiscales que tenían los laicos, y por su autoridad sacramental. En otro sentido constituía una sociedad paralela, compuesta por su propia nobleza, clase media y proletariado, consumida como
el resto del mundo por las mismas presiones e intereses políticos, aunque
de una manera distinta.

Muchos aspectos de la sociedad de finales de la Edad Media no estaban
regulados por las leyes y las normas éticas establecidas por la autoridad,
ya fuera seglar o religiosa. Los historiadores reconocen actualmente la
importancia de los vínculos sociales informales y las normas de conducta que se basaban en la tradición y las convenciones locales. Incluso en esferas como la de la moralidad sexual donde Estado e Iglesia tenían mucho
que decir acerca de las formas de conducta aprobadas, la costumbre y la
práctica podían tener la misma fuerza que las normas de los propios superiores. Los especialistas en historia de la familia han observado cómo la
ley canónica medieval del matrimonio intentaba conservar una frágil red
de contactos entre las normas teóricas de la Iglesia y las costumbres más
informales de la vida en las aldeas. La proporción, a menudo elevada, de
mujeres que se casaban embarazadas es el testimonio más contundente
de la existencia de esa lucha. De igual manera en los lazos existentes en el
seno de la sociedad, una serie de antiguos vínculos de clanes y parentesco
podían a veces rivalizar con las pretensiones de la comunidad establecida
o de la jerarquía social, e incluso triunfar sobre ellas.

La Europa de *c.* 1500 todavía estaba adaptándose a la dispersión en
todo el continente del fenómeno literario, artístico y filosófico llamado
Renacimiento. Durante al menos un siglo, pequeños grupos de eruditos,
literati y artistas habían venido pensando y sosteniendo que habían roto
definitivamente con los gustos europeos de los siglos anteriores, con lo
que calificaban ellos mismos de «Edad Media», la época comprendida entre la Antigüedad griega y romana y sus propios tiempos «modernos». En
consecuencia, creían que habían recuperado la elegancia, proporción y sensibilidad ética de sus antiguos modelos clásicos. En Italia esos hombres y
mujeres del Renacimiento ya habían conseguido a finales del siglo XV un
fuerte ascendente cultural: eran los representantes de la moda y el gusto
de la época. Los gustos renacentistas afectaron cuestiones tan diversas
como el estilo literario, la prioridad de la educación de los jóvenes, la es-
tética en la pintura, la escultura, la arquitectura, la tipografía e incluso las

armas y las armaduras. También vinieron a fomentar la discusión acerca de la prioridad relativa de la vida de retiro ascético y negación de la propia persona frente a la vida de compromiso activo con la familia y el Estado. En Italia el estilo «gótico» nunca había alcanzado realmente los niveles de florecimiento de Europa septentrional. Al norte de los Alpes las cosas fueron mucho más complejas. El Renacimiento representaba una intrusión extranjera, e incluso exótica, en una cultura literaria y artística sofisticada y perfectamente articulada. Un puñado de eruditos y bibliógrafos franceses, alemanes e ingleses habían adoptado este estilo a mediados del siglo XV. Sin embargo, no constituían una mayoría, y no podemos decir que fueran necesariamente las fuerzas «modernas» más poderosas del arte y la cultura. A veces exageraban pretenciosamente sus enfrentamientos con los «bárbaros» y los «detractores» de las buenas letras y se atribuían un aislamiento imaginario o impuesto por ellos mismos que no reflejaba en realidad su posición académica o cultural. En poesía, retórica y filología clásica antigua los eruditos del Renacimiento empezaron a labrarse un nicho respetable en *c.* 1500, incluso en calidad de profesores de universidades tradicionales. Quedaba por ver cómo iban a ser integrados al mundo cultural mucho más vasto que formaba Europa fuera de Italia.

En vísperas de la Reforma Europa era, por todas las apariencias exteriores, no sólo una cultura sumamente religiosa, sino también muy conformista. Una abrumadora serie de evidencias pone de manifiesto el entusiasmo que compartían los pueblos europeos por su vida religiosa. Catedrales y parroquias eran reconstruidas o embellecidas con arreglo a las últimas tendencias marcadas por el estilo gótico. Los retablos, ya fueran esculpidos, pintados o ambas cosas a la vez, eran objeto de altísima demanda. Los cristianos de todos los estratos sociales reclamaban contacto físico y sensorial con lo sacro en forma de reliquias e imágenes. Sobre todo los creyentes encargaban un número cada vez mayor de misas por las almas de los difuntos. Análogamente, la evidencia de herejías organizadas, o de obstinada disidencia y separación de la Iglesia, había disminuido notablemente los niveles alcanzados entre hacía 200 y 50 años. Inglaterra y Bohemia constituían dos excepciones significativas, pero sólo en ciertos sentidos. En otras palabras, casi nada auguraba a las gentes de Europa la inminencia de una revolución en las doctrinas y las prácticas de culto de la cristiandad católica. Por otro lado, en cierto modo habían sido interiorizados los desafíos que se planteaban, las críticas a la moral y a las deficiencias disciplinarias de muchos sacerdotes, el resentimiento por sus inmunidades legales e intervenciones políticas. Esto es, importantes autoridades del propio clero reconocían la necesidad de llevar a cabo notables mejoras, y estaban decididas a ponerse manos a la obra.

La diversidad que separaba a un cristiano de otro radicaba en un eje vertical que formaban los teólogos en un extremo y los seglares menos cultos en el opuesto. En el nivel cultural más bajo, el ritual era un mecanismo para ejercer presión sobre el mundo invisible. Las prácticas religiosas y pararreligiosas ayudaban a la gente a sobrellevar sus preocupaciones cotidianas. Para los individuos más reflexivos e instruidos, toda forma de tratar lo divino dependía en cierta medida de la verdadera intención, de la humillación de los mortales sumidos en la decadencia y de la exaltación de lo santo y lo sagrado. A la gente culta le preocupaba el uso superficial de técnicas de «superstición» por parte de las masas, y aunque hablaba con frecuencia de este problema, no sabía muy bien cómo afrontarlo; incluso un exceso de sermones contra esas prácticas ponía en peligro la credibilidad del predicador. Puede que algunos teólogos ni siquiera se dieran cuenta de lo hondo que había calado la actitud «supersticiosa» en la escala social e intelectual.

Para los más perspicaces probablemente resultaran evidentes ciertos peligros. Los sistemas de control o de opresión se vuelven vulnerables cuando los que los ejercen dejan totalmente de creer en ellos. En este sentido debemos ser muy cautos. Los intelectuales de la Europa del norte renacentista eran en su mayoría cristianos devotos convencionales, según su criterio. Sin embargo, algunas de esas almas refinadas, incluidos muchos altos cargos de la Iglesia, tenían verdaderas dificultades para creer que el eterno destino del alma humana pudiera depender literalmente del número de misas que se dijeran por ella, de las peregrinaciones realizadas en vida o de los rituales de penitencia efectuados. En el siglo XIII esta economía sacramental de salvación estaba viva y experimentaba una gran pujanza. A finales del XV seguía siendo muy fuerte, y aún no había sido puesta en entredicho formalmente. Sin embargo, las élites de Europa estaban cuando menos desencantadas de las afirmaciones de una teología adusta y expresada con poca elegancia, y del exageradísimo número de rituales, que constituían por un lado la única descripción de lo divino, y por otro, el único medio de acceder a él. Todas esas críticas estaban todavía por formar; apenas tenían un contenido dogmático (pero sí estético) común, o carecían por completo de él, y sus exponentes no intentaban subvertir la autoridad religiosa establecida. No obstante, si hubiera habido que ofrecer una interpretación alternativa de la redención del alma humana, quién sabe a qué habrían recurrido esas almas inquietas y curiosas.

El año 1500 constituye de forma todavía más evidente el punto culminante del cambio decisivo experimentado por la visión del mundo exterior que tenían los europeos. Durante casi toda la Edad Media la visión que del mundo tenían los europeos respondía a una perspectiva sumamente limitada e incompleta, determinada a partes iguales por la fábula y la leyenda y por la información correcta. En los siglos XIV y XV una de las descripciones del mundo desconocido de mayor éxito y más traducida a otras lenguas fue los *Viajes de sir John Mandeville*. Esta obra, un libro que aparentemente contaba a los peregrinos cómo llegar a Jerusalén, hacía una serie de digresiones describiendo Asia y China y relataba diversos cuentos acerca de las fantásticas y maravillosas criaturas que podían encontrarse en las regiones más remotas del mundo. Se convirtió en un arquetipo para la transmisión de lo increíble y lo fabuloso. Y a pesar de las extrañas realidades, que los europeos ignoraban, *Mandeville* tenía, por supuesto, un absoluto desconocimiento de la verdad. Y así seguiría siendo hasta los descubrimientos de finales del siglo XV. No sólo eso: los europeos que se amontonaban en la extremidad noroeste de la vasta región formada por Europa, Asia y África, cada vez más cercados por el poder otomano, quedaron en su mayoría aislados y fueron inconscientes de los desplazamientos masivos de imperios y culturas que aparecían y desaparecían de su vista en el sur y el este de Asia.

El problema que había poco antes de los descubrimientos de las Indias Occidentales y los continentes americanos no era que esos lugares y sus pueblos fueran a ser considerados nuevos y extraños. Era más bien que los europeos los trataran como algo aparentemente exótico y desconocido dentro de un marco de analogías con todo aquello que ya conocían y comprendían. Además, era casi inconcebible que los cosmólogos y los geógrafos clásicos, por no hablar de las Sagradas Escrituras, hubieran expresado ideas acerca del mundo y del lugar que ocupaban en él los pueblos cristianos que en su mayor parte carecían de información vital y en consecuencia resultaban substancialmente erróneos en sus conclusiones. En un mundo donde se esperaba encontrar criaturas antropomórficas gigantescas y monstruosas que habían sido descritas con copiosidad en la literatura de época anterior, era perfectamente factible cuestionar toda la humanidad de los pueblos nuevos hallados en las Américas. Resulta difícil imaginar a unos individuos menos preparados desde el punto de vista intelectual, cultural y moral para desempeñar el papel de señores coloniales del resto del mundo que los europeos de finales de la Edad Media.

Ideas recibidas sobre el siglo XVI

Cualquier período histórico acumula a su alrededor una serie de convenciones interpretativas, que a su vez pueden convertirse en clisés históricos. El siglo XVI conlleva un gran número de ellas, aunque la aspiración académica de desenmascararlas significa que pocas se presentan actualmente en su exacta forma tradicional. No obstante, siguen quedando ciertos conceptos o formas ideales con las que todos los historiadores, estudiantes, profesores y autores parecen obligados a trabajar. El crecimiento de la población, la «revolución de los precios», la «revolución de la imprenta», la «aparición del capitalismo», la Reforma y la Contrarreforma, la «aparición de los estados nación», la difusión del pensamiento secular en la filosofía, la política y las ciencias: todos estos conceptos son pilares esenciales en ese sentido. Sin embargo, estos términos híbridos conllevan determinados supuestos. Suelen priorizar los movimientos dinámicos por encima de la estabilidad continuada, algo que es característicamente distintivo de la manera de pensar de finales de la Edad Moderna, y no de la tradicional. Suelen priorizar grandes estados poderosos, especialmente de Europa occidental, por encima de entidades más pequeñas o complejas. Suelen privilegiar aquellas tendencias y desarrollos que parecen, no siempre correctamente, anunciar, o en cierto sentido, generar posteriores procesos evolutivos y la aparición de la «modernidad».

Los conceptos interpretativos son indispensables hasta cierto punto. La alternativa consiste en abandonar la investigación de todas las tendencias generales para estudiar únicamente las microhistorias de pequeñas regiones y de temas concretos. No escasean historias que renuncian de esta manera a la labor de macrointerpretación; la recompensa en términos de precisión académica y exactitud puede ser considerable. Sin embargo, el verdadero desafío para la historia especializada consiste en incorporar a la imagen general el detalle microscópico, con todos los matices que puedan encontrarse. Los grandes temas deben ser comprobados, refinados, contextualizados y, cuando sea necesario, modificados o incluso descartados y sustituidos por algo más consecuente con las evidencias y las perspectivas de las que se disponga.

Temas distintivos de la presente obra

En consecuencia, cada uno según su propio estilo, los autores de este libro han intentado poner a prueba y, cuando lo han creído necesario, modificar las imágenes que tenemos del siglo XVI a la luz de las investigaciones más recientes. En el capítulo de Tom Scott dedicado a la economía, se hace hincapié convincentemente en la diversidad geográfica de Europa. Ni la Europa oriental ni la del Mediterráneo siguieron la misma trayectoria que las regiones del noroeste de Francia y el imperio. Las estructuras sociales eran distintas, y por lo tanto los modelos de desarrollo económico también fueron necesariamente distintos. En segundo lugar, Scott se pregunta si en realidad se sostienen los viejos supuestos acerca de si este o aquel modo de producción agrícola o industrial resultaba «atrasado» o «ineficaz» o no. En este sentido el constante énfasis teleológico de la historia más antigua probablemente nos haya llevado a conclusiones erróneas. Al parecer, los métodos anticuados de organización económica tal vez hayan representado unas respuestas más racionales a sus contextos que otros que dan la impresión de ser más «modernos» una vez comprendidos a posteriori. Scott también nos advierte del peligro que supone reducir el progreso económico exclusivamente a conceptos idealizados, como, por ejemplo, la «aparición del capitalismo». Indica que un medio concreto de producción puede hacerse popular por un montón de razones, algunas de las cuales tienen poco que ver con la motivación económica, y más con las convenciones culturales. Por último, se nos advierte que no demos por hecho los ciclos económicos (¡ni entonces ni ahora!) observan la misma cronología en una y otra región. La fase de expansión de la economía europea duró mucho más tiempo en el sur mediterráneo que en el norte marítimo.

De forma parecida, Mark Greengrass vuelve a centrar nuestra atención en ciertos aspectos del desarrollo político y militar que la búsqueda «decidida» de las «raíces de lo moderno» preferiría descartar. Llega a la conclusión de que las entidades políticas más poderosas del siglo XVI fueron las monarquías dinásticas. Las monarquías dinásticas se engrandecieron gracias a las alianzas matrimoniales, las oportunas herencias y la conquista; se vieron mermadas por la partición de los legados (cuando la ley así lo permitía), las dotes de las novias, la extinción de las líneas sucesorias o la derrota militar. Los accidentes y las peculiaridades culturales del apareamiento, la reproducción y la supervivencia humana determinaron las disposiciones políticas de los regímenes más importantes de Europa. La inexorable evidencia del principio dinástico lleva a Greengrass a sostener que «en ninguna parte podríamos encontrar un "estado nación" en el siglo XVI». En otras palabras, que ningún estado tenía fronteras «naturales», ni tampoco una sola identidad inquebrantable que pudiera protegerlo y evitar que fuera añadido a un compuesto dinástico o monarquía múltiple. Incluso una monarquía que parecía tener una dilatada y sólida historia de cohesión institucional como la inglesa, cambió espectacularmente a lo largo del siglo XVI. La corona inglesa absorbió todas sus posesiones galesas en el sistema central de gobierno y luego en la década de 1540 elevó Irlanda en cierto modo al estatus de comonarquía. Durante apenas dos años, en el siguiente decenio, la casa reinante pasó a formar parte del extensísimo complejo occidental de los Habsburgo que comprendía Flandes, España, Milán, Nápoles y América. Más tarde, en 1603, la dinastía reinante se extinguió y fue reemplazada por la de los Estuardo de Escocia, pese a que esta casa había sido excluida oficialmente de cualquier pretensión al trono. Sin embargo, las vicisitudes de Inglaterra se desvanecen frente a la extraordinaria historia de los Habsburgo. Este curioso conglomerado, que comprendía principalmente Austria, Hungría, Bohemia, Flandes, Castilla, Aragón y ciertas regiones de Italia, se creó entre 1516-1519 y 1556 a raíz de una combinación de accidentes dinásticos, mortalidad prematura y herencias afortunadas. Resulta evidente que ese proceso no sirvió a los intereses de ninguno de los territorios a los que condenó o al gobierno a tiempo partido de Carlos V, siempre tan atareado, o a una sucesión de regencias.

Sin embargo, dentro de las estructuras de la monarquía del Renacimiento, cambió el tipo de nobleza requerido para servir al monarca. Con el protagonismo cada vez mayor de los documentos escritos y el gobierno por comités, se abría un espacio para los aristócratas territoriales deseosos de convertirse en administradores sedentarios, y aún más para los administradores que aspiraban a los atributos de la nobleza para la cual los cualificaban ahora sus capacidades. Pero el asesoramiento de los príncipes también comportaba un componente cultural fundamental. El talante social y la elegancia exigidos a un administrador cortesano comprendían, además de aptitudes profesionales, las técnicas retóricas, artísticas e incluso militares consideradas todavía necesarias para cualquier asistente del monarca, así como otras cualidades más indefinibles y en constante evolución, como la urbanidad y las buenas maneras. La impresión es la de una Europa que, a trompicones, iba adoptando sistemas modernos de gobierno, sin perder por ello el concepto ilusorio de que una corte real era simplemente la casa de una familia aristocrática, pero más grande, cuyos miembros eran, además de los criados personales del monarca, administradores de un gobierno, o incluso más que eso.

Christopher Black nos pone inmediatamente ante los dilemas de la historia de la sociedad de comienzos de la Edad Moderna: ¿debe analizarse la «sociedad» en términos de la supuestamente eterna lucha socioeconómica de una clase contra otra? ¿O acaso hay que concebirla como un organismo básicamente armónico en el que los «órdenes» sociales trabajaron juntos en un sistema que ambos entendían? Planteado de esta manera, parece que la preferencia por uno u otro de estos esquemas interpretativos nos dice muchas más cosas acerca de la filiación política del historiador que del período objeto de estudio. No obstante, en diversas épocas del siglo XVI podemos encontrar evidencias de esas dos posturas. En varios momentos críticos, durante las luchas de la Reforma o los diversos disturbios agrarios que estallaron por toda Europa, pudo oírse la retórica de la rivalidad social y el conflicto de clases, aunque en formas características de la época: unas veces envuelta en el conservadurismo legalista y otras en el radicalismo religioso y apocalíptico.

A pesar del incipiente o potencial conflicto de clases, el período que nos ocupa siguió siendo una época en la que las gentes estaban unidas unas con otras por una gran diversidad de lazos sociales y éticos. Se daba por hecho que cada individuo formaba parte de una serie de redes cara a cara, que incluían, sin limitarse a ellos, a los grupos familiares y de parentesco, a las comunidades parroquiales y cofradías y a los gremios mercantiles y artesanales. El interés por la Europa meridional de Black como especialista en la materia reenfoca una perspectiva que con demasiada frecuencia está dominada por modelos franceses y alemanes a expensas del resto de Europa. Aquí, como en el capítulo dedicado a la economía, se nos advierte contra una caracterización excesivamente superficial de todo el continente. En el sur, pese a las dudas tanto de las autoridades eclesiásticas como seculares, la rica diversidad de la vida de las cofradías pervivió mucho más tiempo que en numerosas regiones de Europa septentrional. Además, el grado de sutil diferenciación social variaba notablemente: algunas regiones tenían unas estructuras sociales relativamente simples con una aristocracia y un funcionariado extremadamente reducidos; mucho más habitual era la existencia de una jerarquía de estatus delicadamente matizada e infinitamente compleja, tanto en la sociedad rural como en la urbana, con marcadas gradaciones de rango incluso dentro de una actividad u oficio determinado.

El capítulo de Christopher Black también nos revela la sorprendente diversidad de opciones de vida que estaban (o no) al alcance de las mujeres en la época del Renacimiento y la Reforma. Frente al modelo general de exclusión estructural de las mujeres de los puestos de poder e influencia (excepto en el caso de princesas y reinas) y sus limitadísimas oportunidades de acceder a la cultura y a la formación, algunas mujeres excepcionales en el campo artístico o creativo adquirieron fama propia con un brillo que les fue negado a la mayoría de sus contemporáneas. Una vez más la perspectiva italiana resulta muy ilustrativa: tal vez sólo en Italia la «cortesana» culta pudiera convertirse en una celebridad internacional y en un personaje de cierto poder y control en el ámbito de la cultura. En general, a medida que fue avanzando el siglo XVI, fue disminuyendo el grado de libertad para desafiar las normas sociales y éticas. Esta circunstancia tendría efectos en uno y otro sentido. Por un lado, la libertad de vivir y trabajar con un cierto grado de independencia que hasta entonces se le había permitido a la mujer en ciertos terrenos, se vio reducida o limitada. Por otro lado, la sociedad fue «disciplinada» por medio de medidas de control y de beneficencia. Nada ilustra mejor la distancia existente entre el siglo XVI y la época moderna que las respuestas ambivalentes que evocan habitualmente las políticas de control y regulación social del primero. Paternalistas y aún así protectores, moralizantes pero aspirando a cierto grado de benevolencia, los reguladores sociales del siglo XVI consideraban que su papel consistía en vigilar los patrones morales así como el bienestar físico de los individuos pobres, vulnerables y dependientes. Quizá es positivo que, como demuestra Christopher Black, esa disciplina social raramente funcionara con la misma eficacia o con la misma inexorabilidad que dictaban sus teorías.

El siglo XVI es la época del Renacimiento del norte de Europa, pero también la del fin del Renacimiento. Hay una cruel ironía en la manera en la que el humanismo fue llevado al norte de los Alpes. Un dudoso clisé ha presentado el humanismo italiano como secular, y el septentrional como religioso. Este clisé debe ser sometido a una importante revisión: ya había humanistas seculares al norte de los Alpes antes de 1500, y a decir verdad también en Italia había humanistas religiosos. No obstante, la aportación más significativa del norte de Europa al pensamiento renacentista, como dice Charles Nauert, fue el programa de espiritualidad ética basado en la patrística y en las Sagradas Escrituras impulsado por Erasmo de Rotterdam. Pero el programa de Erasmo apenas tuvo tiempo para repercutir de manera significativa en las gentes cultas de Europa antes de verse atrapado en los debates que rodearon el comienzo de la Reforma. Se podría decir incluso que su fama y la atención de la que fue objeto se debieron únicamente al hecho de que los debates provocados por la Reforma elevaron el perfil de las obras religiosas a tales niveles de prominencia. Así pues, el Renacimiento septentrional y Erasmo en particular ofrecieron a Europa un peculiar planteamiento de la vida cristiana cuando ya era demasiado tarde para que pudiera conseguir partidarios convencidos.

En consecuencia, cualquier estudio sobre el Renacimiento del norte de Europa durante el siglo XVI debe explicar cómo se vio diversificado y especializado a medida que el terreno religioso fue ocupado progresivamente por facciones dogmáticas activas. Por esa razón, el capítulo de Nauert revisa buena parte de la diversidad temática del mundo del pensamiento del siglo XVI, incluyendo el campo de la literatura, la jurisprudencia, las matemáticas y lo que hoy llamaríamos materias «científicas», así como el programa más típicamente humanista en materia de moral y filosofía política. El Renacimiento «concluyó» con la dispersión de los enfoques y actitudes aprendidos durante la primera oleada de entusiasmo por los clásicos en un marco reformado del pensamiento europeo mucho más amplio. Las ambiciosas pretensiones de crear un ser humano mejor por medio de las «letras humanas» se vieron en cierto sentido reducidas proporcionalmente; lo que quedó fue un conjunto extraordinario de técnicas de crítica literaria y textual, una mejor comprensión de la historia, la cultura y la filosofía de la Antigüedad, y un sentido reestructurado de los programas de aprendizaje y educación. La fractura de la visión religiosa del mundo tal vez contribuyera, de una manera modesta pero significativa, a una mayor autonomía e independencia de las demás disciplinas intelectuales. Los pensadores de las distintas corrientes religiosas podían interactuar, escribirse y discutir acerca de temas tales como las matemáticas, la cosmología o las «ciencias de la vida» sin necesidad de plantear en sus conversaciones cuestiones relativas a lo fundamental. Sin embargo, la fragmentación de ciertas áreas del conocimiento —consecuencia inevitable cuando el conocimiento se expande y se desarrolla a gran velocidad, pero de manera desigual— tuvo que generar por fuerza un grado de incertidumbre. El capítulo de Nauert termina con una exploración de las tendencias del pensamiento escéptico y la duda racional que aparecieron a finales de siglo. La incertidumbre sistemática acerca de cómo alcanzar la verdad absoluta parecía, al menos a ojos de unos cuantos pensadores independientes, la única respuesta razonable a una época de reajustes brutales a realidades impensables.

Asimismo, el siglo XVI fue por excelencia la época de la Reforma. Hace una generación, era bastante normal sostener que las revueltas religiosas del siglo debían ser explicadas apelando a otros criterios: criterios relacionados con la economía o con la lucha de clases, cuestiones supuestamente más «reales» que las creencias religiosas. Sería a todas luces un error ir al extremo opuesto, y presentar todas las decisiones tomadas en materia religiosa como el resultado de un examen espiritual profundamente sentido por un lado, o como un fanatismo por motivaciones ideológicas por el otro. En la época de la Reforma y la Contrarreforma hubo individuos espirituales al igual que fanáticos, pero también calculadores de mentalidad secular. El curso de la historia religiosa se vio determinado por una serie de interacciones complejas e impredecibles entre la fe sincera, el prejuicio mal informado y el cálculo cínico del beneficio personal o colectivo.

De lo que no hay duda, sin embargo, es que la Reforma inauguró en último término un concepto fundamentalmente nuevo del papel de la religión en la vida y el destino de los hombres. Antes de la Reforma, el culto cristiano se realizaba con el fin de transferir la justicia y la pureza colectiva de Cristo, confiadas a la Iglesia fundada por Él, de modo que se convirtieran en la justicia y pureza individual del creyente. La aceptación por parte de Dios de esa pureza transferida como si perteneciera al cristiano aseguraba la salvación del alma del devoto. A partir de la Reforma (en aquellos países en los que fue aceptado su mensaje principal), la fe cristiana consistiría en la aceptación confiada por parte del creyente de que el favor y el perdón de Dios se vertía para ocultar (en vez de eliminar) las máculas e imperfecciones de su alma impura e intrínsecamente pecadora. El papel de la Iglesia era enseñar a los creyentes ese favor y perdón por medio de la palabra y el sacramento, involucrar a la comunidad en actos de gratitud y de buena voluntad en respuesta a esa benevolencia de Dios y mantener la disciplina moral y social de la que incluso los santos tenían necesidad. En resumen, la purificación por medio del ritual fue sustituida por el perdón a través de la comprensión.

Una vez comprendido el principio fundamental en el que coincidían los principales movimientos de la corriente reformista, el resto de su programa se desarrolla por deducción lógica: cuando no se puede, cabe esperar la aparición de controversias y divisiones. No obstante, lo que no puede ser deducido a partir únicamente de ideas es el proceso extraordinariamente complejo que convirtió las doctrinas reformadoras en realidades sociales y políticas reformadas. Cada exposición constituye un intrincado tejido de motivos y coincidencias que se solapan: así pues, lo mejor que puede hacer el historiador, dentro de los límites de una breve exposición, es tratar de extraer una serie de trayectorias más o menos típicas o «paradigmas» de cómo tuvo lugar la Reforma. Todos esos «paradigmas», el paradigma de las ciudades libres del suroeste de Alemania, el paradigma báltico-hanseático, el paradigma de las monarquías escandinavas o el «paradigma de los refugiados» asociado a los que recibieron la influencia de Juan Calvino, no deben ser considerados más que simples líneas directrices o generalizaciones.

Sin embargo, aun haciendo todas las concesiones oportunas a las contingencias y accidentes históricos, debemos aceptar que el cristianismo actual lleva las marcas del legado del siglo XVI no sólo en Europa y América, sino en todas las partes del mundo en las que se han reproducido las divisiones de la cristiandad latina. Esta observación es particularmente cierta a propósito del catolicismo romano, la confesión que, frente a ese legado, se vio menos seriamente afectada por los acontecimientos del siglo. En el caso del catolicismo no fue tanto el contenido de la doctrina de la Iglesia lo que cambió —aunque incluso en ese terreno fue evidente cierto grado de selección y de restricción de las opciones—, cuanto la manera en que esa doctrina sería administrada y ofrecida a la población. El catolicismo romano absorbió del contexto del siglo XVI el autoritarismo hierático de una época de «disciplina social», la seguridad de que las fórmulas confesionales verbales podían encapsular lo trascendente, el deseo de instruir por medio de una rigurosa catequización estandarizada. El protestantismo también absorbió muchos de esos rasgos de la cultura que lo rodeaba. La diferencia estriba en que en el catolicismo persistirían mucho más tiempo.

La transición entre el «descubrimiento» del resto del mundo y el establecimiento de imperios coloniales ultramarinos se ha dado con frecuencia por sentada, como si la respuesta natural de los europeos al hallazgo de nuevos territorios tuviera que ser colonizarlos y expropiar, someter o asimilar a sus habitantes. Esta circunstancia, por supuesto, nunca fue en ningún sentido una consecuencia necesaria. El análisis de la aparición de los imperios ibéricos realizado por D. A. Brading arroja oportunamente luz sobre la interacción existente entre los descubrimientos marítimos y la determinación de los monarcas occidentales de extender su poder e influencia en nombre del comercio, el territorio o la cristianización. El descubrimiento se volvió imperio porque los soberanos de las potencias marítimas fueron capaces de organizar los navíos, el personal, el equipamiento y las líneas de crédito financiero necesarias para hacer que esas extensas adquisiciones fueran primero alcanzables y luego dignas de que valiera la pena defenderlas y explotarlas. Tal vez se deba otorgar la debida importancia al poder de la burocracia y las finanzas en el aumento de la influencia de Europa, así como a la audacia y a la agresividad de los individuos emprendedores que crearon esas sociedades europeas al otro lado del océano.

Una de las ironías más sorprendentes del relato colonial ibérico es el papel ambiguo desempeñado por la Iglesia católica en la implantación y el mantenimiento de la hegemonía europea en las tierras conquistadas. Por un lado los curas y frailes católicos vieron en los pueblos indígenas almas que salvar. Así pues, la Iglesia intentó en cierta medida mitigar los elementos más crueles y brutales de la explotación colonial practicada por los colonizadores europeos, al menos para evitar el embrutecimiento total de la nueva clase inferior. Una rama importante del pensamiento católico de este período hizo hincapié en la humanidad básica y las necesidades espirituales de los pueblos del Nuevo Mundo (aunque asombrosamente faltó un discurso similar en el caso de los que eran saqueados en las costas de África). Sin embargo, ese mismo deseo de ganar almas para el Dios cristiano también acarreó un compromiso incondicional con la superioridad del sistema europeo, y no sólo en lo tocante a la observancia religiosa y las normas éticas. Durante algún tiempo los historiadores han documentado cómo fueron evolucionando las reacciones europeas ante los pueblos de América Central y del Sur. Los elogios iniciales a la simplicidad propia de la edad dorada de los pueblos del Caribe fueron reemplazados más tarde por la sospecha del carácter autoritario de sus regímenes y una horrorizada consternación ante sus ritos religiosos. En semejantes circunstancias las necesidades éticas y económicas pudieron coincidir para hacer que la «europeización» de la sociedad del Nuevo Mundo pareciera un imperativo absoluto.

Una exposición acerca del continente europeo en el siglo XVI, seria y honesta desde el punto de vista crítico, no debe ser simplista, pero tampoco tiene que ser confusa ni excesivamente extensa. Tampoco debe renunciar a la responsabilidad de discernir los modelos generales, al menos provisionalmente. Los autores que han colaborado en el presente libro han abordado su tarea con sensibilidad por la enorme complejidad y sutileza de las cuestiones humanas en un continente de casi cien millones de habitantes en una época de cambios rápidos y a menudo dolorosos. Siguen convencidos de que la labor de búsqueda y creación de modelos llevada a cabo tradicionalmente por el historiador, ofrece iluminadoras perspectivas y explicaciones del perfil evolutivo de la sociedad europea. Quedará patente hasta qué punto los siguientes capítulos parecerán con el tiempo fruto de su época a medida que vayan sucediéndose nuevas oleadas de desarrollo cultural y social.

1

La economía

Tom Scott

Las historias tradicionales de la economía de Europa en el siglo XVI han venido subrayando tres características. En primer lugar, los territorios del extremo occidental del Mediterráneo —las penínsulas italiana e ibérica—, que fueron el motor principal de la economía medieval, se sumieron en un estado de esclerosis e involución a medida que el centro de gravedad económico se desplazaba inexorablemente hacia el noroeste, al litoral atlántico, en una era de exploraciones ultramarinas a las que siguieron una explotación económica y el asentamiento colonial. En segundo lugar, en términos económicos, deberíamos por una parte adelantar los límites cronológicos del siglo XVI a aproximadamente 1470 y por otra retrasarlos (en algunos casos, no en todos) a la década central del siglo XVII. Pues durante lo que se denomina el «siglo XVI largo» el ciclo de desarrollo económico experimentó una mejora significativa, apreciable en el restablecimiento de la población (aunque no necesariamente causada por él), hasta el punto que las presiones sobre los recursos —la tierra y los productos que ésta ofrecía— desembocaron una vez más en una situación de hambruna, escasez y crisis económica. Esta situación fue acompañada de una subida de precios sin precedente (otrora llamada una «revolución de precios») —pero no de salarios—, que se vio marcada por la inflación, la degradación y el más absoluto empobrecimiento de amplios sectores de la población. En tercer y último lugar, se sostiene que el «siglo XVI largo» vino marcado por los comienzos del capitalismo, esto es, supone el nacimiento de la economía moderna en términos de crecimiento, innovación y acumulación; de hecho, según el análisis de Immanuel Wallerstein, se observa en ese siglo una «economía mundial» capitalista temprana, cuyas incipientes regiones principales relegaron los centros hasta entonces florecientes a una semiperiferia y pasaron a dominar las economías de una nueva periferia, tanto dentro de la propia Europa como en ultramar, en una relación colonial explotadora.

Numerosos planteamientos de esta exposición han sido objeto de ataque en el curso de los últimos años, y ya no pueden —al menos en lo referente al período anterior a 1600— ser sostenidos íntegramente. En breves palabras: el impacto del Nuevo Mundo en la economía europea, en términos del impacto supuestamente inflacionista y desestabilizador de las importaciones de metales preciosos, apenas se hizo sentir antes de 1580, mientras que el cambio decisivo del centro de gravedad del Mediterráneo al Atlántico, plataforma de lanzamiento de los negocios del Nuevo Mundo, se supone que tuvo lugar (según el duro veredicto de un historiador reciente) en un arco de no más de treinta años, entre 1590 y 1620. Además, la falta de equilibrio entre población, tierra y recursos ya era visible en numerosas regiones de Europa antes de 1600. Y lo que es más grave aún, ese enfoque pasa totalmente por alto (excepto en el análisis sumamente problemático de Wallerstein) el papel desempeñado por los países de Europa oriental, cuyas economías durante el siglo XVI se vieron por primera vez integradas (ya fuera en su beneficio o por su explotación) en el conjunto de la economía europea. En cambio, las aportaciones del Nuevo Mundo al producto interior bruto de la economía europea en el siglo XVI (si pudiéramos calcularlo en una época anterior a la elaboración de estadísticas) probablemente fueran bastante marginales.

Población, precios y salarios

Para estudiar estos temas, el presente capítulo divide la economía de Europa en tres grandes regiones, la Europa oriental, el Mediterráneo y el Atlántico, antes de ofrecer una serie de comentarios concluyentes acerca de los vínculos comerciales existentes y las manifestaciones del capitalismo temprano. Debe entenderse que esas «regiones» no poseen una identidad intrínseca o distintiva, y que las fronteras que las separan son obviamente variables. Reflejan, sin embargo, las divisiones en el marco de las cuales los historiadores han tratado habitualmente el desarrollo (o el retraso) económico de Europa. En primer lugar, no obstante, debemos enumerar los cambios fundamentales que se produjeron en el ámbito de la población, los precios y los salarios. Según el cálculo reciente más fiable (el de Jan de Vries), la población de Europa aumentó de los 60,9 millones de 1500 a los 68,9 millones de 1550, y por fin a los 77,9 de 1600, un incremento a lo largo del siglo del 27,9 por 100. Esta tasa de crecimiento encaja con otras estimaciones anteriores (como la de Peter Kriedte), que la sitúan en el 26 por 100 en un abanico más grande de países entre los que se incluyen la Rusia europea (al oeste de los Urales), Hungría, Rumanía y los Balcanes, y dan unos totales de 80,9 millones en 1500 y 102,1 millones en 1600. Estas cifras paneuropeas ocultan, como es de prever, importantes variaciones regionales, y son estas últimas a las que se han agarrado inmediatamente los historiadores, deseosos de encontrar pruebas de una actividad económica diferencial para indicar un aumento de la población del 44,7 por 100 en Europa septentrional y occidental. Dentro de esta zona, por ejemplo, se calcula que la población de Inglaterra entre 1500 y 1600 pasó de 2,3 millones a 4,2 millones, siendo por mucho la tasa de crecimiento de población más rápida de Europa con su 82,6 por 100, seguida por la de los Países Bajos (la República Holandesa), pero con sólo un 57,8 por 100. En el mismo período, sin embargo, la población de Escocia e Irlanda apenas aumentó en un 25 por 100. No obstante, estos porcentajes correspondientes a la región «atlántica» superaron ostensiblemente el crecimiento experimentado por las zonas del Mediterráneo, situado apenas en el 21,8 por 100, o el de Europa oriental, con un 28,3 por 100. Para las regiones centrales de Europa occidental, sin embargo, que según calcula De Vries experimentaron un incremento del 27,2 por 100 en general, las cifras suscitan ciertas cuestiones embarazosas. La población de Alemania en 1500 aparece estimada en 12 millones, ascendiendo a 16 millones en 1600 (un aumento del 33 por 100), pero los cálculos más recientes de Christian Pfister la sitúan en sólo 9-10 millones en 1500, pero en 16-17 millones en 1600, lo que significa un aumento durante el siglo XVI del 60 por 100 en el peor de los casos, y del 88,8 por ciento en el mejor, ¡superando esta última estimación incluso a la indicada para Inglaterra! La separación de los caminos se produjo en el siglo XVII, cuando gran parte de Alemania se vio devastada por la guerra de los Treinta Años, mientras que en Inglaterra la tasa de población siguió su marcada línea ascendente hasta 1650 y alcanzó los 5,5 millones, cifra que dobla con creces la estimada para 1500.

Aunque todo aumento de población supondría, en términos generales, un incremento de la demanda de productos y servicios, a menudo se indica que el funcionamiento de la economía se vio principalmente influenciado por el equilibrio de población existente entre el campo y la ciudad, siendo las ciudades los principales centros de fabricación y de consumo. Aquí las cifras ponen de manifiesto a primera vista un dato tranquilizador que, sin embargo, arroja sobre el Mediterráneo una luz más benigna. A lo largo del siglo XVI los índices de urbanización de toda Europa —que para empezar, nunca fueron altos— siguieron siendo bajos, y a menudo sufrieron un estancamiento. En Suiza, el cociente urbano se redujo del 6,8 por 100 al 5,5 por 100 (una caída del 20 por 100), aun cuando se calcula que su población aumentó un 50 por 100. Los índices de urbanización más altos fueron los de Italia (con un estancamiento justo por encima del 22 por 100), Flandes (en esa época igualmente más o menos constantes, entre el 28 y el 29,3 por 100) y el norte de los Países Bajos, cuya proporción de población urbana, según ciertos cálculos, pasó del 29,5 por 100 al 34,7 por 100 (un aumento del 17,6 por 100), pero que tal vez siguiera una línea todavía más ascendente (aunque quizá sólo a partir de 1580), pues en 1650 el 42 por ciento de su población vivía en ciudades de 2.500 habitantes o más, tasa que sólo en Holanda (debido al excepcional crecimiento de Amsterdam) llegaba al 61 por 100. En cambio, debemos señalar que determinadas regiones del este de los Países Bajos siguieron teniendo poca población y sus niveles de urbanización continuaron siendo bajos. En ciertos sentidos la experiencia de Inglaterra reflejaba la de Holanda. Aunque en un principio, en 1500, el índice de urbanización era muy bajo, tan sólo del 7,9 por 100, en 1600 había alcanzado el 10,8 por 100 (un 36,7 por 100 más), y seguiría subiendo a partir de entonces, con la singular expansión de Londres (¡40.000 habitantes en 1500, y 400.000 en 1650!), que tendría unas repercusiones desproporcionadas.

¿Pero qué nos revelan todas estas cifras? La débil correlación existente entre los índices de urbanización y de crecimiento económico en el siglo XVI, cuando sólo la República Holandesa ofrece una conexión aparentemente directa, sugiere que la urbanización representaba una guía muy poco fiable a largo plazo para el funcionamiento económico, por no hablar del fenómeno por excelencia del siglo XVI, las hipertróficas capitales / puertas de llegada, llenas hasta los topes de mendigos y trabajadores ocasionales, como, por ejemplo, Sevilla, Lisboa o Nápoles (con una población a finales del siglo XVI de 90.000, 100.000 y 281.000 habitantes respectivamente), que supusieron una verdadera sangría económica de sus *hinterlands*.

El tema en cuestión puede ilustrarse si volvemos nuestra atención a Castilla, donde el número de ciudades con una población entre 5.000 y 10.000 habitantes (que, según los parámetros de la época, no pueden ser consideradas pequeñas) se disparó pasando de las treinta a las casi ochenta existentes en 1600. Pero el grueso de esas nuevas ciudades siguió económicamente aislado y poco integrado con los grandes centros regionales, ninguno de los cuales, con la excepción de Toledo, superaba los 15.000 habitantes en toda Castilla o Andalucía. O podríamos tomar el ejemplo más singular de Rutenia Roja —la región situada al norte de los Cárpatos y al sureste de L'viv (Lvov/Lemberg) en la actual Ucrania, aunque anteriormente formaba parte de Polonia—, donde hasta 1600 se produjo una verdadera explosión de fundaciones urbanas, cuyo impacto económico, sin embargo, fue insignificante, sobre todo porque habían sido establecidas por la nobleza local como centros administrativos más que comerciales.

Nadie discute que en el siglo XVI los precios fueron al alza (como lamentaban los propios hombres de la época), pero no está claro hasta qué punto supuso el primer período de inflación aguda en Europa. Por lo pronto, hubo importantes fluctuaciones entre los países o regiones, y entre las mercancías. En general, el coste de los productos alimenticios, especialmente el grano, subió con más rapidez que el de los productos manufacturados. Si tomamos el año 1500 como punto de partida, el precio de los cereales se multiplicó por 6,5 en Francia y aproximadamente se cuadruplicó en Inglaterra, el sur de los Países Bajos, ciertas regiones de España (Valencia y Castilla la Nueva) y Polonia, pero apenas se triplicó en Alemania y los territorios austriacos. Resultaría inmediatamente obvio que esas subidas de precios guardan muy poca relación con las tasas de crecimiento de población de los diversos países de Europa. Los historiadores se han centrado —cosa que no deja de ser comprensible— en los precios de los cereales, pues el pan constituía el principal sustento, excepto en aquellas regiones del sur de Europa en las que era sustituido por el arroz, pero es evidente que el precio de otros alimentos aumentó con mucha más lentitud. Los datos correspondientes a Basilea (ciudad suiza a partir de 1501) indican, partiendo de esa misma base, que en 1600 el precio del buey había subido un 262 por 100, el del vino y la mantequilla un 290 y un 293 por 100 respectivamente, y el del arenque (salado) un 350 en 1600; sólo el de los huevos subiría lo mismo que el del grano (en este caso espelta, la variedad inferior de trigo cultivada en buena parte del suroeste de Alemania), que aumentaron un 400 y un 408 por 100 respectivamente. La fiabilidad de estas cifras sigue siendo objeto de conjetura: ¿constituye Basilea un caso excepcional cuando comprobamos que el precio de los cereales se cuadruplicó en esta ciudad mientras que en el resto de Alemania subió sólo un 255 por 100?

Se han dado diversas explicaciones para justificar el alza de los precios en el siglo XVI. La más venerable, pero menos plausible, hace hincapié en

el impacto de las importaciones de metales preciosos del Nuevo Mundo.
No sólo no empezó a llegar oro y plata de América en cantidades importantes hasta finales de siglo, sino que el efecto inflacionista de este hecho
no se habría dejado sentir si la economía hubiera estado atravesando una
fase de crecimiento. Incluso en España, donde es innegable cierta presión
inflacionista, la mayor parte de la plata era inmediatamente reexportada
para pagar a los banqueros alemanes y genoveses: España tuvo un déficit,
no un excedente, de oro y plata. Sin embargo, estos argumentos serían
menos aplicables a Portugal, que ya había realizado cuantiosas importaciones de oro del norte de África mucho antes de la afluencia de plata
americana, por un total de tal vez unos 40.000 kilos, el equivalente a
520.000 kilos de plata. Por el contrario, el boom de la minería que se produjo en Europa central a comienzos del siglo XVI puso en el mercado unos
50.000 kilos de plata al año (posiblemente un poco más), cifra no alcan-
zada por la plata americana hasta la década de 1560. En ciertos casos —Inglaterra en las décadas de 1540 y 1550 es el *locus classicus*—, la degradación de la moneda por parte del estado contribuyó a la inflación, pero
debe recordarse que el XVI fue un siglo en el que la pureza de la moneda
acuñada permaneció prácticamente intacta, a diferencia de lo que había
ocurrido el siglo anterior. Debemos conceder mucha mayor importancia a
la inflación, no de la moneda, sino del crédito, con la aparición de nuevas
formas de deuda pública consolidada o el establecimiento de bancos por
acciones y bolsas. La verdadera explosión de los créditos supuso la expansión del suministro de dinero y la aceleración de la velocidad de las rentas, y por lo tanto condujo a la inflación. Por supuesto, el crecimiento de
la población también desempeñó un papel, siempre y cuando tengamos en
cuenta las elasticidades diferenciales. Dicho llanamente, esto significa que,
ante el alza de los precios, la renta disponible fue desviada de los artículos
de lujo y los servicios públicos a los productos alimenticios principalmente, y en especial al grano, cuya demanda se cree que careció por completo de elasticidad. Así parece confirmarlo la mayor rapidez en la subida
de los precios de los cereales respecto de la de otros productos alimenticios y manufacturados, aunque debe imponerse cierta precaución. Las cifras correspondientes a varias ciudades alemanas durante el último cuarto
del siglo revelan que el jornal diario de un aprendiz de albañil o de carpintero permitía comprar 8,9 kilos de centeno, 6,8 kilos de guisantes, pero
sólo 3 kilos de buey, 2,4 kilos de cerdo y únicamente 0.95 kilos de mantequilla. La tesis según la cual se produjo una vuelta a los cereales —o a las
legumbres— parece incontrovertible. Desde la perspectiva de la teoría

nutricional moderna, que considera que una dieta equilibrada consiste en un 12 por 100 de proteínas, un 27 por 100 de grasas y un 61 por 100 de carbohidratos, los cereales y las legumbres resultan sumamente importantes, pues son los únicos alimentos, aparte del azúcar y el arroz, que tienen un contenido significativo de carbohidratos, la principal fuente energética y calorífica. Pero las grasas también contribuyen en este sentido, con la mantequilla, el queso, la manteca o el tocino, pues todos ellos aportan una útil nutrición. En cambio, las proteínas, esenciales para el desarrollo de los tejidos corporales, sólo podían obtenerse en cantidad apreciable a partir de la carne, los huevos y el pescado. Por lo tanto podían realizarse algunas sustituciones en la dieta entre carbohidratos y grasas o entre carbohidratos y proteínas (y los historiadores suelen quedar sorprendidos al ver la cantidad de carne que incluían las dietas de comienzos de la Edad Moderna). En el sur de Italia no se produjo esa vuelta al cultivo del trigo, aunque en Lombardía el cultivo del maíz es observable desde mediados de siglo, pero su ritmo sólo se aceleró a partir de 1600. En comparación, los productos manufacturados o artesanales duplicaron ampliamente su precio en todas partes, excepto en los territorios austriacos, donde subieron tan sólo un 10 por 100, y en Inglaterra, donde la subida fue de un 50 por 100.

En el siglo XVI los salarios de toda Europa no pudieron seguir el mismo ritmo ascendente de los precios. Los cálculos disponibles para el norte de Europa demuestran que los salarios subieron como mucho un 50 por 100, en el caso de Francia apenas un 10 por 100, mientras que en Austria cayeron un 10 por 100 por debajo del nivel existente en 1500. Sólo en el sur de los Países Bajos subieron un 300 por 100, superando el alza de los productos manufacturados, pero sin alcanzar los niveles de la subida de los cereales. En términos reales, por lo tanto, los trabajadores asalariados tuvieron que hacer frente a un empobrecimiento progresivo a medida que el siglo iba avanzando. En el caso de Basilea (para completar los datos presentados anteriormente), el aumento de los jornales subió un 168 por 100 entre 1500 y 1600, pero si lo comparamos con el alza de los precios de los comestibles, el poder adquisitivo de los salarios ya había bajado un 53 por 100 a mediados de siglo, y seguiría en esos noveles en las décadas sucesivas. El principio económico de la oferta y la demanda no basta para explicar por qué los salarios quedaron atrás respecto a los precios. En muchas ciudades intervinieron los magistrados para poner un tope a los salarios, entre otras razones porque podían contar con la aprobación tácita de los maestros artesanos que empleaban mano de obra a jornal. Análogamente, incluso en los lugares donde los salarios empezaron a equilibrarse con los precios, como en el caso de Amberes a partir de mediados de siglo, los estados generales de Brabante no tardaron en intervenir para exigir su limitación legal. Al mismo tiempo, resulta evidente que los salarios siguieron pagándose en especie, al menos en parte, y en el campo el empleo de jornaleros a menudo incluía como parte de la paga el alojamiento y la comida en la casa del patrón. Ello contribuyó a proteger a los pobres y a las personas carentes de tierras de los estragos causados por la inflación de los precios de los productos alimenticios. No obstante, el número de individuos calificados como indigentes o carentes de propiedades en los archivos municipales fue sin duda en aumento.

Europa oriental

Las regiones de Europa oriental han sido consideradas a menudo las víctimas del retraso económico experimentado a comienzos de la Edad Moderna, en comparación con las de Europa occidental. Esta opinión se basa en gran medida en una valoración del aumento de la producción de cereales, y tiende a ignorar el próspero comercio ganadero y el florecimiento de la minería de metales preciosos y básicos. En cualquier caso se ha considerado que la minería estaba dominada por intrusos, y que sus beneficios apenas repercutían en la economía local. La aparición durante el siglo XVI en Europa oriental, o más concretamente en las regiones del Báltico situadas al este del río Elba —Mecklenburgo, Pomerania, Brandenburgo, Polonia, Prusia y Lituania—, de agriculturas especializadas en el cultivo de cereales en grandes fincas (latifundios) comerciales bajo el control de la nobleza, ha sido normalmente considerada una prueba de la dependencia colonial de Europa del este de los mercados de occidente, así como la explicación del florecimiento de un régimen señorial intensificado, bajo el cual los campesinos se vieron degradados a la condición de siervos en sus personas o en sus cuerpos, con la obligación de prestar servicios de trabajo a menudo no remunerados, y en último término expulsados de sus tierras por medio de la expropiación. Esta visión puede inducir a errores. Las exportaciones de grano de las regiones situadas al este del Elba aumentaron de hecho sustancialmente a lo largo del siglo. Las estadísticas correspondientes al puerto de Gdańsk (Danzig), la principal vía de salida del grano de Polonia (y del de Volhynia y Rutenia), sitúan las exportaciones de centeno, el cereal para la elaboración del pan cotidiano, a finales del siglo XV en tan sólo 2.300 łast (unas 4.600 toneladas),[1] y a partir de 1490 esa cifra aumenta gradualmente, pasando de 10.000 łast en 1500 a 14.000 en 1530. Aunque periódicamente se produjeron descensos de esos niveles, sobre todo durante los años posteriores a la muerte del último rey de la casa de los Jagiełłon en 1572, que desencadenó un conflicto internacional por el control de la corona polaca, después las exportaciones superaron regularmente los 20.000 łast, y en la década de 1590 los 30.000 łast, aunque las cifras para después de 1600 serían muy distintas en general, y se situarían entre los 70.000 y los 90.000 łast. Por supuesto, la totalidad de las exportaciones a occidente fue mayor, pues el grano también se embarcaba en Szczecin (Stettin), Elbląg (Elbing), Königsberg, Tallin (Reval) y Riga. Los registros correspondientes a los peajes marítimos del Sound recogen el paso de unos 50.000 łast de cereales en 1550, cifra que cae en la década de 1570 para recuperar los niveles anteriores en 1600. En estas últimas cifras se incluyen otros granos duros aparte del centeno, sobre todo trigo, que probablemente supusiera una tercio de las exportaciones de centeno en el siglo XVII.

Sin embargo, lo que causó la intensificación del cultivo de cereales no fue la demanda ultramarina, sino la local o regional. La producción total de grano en Polonia alcanzó en la década de 1560 las 600.000 toneladas (una vez descontados el diezmo y la simiente de la siguiente cosecha), de las cuales dos tercios, esto es, 415.000 toneladas, iban destinados al consumo interno. Del tercio restante, un 60 por 100 entraba en el mercado abierto de la propia Polonia, y sólo un 40 por 100, esto es, 74.000 toneladas, aproximadamente el 12 por 100 de la producción total, era exportado. Esta cifra tan baja no es de extrañar. La densidad de población en Polonia era más alta de lo que ha menudo se supone: en 1580 era de 21,3 habitantes por kilómetro cuadrado, una media que no alcanzaría Inglaterra hasta mediados del siglo XVII. La propia Gdańsk era un importante centro de consumo, pues su población pasó de los 26.000 habitantes en 1500 a más de 40.000 después de 1550 (con un nuevo acelerón en el siglo XVII que la llevó a los 70.000).[2] Pero incluso lo que era exportado iba a

---

[1] El łast era una medida de capacidad de los barcos, no de peso. Por lo tanto, su equivalencia en peso variaba según la mercancía transportada. En el caso del centeno correspondía más o menos a dos toneladas métricas (otros granos eran menos voluminosos).

[2] Estas cifras, tomadas de Edmund Cieślak y Czesław Biernat, *Historia de Gdańsk* (Gdańsk, 1995), p. 103, modifican ligeramente las que aparecen en Jan de Vries, *European Urbanization 1500-1800* (Londres, 1984), p. 272.

menudo a los mercados de la región báltica. Especialmente desde Mecklenburgo y Pomerania se enviaba centeno a los puertos del Báltico y a Hamburgo, una ciudad que crecía a pasos agigantados. Las zonas en las que se cultivaba grano blando, como la avena o la cebada, suministraban sus productos a otros mercados. La cebada, sobre todo, alimentaría la floreciente industria cervecera de Lübeck, Hamburgo, Rostock y la propia Gdańsk. Lo mismo cabe decir de Bohemia —la única región de Europa del este que estaba considerablemente urbanizada en esta época y que por lo tanto tenía un gran mercado interno de productos agrícolas—, donde las famosas cervecerías de Plzen (Pilsen) y Čeké Budějovice (Budweis) dieron lugar igualmente a una mayor demanda de cebada que de grano duro.

Si observamos las actividades comerciales desde el otro extremo del telescopio, veremos rápidamente que el norte de los Países Bajos no dependió tanto de los cereales del Báltico como otrora se pensó. Las antiguas estimaciones que indicaban que el 25 por 100 de la demanda anual de grano de esta región procedía del Báltico han sido rebajadas entre un 11 y un 12 por 100, pero incluso el porcentaje resultante parece actualmente demasiado elevado, sobre todo si tenemos en cuenta que el grano era importado de Alemania occidental a través de los ríos Elba, Weser, Rin y Maas, así como de Inglaterra (especialmente el grano blando) y el norte de Francia. Y lo que es más revelador, ciertos cálculos recientes permiten deducir que, si un łast de grano alimentaba a diez personas al año, las exportaciones del Báltico realizadas en la segunda mitad del siglo habrían alimentado hasta 600.000 bocas (en una época en la que la población holandesa no ascendía a ese total). La explicación es que una cantidad considerable de cereales del Báltico era reexportada, siendo sólo quizá una cuarta parte la cantidad consumida en Amsterdam. Mucho de ese grano iba a Portugal y a España (¡incluso durante la sublevación de Flandes!), algo menos a Inglaterra, y el resto a Italia, donde en el espacio de diez años a partir de 1592, el número de barcos (aunque por supuesto no todos transportaban grano) con destino Livorno —el puerto libre recientemente fundado del gran ducado de Toscana— pasó de los 200 a los 2.500. Además, los mercaderes holandeses se dedicaban a especular en su propio mercado, donde los contratantes de Amsterdam adelantaban dinero a los comerciantes de Gdańsk para entregas a largo plazo con el fin de retener el grano hasta que los períodos de hambruna hicieran subir su precio. Dejando de un lado el comercio del grano procedente de las regiones situadas al este del Elba que mostró los síntomas clásicos de una dependencia colonial, las condiciones del comercio con occidente siguieron siendo favorables, pues el valor de las exportaciones de grano superaba al de las importaciones de productos manufacturados, como, por ejemplo, los textiles.

Esa circunstancia se pone de relieve si fijamos nuestra atención en el comercio de otros productos agrícolas, principalmente el ganado y el vino. Ciertas áreas de Polonia que no eran adecuadas para el cultivo de grano, como algunas partes de Mazovia y Podlasia, fueron notables exportadoras de ganado, llegando a suministrar al mercado exterior cada año entre 20.000 y 40.000 cabezas antes de mediados de siglo. Pero a raíz de la anexión de Ucrania por parte de Polonia en 1569, las exportaciones se dispararon a 60.000 cabezas anuales, y alcanzaron sus niveles más altos en 1584 con 80.000 cabezas, hasta el punto en que el ganado polaco puso en serio peligro a los demás exportadores de Europa oriental. Ese ganado llegaba a los mercados de toda Alemania occidental, aunque, según parece, las exportaciones empezaron a experimentar recortes a partir de 1600. Sin embargo, el principal exportador a occidente era con diferencia Hungría, de donde se calcula que en 1500 salieron con destino al extranjero unas 100.000 cabezas, lo que suponía entre el 50 y el 60 por 100 del valor de todas las exportaciones del país. Pero el impacto del comercio ganadero de Hungría sólo se dejaría sentir con toda su fuerza a partir de 1560, cuando una nueva raza más pesada de reses blancas y grises de las estepas, cuyos ejemplares llegaban a pesar hasta 500 kilos, comenzó a desplazar de los mercados internacionales a los animales más pequeños de los campesinos (de unos 200 kilos de peso), aunque el comercio de estos últimos continuara en el ámbito regional. Las exportaciones húngaras no sólo iban a Austria y a la Alta Alemania, sino también a Venecia, y si a ellas añadimos el ganado criado en Transilvania (en la actual Rumania), vemos que en la década de 1570 el total de las exportaciones anuales alcanzaba regularmente las 150.000 cabezas, y puede que ascendiera a las 200.000 en 1600, siendo en gran medida un comercio en manos de la nobleza y la alta burguesía.

Algunas regiones de Escandinavia también desempeñaron un papel importante en el mercado internacional de ganado con el oeste de Europa. Aunque las exportaciones de Dinamarca y Scania (sur de Suecia) sumaban tan sólo unas 20.000 cabezas en 1500 aproximadamente, al cabo de un siglo esa cifra se situaba entre las 50.000 y las 60.000 cabezas; se trataba de ganado de reserva, no de terneros magros, que era embarcado en primavera rumbo a los exuberantes pastos de las riberas del Weser y el Elba para su engorde y que luego era trasladado al sur para su venta en las metrópolis de la Alta Alemania. Según cálculos de Ian Blanchard, en torno a 1570 pasó por los mercados internacionales al menos un millón de bestias cuyo valor, estimado en el equivalente a 150.000 kilos de plata, triplicaba el de los cereales procedentes del Báltico.

Hungría era también un importante centro de producción vinícola. En las comarcas occidentales alrededor de Sopron (Ödenburg) más del 40 por 100 de la cosecha era para la exportar, aunque el total de las exportaciones de todo el país apenas superaba el diez por ciento de la producción anual. Aparte de otros productos básicos como las pieles y la cera, que ya se habían venido exportando a lo largo de la Edad Media, otras materias primas de Europa oriental empezaron entonces a abrirse un mercado en occidente: por ejemplo, el lino y el cáñamo de Livonia, que era embarcado en Riga y Tallin en una época en la que muchas regiones de Europa occidental ya veían una notable expansión en el siglo XVI de los productos manufacturados con esas materias; o la madera, especialmente los tablones de roble de los bosques de Lituania y el sur de Polonia, que eran utilizados como tablas para pintar.

No obstante, las inversiones económicas más sustanciosas llevadas a cabo en la Europa oriental de comienzos de la Edad Moderna se concentraron en la industria minera, y supusieron unos beneficios espectaculares. Las minas de plata eran las más preciadas, con depósitos en el norte de Bohemia, Eslovaquia, Carintia y el Tirol. Hasta entonces la plata se había encontrado principalmente en minerales de plomo, pero con el avance tecnológico de la licuación, que a partir de mediados del siglo XV vino a sustituir a la copelación, la plata pudo ser extraída del cobre argentífero mediante la adición de plomo. En consecuencia, se desarrolló un mercado secundario tanto de plomo (de Eslovaquia y Polonia, aunque la mayor parte procedía de otros lugares mucho más lejanos) como de cobre, cuyo refinamiento y aleación con zinc para obtener latón permitía satisfacer la demanda de artículos para el hogar y de armamento que seguiría creciendo incluso una vez agotadas las reservas de plata. Se ha indicado que los metales preciosos eran mucho menos importantes para la economía europea que el hierro. Esta afirmación no es cierta, pero Polonia, Bohemia y especialmente Eslovaquia contaban también con depósitos de mineral de hierro, mientras que en el este de Austria un grupo de fundiciones de hierro, en Steyr, a orillas del Enns, en el ducado de Alta Austria, y en Judenburg, Leoben y Bruck, a orillas del Mur, en Estiria, dedicado a la producción de una serie de artículos especializados como las guadañas, ya había alcanzado fama internacional en el siglo XIV, aunque no llegaría a sus máximos de producción hasta mediados del XVI. Podían encontrarse otros metales en cantidades más reducidas: oro en la Baja Silesia y Hungría; estaño, zinc y cobalto en los Erzgebirge, la cordillera que marcaba la frontera entre Sajonia y Bohemia. Austria, además, era una fuente importante de sal gema, extraída de un cinturón de minas que se extendía desde el norte del Tirol hasta Estiria —en Hall, Schwaz, Reichenhall, Hallein y Aussee—, que era exportada a las ciudades de la Alta Alemania. Eslovaquia y la Pequeña Polonia también tenían minas de sal, cuya producción servía para satisfacer principalmente la demanda de Silesia, Bohemia y Hungría.

La industria minera de Europa central y oriental se extendió principalmente gracias a la inversión de las compañías comerciales y financieras de las ciudades de la Alta Alemania que se aprovecharon de la experiencia de los emprendedores locales. El más famoso de estos últimos fue Johann Thurzo, un alemán originario de los Cárpatos, de la ciudad de Levoča (Leutschau), en los Zips,[3] quien, en su calidad de concejal de Cracovia, había establecido cerca de esta ciudad la primera gran fundición de cobre en Polonia en la que se utilizaba la tecnología de la licuación. En 1494 Thurzo se asoció con Jakob Fugger de Augsburgo, y juntos invirtieron en las minas de cobre eslovacas de Banská Bistřica (Neusohl), para lo cual crearon una empresa llamada la «Compañía Común Húngara» (Der gemeine ungarische Handel). Hasta 1526 el total de las ventas totales de unas 40.000 toneladas de cobre argentífero probablemente reportara a los Fugger unos beneficios anuales tres veces superiores a la inversión realizada, favorecidos principalmente por las generosas exenciones aduaneras y de tránsito concedidas por la corona húngara. Tras comprar su parte a los herederos de Thurzo, los Fugger siguieron solos con la empresa, y hasta 1596 vendieron un total de 600.00 toneladas de cobre y casi 120 de plata.

El boom de las minas de plata de Bohemia situadas en los alrededores de Jáchymov (Joachimsthal) fue fruto asimismo de una iniciativa local por parte de la aristocrática familia de los Von Schlick (Šlik), y posteriormente se vio estimulado por las inversiones de los Fugger y otras familias de Augsburgo como los Welser y los Höchstetter. Hasta 1530 la producción experimentó un crecimiento constante, al igual que la de otras regiones mineras, pero si a ella le sumamos la de los Erzgebirge en el norte, se disparó a partir de ese año vertiginosamente hasta llegar a los 48.000 kilos,

---

[3] Los Zips (en húngaro, Spiš) era la colonia alemana más antigua del norte de Eslovaquia, junto a la frontera polaca, que anteriormente había formado parte del reino de Hungría.

lo que representaba entre el 40 y el 50 por 100 del total de la producción centroeuropea, aunque más tarde cayó en picado para volver a situarse en 1570 al mismo nivel de la de otras regiones.

En el Tirol sucedió algo parecido. Las minas de plata de Schwaz y los depósitos de galena plomiza al sur del Brenner, en Vipiteno (Sterzing), habían sido controlados desde un principio por un entramado de inversores capitalistas de poca monta, pero durante la recesión de 1500 habían pasado a manos de un clan de empresarios del norte del Tirol. Durante la década siguiente, no obstante, las familias de comerciantes de Augsburgo —los Höchstetter, los Baumgartner y los Pimmel, las tres siguiendo los pasos de los Fugger— habían penetrado en la industria minera tirolesa, y en la década de 1520 ya la tenían bajo su control absoluto, tras quitarse de en medio a las compañías locales. La única firma local que sobrevivió, la Stöckl, consiguió mantenerse durante tanto tiempo porque unió su suerte a la de los Fugger. La producción de Schwaz se disparó hasta llegar a un total anual de casi 6.800 kilos en 1522, y 12.000 kilos al año siguiente, convirtiéndose en la más alta de Europa, aunque no tardaría en verse eclipsada por la del norte de Bohemia y la de los Erzgebirge. Lo que singularizó a la industria minera tirolesa fue su elevada proporción de plata conseguida en relación al cobre argentífero extraído, que fue aproximadamente de 80:20. En comparación, Eslovaquia sólo llegó a una proporción de 50:50 en su momento de máximo apogeo, y Turingia al 60:40. A lo largo del siglo XVI los porcentajes de todas las minas se vieron invertidos (excepto en el Tirol), aunque pudieron amasarse nuevas fortunas con el cobre (o el estaño). La inversión alemana —las «altas finanzas» de la Alta Alemania, en palabras de Wolfgang von Stromer— había conseguido reemplazar en la década de 1520 a las redes comerciales de la producción argentífera del centro de Europa, que hasta entonces habían funcionado por su cuenta, por un sistema internacional integrado de producción y distribución en manos de unos pocos grandes oligopolios.

Sin embargo, el boom de la industria minera centroeuropea no iba a ser duradero. Las razones fueron estructurales y coyunturales. El volumen de producción de cobre argentífero empezó a caer en picado en la década de 1540, pasando de casi 45.000 a 30.000 kilos anuales; se mantuvo así hasta la década de 1560, pero luego volvió a bajar aún más hasta llegar a los 20.000 kilos a finales de ese decenio. Ya en 1546 Anton Fugger se había retirado del negocio minero en Eslovaquia, aunque la firma siguió activa e intentó diversificarse, pero con poco éxito, en el campo de las minas de hierro (tuvo que hacer frente a la implacable competencia de Estiria). Al mismo tiempo, las familias de mercaderes alemanas que habían comerciado en metales preciosos y básicos (además de otros productos) a través de Amberes a cambio de especias, en estrecha alianza comercial con los portugueses, sufrieron un duro golpe cuando la corona de Portugal retiró en 1549 a Amberes el monopolio de las especias para trasladarlo a Lisboa, en el preciso momento en que los costes de producción de la industria minera centroeuropea empezaban a hacer poco competitiva su plata frente a la importada de América.

Esta circunstancia no significó el fin de la industria de la minería argentífera en Europa. Durante un tiempo, una nueva tecnología, la amalgama, por la que los minerales no plomizos eran tratados con mercurio para extraer la plata, permitió la expansión de los minerales cuya manipulación resultaba provechosa. Pero se trato solamente de un alivio temporal. A partir de 1570 la plata peruana, mucho más barata, empezó a inundar el mercado, y aunque el precio del mercurio bajó, sonó finalmente el toque de difuntos por la industria minera europea. Los empresarios más avispados se pasaron a otros metales; algunos inversores italianos se dedicaron al cobre y al hierro, pero en el caso de los Fugger (y otros recién llegados como las compañías Haug y Manlich de Augsburgo), prefirieron jugar en el mercado del cobre en lugar de dedicarse a su producción, que pasó en numerosos casos a empresas gestionadas por el estado.

Así pues, sería muy fácil adherirse a la vieja sentencia marxista (recogida por Wallerstein) que consideraba el capitalismo comercial de las familias de mercaderes de Augsburgo y Núremberg responsables de los estragos económicos del este de Europa, y por lo tanto del retraso social y económico de sus regiones a comienzos de la Edad Moderna al verse aisladas del mundo exterior y forzadas a comunicarse a través de intermediarios. Pero este juicio es demasiado tajante y simplista. En el siglo XVI todos los indicios apuntan a que Europa oriental estuvo marcada tanto por las actividades comerciales entre los distintos países y regiones del este como por las exportaciones al oeste europeo. Un ejemplo muy revelador: los archivos aduaneros de Bratislava (Preßburg), la capital eslovaca, ponen de manifiesto que en 1542 los artículos textiles supusieron el 70 por 100 de todas las importaciones, pero su procedencia era Bohemia, Moravia y Silesia, no el oeste de Europa. Lo mismo cabe decir de la industria del lino y el cáñamo en Polonia y Silesia, cuyos tejidos se abrieron camino en los mercados del este, en países como Lituania, Ucrania y Rusia. Y todo esto por no hablar de la demanda de cereales del Báltico dirigida a escala regional.

En consecuencia, debe buscarse otro culpable: la nobleza, cuya aversión por las mejoras y las inversiones, unida a un modo de vida basado en las apariencias y el lujo, impidió que se dedicara a la economía de una manera «burguesa racional» (esto es, capitalista acumulativa). Bien es cierto que la nobleza no sólo controlaba la agricultura comercial de los cereales del Báltico, sino también las fábricas y minas de Silesia y Bohemia, así como el comercio ganadero y vinícola de Hungría. Tal vez por ese motivo, prefería por extensión dirigir sus fincas, minas y fábricas a la manera «feudal», esto es, recurriendo a la servidumbre y a la prestación de servicios en forma de trabajo, en lugar de hacer uso de los arriendos capitalistas, unos alquileres más elevados y la mano de obra asalariada del mercado libre.

Este argumento resulta convincente sólo si se plantea en términos totalmente distintos, y si se distinguen las zonas de agricultura comercializada situadas al este del Elba de otros sectores de la economía de Europa oriental. Se solía creer que los latifundios productores de grano se vieron obligados a introducir mano de obra servil, en una región en la que campesinos y colonos habían sido originariamente libres, con el fin de conseguir una fuerza de trabajo adecuada. Pero esta tesis es bastante insostenible. Pues la aparición de un sistema de señorío feudal intensificado (llamado en alemán *Gutsherrschaft*) precedió, en algunos casos incluso dos siglos, al desarrollo de una agricultura cerealista con mano de obra intensiva en grandes fincas (el sistema conocido como *Gutswirtschaft*). La *Gutsherrschaft* tuvo sus orígenes tras la epidemia de peste y la crisis agraria del siglo XIV, cuando los precios del grano se hundieron; por lo tanto, no pudo tener nada que ver con la necesidad de disponer de unas reservas de mano de obra ante la demanda de cereales en ultramar. Más bien los señores feudales de una región caracterizada por una población ya escasa, en la que numerosas granjas habían sido abandonadas, tuvieron una oportunidad única de consolidar sus fincas dispersas aquí y allá mediante la fusión en una sola mano de los derechos de señorío de las tierras y la jurisdicción feudal. Lo que es importante comprender es que este feudalismo intensificado del siglo XV tenía por objeto reforzar la dependencia de los campesinos en su «papel de arrendatarios», esto es, su obligación a permanecer en las granjas de los señores; la servidumbre hereditaria de las personas, la imposición de trabajos forzados, la expropiación de las granjas de los campesinos (*Bauernlegen*) y la obligación de sus hijos a trabajar durante períodos establecidos en la heredad de los señores (*Gesindezwangdienst*) fueron principalmente fenómenos del siglo XVII (y sólo de manera desigual), cuando la demanda exterior de grano alcanzó su punto más álgido, y cuando la mano de obra local se vio mermada por la guerra (los estragos de la guerra de los Treinta Años y la guerra del Norte en la que se enzarzaron Suecia y Polonia entre 1655 y 1660).

El hecho de que la nobleza feudal pudiera ejercer semejante coerción (*Gutsherrschaft*) hasta un extremo tan singular en las regiones situadas al este del Elba encuentra su explicación en la estructura de poder social y político que había venido desarrollándose desde el siglo XIV durante los reinados de monarcas y príncipes débiles, a la que se sumarían los desórdenes provocados por las guerras y las contiendas civiles, sobre todo la lucha de la Orden de los Caballeros Teutónicos por conservar su integridad territorial frente a las agresiones de la corona polaca. En consecuencia, la nobleza adquirió un grado insólito de influencia sobre los monarcas o príncipes territoriales —en último término el ejemplo más famoso sería el de la monarquía polaca, prisionera de su asamblea de nobles en una especie de república aristocrática—, y las ciudades y burguesías existentes se vieron relegadas a una posición secundaria, incapaces de constituir un contrapeso eficaz.

En cambio, el hecho de que los señores feudales decidieran dedicarse a la agricultura de los cereales a una escala semejante puede explicarse por lo propicio de la naturaleza del terreno y por los costes que esta actividad comportaba. El suelo ligero y arenoso del litoral báltico era singularmente adecuado para el cultivo de grano; al mismo tiempo, no está claro qué otras formas de inversión beneficiosa podrían habérseles presentado. Simplemente las dimensiones de los latifundios y la constante disponibilidad de tierras sin cultivar —incluso en 1500 entre el 30 y el 40 por 100 del territorio de Brandenburgo era calificado de «baldío»— también fomentó la siembra de cereales, pues podían obtenerse beneficios sin tener que efectuar gastos considerables en maquinaria y sin que aumentara el rendimiento de los cultivos. Sin embargo, seguimos sin saber por qué los señores prefirieron explotar directamente las tierras (*Gutswirtschaft*), en lugar de arrendarlas a colonos a precio de mercado, o incluso a un precio abusivo. Esta cuestión se la planteó ya el gran historiador polaco Jan Rutkowski. Su respuesta se centraba en la naturaleza del poder señorial. Era más fácil obtener beneficios reduciendo el nivel de vida del campesinado (relegándolo a la servidumbre), que buscar una mayor afluencia de ingresos mediante alquileres cobrados al contado (que probablemente los campesinos tuvieran dificultad en poder pagar), mientras que recurrir a mano de obra asalariada habría hecho que los terratenientes no fueran competitivos en los mercados internacionales. De ahí que las exportaciones resultaran provechosas aun cuando el rendimiento de los cereales fuera inferior al de las explotaciones de occidente. En otras palabras, el régimen señorial y los recursos de los que éste disponía auspiciaron una agricultura «ineficaz» y desfavorecieron el «desarrollo». Pero también parece probable que, si bien se ponía en el mercado hasta tres cuartas partes de las cosechas (de las fincas de los nobles), la manera más eficiente y, de hecho, lucrativa de organizar la producción era recurriendo a la explotación directa: los paralelismos con la posterior economía de plantaciones del Nuevo Mundo saltan a la vista.

No obstante, hubo regiones al este del Elba en las que la *Gutsherrschaft* no condujo de forma inexorable a una economía de latifundios (*Gutswirtschaft*), siendo Silesia y la Alta Lusacia dos de los mejores ejemplos. Muchos campesinos de dichas regiones eran individuos libres, y las condiciones en que poseían sus tierras eran favorables para ellos, en una zona de Europa en la que las heredades podían ser divididas y en la que eran habituales los trabajos secundarios en el campo y los cultivos especializados. Silesia era famosa por su industria del lino, con tintes como la alizarina, extraída de la rubia que crecía en los alrededores de Wrocław, mientras que la Alta Lusacia destacaba por la producción lanera. En esas circunstancias, difícilmente podía desarrollarse la *Gutswirtschaft*, aunque en la segunda mitad del siglo XVI tuvo lugar un avance de la jurisdicción señorial intensificada (*Gutsherrschaft*), a medida que los nobles empezaron a hacer uso de sus derechos de señorío concertados para explotar la actividad económica existente mediante el fomento de la producción artesanal y textil. En vez de expropiar a los arrendatarios, permitieron el asentamiento de nuevos colonos en sus heredades y en las tierras públicas, e hicieron que la industria del lino abandonara las ciudades y se trasladara a sus fincas rurales, donde quedó integrada en el sistema de rentas feudales. En vez de intentar controlar la producción, los nobles utilizaron su poder señorial de coerción extraeconómica (la servidumbre) para poner en práctica el monopsonio (esto es, para exigir a sus súbditos que compraran exclusivamente lo producido en sus tierras) y capitalizar sus derechos más banales, como en el caso del monopolio de la cerveza. Esta situación se repitió también en Austria, donde los señores feudales utilizaron sus derechos jurisdiccionales para promocionar sus propios mercados y desviar el comercio de los mercados urbanos privilegiados con fueros, lo que dio lugar a una sucesión de protestas de las ciudades de los ducados austriacos y de Estiria a comienzos del siglo XVI.

Este patrón se repitió en la vecina Bohemia. En esta región la economía rural giraba en torno a la cría de animales, la piscicultura y la fabricación de cerveza, y ninguna de estas actividades se prestaba particularmente a un régimen de producción basado en la mano de obra servil. Allí donde se utilizaba la prestación obligatoria de trabajos en lugar de mano de obra asalariada, los campesinos seguían normalmente un sistema preestablecido de cuotas anuales en vez de las obligatorias *corvées* semanales. Los señores feudales estaban más interesados en utilizar la coerción extraeconómica para reclutar mano de obra asalariada obligada a prestar sus servicios o para imponer sus monopolios territoriales. No obstante, el señorío intensificado en el sentido lato de derechos jurisdiccionales concertados podría remontarse al siglo XV, tras el colapso de la revolución husita, cuando el poder de las ciudades y aldeas pasó a manos de la nobleza, fuera husita o católica, en el sistema de distritos administrativos llamados *landfrid*, mientras que a partir de 1500 pueden observarse los primeros signos de sometimiento hereditario, restricción de movimiento e incluso trabajo forzoso de los hijos de los siervos, todo ello mucho antes de la batalla del Monte Blanco de 1620, considerada tradicionalmente la línea divisoria del desarrollo social de Bohemia. También en Hungría la servidumbre fue utilizada para apuntalar los privilegios más banales de los nobles y su control sobre la distribución, en lugar de emplearla como el instrumento de una economía señorial.

La cuestión del «atraso» de la economía de Europa oriental ha sido estrechamente relacionada con el resurgimiento de la servidumbre, la dominación de la nobleza y el carácter de la producción. Ninguno de estos tres factores contiene en sí mismo una capacidad explicativa intrínseca (aunque juntos podrían tenerla). En cambio, la cuestión de las inversiones y los créditos y la del marco institucional de la economía merecen una atención mucho mayor que la que hasta ahora se les ha prestado.

Las regiones mediterráneas

El estigma del «atraso» que con tanta frecuencia se ha aplicado a la economía de Europa oriental de comienzos de la Edad Moderna también ha sido asociado a la del otrora floreciente Mediterráneo: Italia, la península Ibérica y el sur de Francia. Este juicio no es más plausible en el caso del sur que en el del este, aunque según la tipología de Wallerstein, el Mediterráneo se convirtió en una semiperiferia, más que en una dependencia colonial, de las grandes economías del Atlántico. La mayor parte de esta zona

—el norte y el sur de Italia, España meridional y Cataluña, y el Midi francés— no sólo conservó su legado medieval de urbanización, sino que sus
ciudades más grandes siguieron creciendo a lo largo del siglo XVI (aunque
algunas de forma hipertrófica), de tal modo que el 17 por 100 de la población de Italia y la península Ibérica vivía en ciudades de cinco mil habitantes o más, una proporción considerable si la comparamos con el simple 8 por 100 que se daba al norte de los Alpes en 1600. El Mezzogiorno,
por ejemplo, a menudo considerado a la ligera una región «atrasada» de
Italia, contaba en el siglo XVI con cuarenta ciudades con una población
de diez mil habitantes o más. Esta circunstancia sugiere cuando menos
una demanda sostenida de bienes y servicios (y sobre todo de alimentos,
con el correspondiente impacto en la agricultura de los *hinterlands* de las
ciudades) por parte del consumidor. Las élites urbanas realizaron importantes inversiones en las zonas rurales de sus alrededores, actuando a menudo como factores de progreso agronómico, por ejemplo, los patricios
venecianos que a partir de 1500 empezaron a adquirir fincas en la *terraferma*. Buena parte de las necesidades de grano de las ciudades, no obstante, sólo podían ser cubiertas por importaciones, tanto regionales (de
Apulia y Sicilia en el caso de Italia) como del extranjero, especialmente
del Mediterráneo oriental (Egipto, Grecia y Bulgaria).

El rendimiento de los cultivos de cereales difería mucho de una región
a otra. Se ha postulado que en Castilla el rendimiento del trigo era de 1:8,
y que en Romagna era de al menos 1:7, pero en otras zonas esta proporción simiente/cosecha era muy inferior, o fue bajando considerablemente
con el tiempo. El rendimiento de los cereales en Castilla probablemente ca-
yera a una proporción de tan sólo 1:4 en 1600, aunque los motivos siguen
siendo objeto de controversia. Frente a los viejos puntos de vista que consideraban que la tasa —el precio máximo impuesto por el gobierno— hizo
que el cultivo de grano resultara poco atractivo, y que la trashumancia de
los grandes rebaños propiedad de la Mesta —el gremio de ganaderos—
provocó la erosión del terreno, actualmente se ha puesto de relieve que las
subidas fiscales, especialmente el impuesto aplicado en las operaciones de
compraventa —la alcabala—, que se multiplicó por 2,5 entre 1560 y 1590
(y en la misma proporción de nuevo en 1620), unido a la venta de las tierras comunales o «baldíos» —de las que dependían los campesinos para
utilizarlas como pastos y estercoleros— por parte de la élite urbana de-
seosa de compensar el pago de impuestos, provocaron que la agricultura
resultara poco rentable. En Romagna, donde la productividad disminuyó
hasta una proporción de 1:5 en la década de 1590, no se presentaron esos

obstáculos; en cambio, el declive probablemente se produjera como consecuencia de la explotación de tierras menos fértiles para alimentar a una población cada vez más numerosa. Un signo del renovado énfasis en el cultivo de cereales fue la caída de la viticultura, atestiguada en el Languedoc así como en muchas otras regiones de Europa. El descenso de la producción, sin embargo, no puede atribuirse a una crisis del campesinado dependiente de la venta inmediata de sus cosechas, si lo que estaba en juego era el abandono de unas viñas situadas en terrenos bajos y mal drenados que raramente producían vinos de calidad. Por consiguiente, la retirada a terrenos en pendiente o mejor emplazados quizá supusiera en último término una mengua saludable. En diversas zonas de Francia los «agricultores fuertes» —los que disponían de fondos suficientes para afrontar los riesgos de una producción comercial— de las aldeas incrementaron en realidad las dimensiones de sus propiedades con el fin de sacar provecho de un mercado de cultivos especializados, ya fueran los de maíz o seda en el suroeste del país, o la viticultura en el Languedoc y Aquitania.

Pero para la mayoría de los campesinos la estrategia de supervivencia siguió siendo la diversificación, no la especialización. Común a muchas regiones mediterráneas era la práctica conocida como cultivo mixto o promiscuo, en la que se plantaban vides, olivos y cereales con la finalidad de disminuir riesgos y asegurar la subsistencia en vez de responder a unas oportunidades de mercado cambiantes. No obstante, el testimonio de Sicilia a partir de 1450 indica que, al darse ciertas condiciones —acceso a mercados exteriores, buenos derechos de posesión de la tierra y alimentos fácilmente asequibles por compra—, el campesinado podía emprender una forma de diversificación «estacional», muy distinta de la agricultura de subsistencia, consistente en la plantación y el procesamiento de lino a finales de verano e invierno, seda entre mayo y agosto, vino en primavera y otoño, y más tarde aceite de oliva (a comienzos de la primavera y a mediados del invierno), creando así a una economía pujante. En cambio, la verdadera especialización puede observarse —de nuevo bajo ciertas condiciones específicas, en este caso el empleo del riego— en las llanuras de la Lombardía central, donde se alcanzaron altas cotas de productividad en grandes explotaciones arrendadas por rentas en efectivo a precio de mercado a emprendedores rurales que contrataban a temporeros asalariados; en esta zona se abandonó el barbecho, y la producción de cereales se integró con el pastoreo en los humedales.

Sin embargo, por todo el Mediterráneo el campesinado se dedicó habitualmente a cultivar sus parcelas por contratos de aparcería (en francés *métayage*, en italiano *mezzadria*), en virtud de los cuales el propietario de la tierra extendía un crédito al labrador, en forma de semillas, aperos, capital o la propia parcela, a cambio de una parte de la cosecha (normalmente la mitad). La aparcería ha sido considerada un sistema ineficaz y atrasado: no fomentaba las inversiones o las mejoras ni por parte del señor ni por la del arrendatario. De hecho, Wallerstein la ve como el régimen agrario característico de la semiperiferia, pues permitía a las élites urbanas adquirir fincas rurales como medio para alcanzar un estatus social y protegerse en épocas de hambruna, sin tener que involucrarse directamente en el proceso agrícola. En cuanto al sur y el oeste de Francia, el recurso al *métayage* ha sido identificado como la causa de que su agricultura permaneciera relativamente atrasada en comparación con la de Inglaterra, aunque sus repercusiones sociales probablemente fueran beneficiosas (pues permitía que los campesinos más jóvenes carentes de capital pudieran iniciarse en la producción agrícola). Ante las opiniones abrumadoramente negativas de la aparcería expuestas por la mayor parte de los comentaristas, se hacen necesarias ciertas puntualizaciones. En primer lugar, no es evidente que la aparcería supusiera «en sí misma» la inhibición del progreso agrícola. Los grandes terratenientes, casi siempre nobles, que dominaban la economía rural andaluza empezaron a invertir en una agricultura orientada al comercio; sólo a finales de siglo se pasaron a la aparcería para convertirse en «rentistas», pues los ingresos procedentes de bonos del estado comenzaron a tener mayor peso que los beneficios mucho más inciertos derivados del cultivo directo de las tierras. Por su parte, los señores de Italia central y el sur de Francia se valieron de la aparcería para fomentar los cultivos en los que era necesaria mano de obra intensiva (viñas, árboles frutales, moreras para la seda) y que daban mayores beneficios que el de los cereales; por lo tanto, la pregunta que deberíamos formular es: ¿qué hicieron con esas ganancias? La aparcería, como ha sostenido Robert DuPlessis, probablemente comenzara como una forma de canalizar capital hacia el campo y sólo con posterioridad pasaría a convertirse en la causa de una involución paralizante. No cabe duda de que las regiones en las que la aparcería era práctica común se caracterizaban por un campesinado dueño de reducidas parcelas o sin tierras de propiedad: lo que atrajo a los señores fue que ese tipo de campesinos recibía por su trabajo un jornal por debajo del precio de mercado, de modo que el mercado laboral era muy rudimentario, y cualquier iniciativa por parte de los campesinos de dedicarse a la comercialización o a la especialización se vio frenada. No obstante, el sistema de aparcería floreció en los lugares cuyos recursos naturales animaban a terratenientes e inversores a entrar y salir de la agricultura comercial y en los que existía un mercado local considerable (en las ciudades). En ese sentido, probablemente resultara eficaz desde el punto de vista funcional, pero ineficaz desde una perspectiva estructural, y es evidente que no fue incompatible con la protoindustrialización de siglos posteriores, como en el caso de la industria sedera lombarda.

El pastoreo no se vio afectado por todas esas limitaciones, y durante buena parte del siglo XVI la producción y las exportaciones de lana experimentaron un notable aumento tanto en Italia como en España. Las ventas de ovejas y lana del reino de Nápoles, organizadas por el gremio de ganaderos, la Dogana (el equivalente de la Mesta en Castilla), se cuadruplicaron a partir de 1550. Anteriormente las exportaciones castellanas de lana a la lonja de Brujas, que ascendían a sólo 13.000 sacos anuales en la década de 1510, alcanzaron los 70.000 sacos en 1550, aunque luego se reducirían a la mitad ya en el siglo XVII. La caída de las exportaciones de lana estuvo estrechamente vinculada a los altibajos de los mercados extranjeros (la sublevación de los Países Bajos), la preferencia por lanas de menor calidad que la merina y el progresivo autoabastecimiento del Nuevo Mundo. Pero debemos ver también la otra cara de la moneda: la pérdida de Brujas supuso una ganancia para Florencia, cuando la lana de Castilla comenzó a llegar a la capital toscana.

En cualquier caso, la mayor parte de la lana castellana iba destinada a la industria textil nacional. En un acceso de mercantilismo, la corona española concedió a la industria del país la primera opción a un tercio de la producción lanar, prohibió las importaciones de lana e impuso unos estrictos controles de calidad a los artículos acabados. En 1500 habían aparecido en Castilla dos grandes regiones de producción: una al norte de Madrid, cuyos centros más activos eran Segovia y Ávila, dedicada a la producción industrial de tejidos de calidad media en grandes cantidades, y la otra al sur y al este de la capital, alrededor de Cuenca, Toledo y Ciudad Real, extendiéndose hasta Murcia, Córdoba y Jaén, donde se tejían velartes de lana merina de altísima calidad. Con el tiempo, los centros textiles más pequeños empezaron a depender del capital mercantil de las grandes ciudades, en parte en respuesta a la influencia institucional cada vez mayor de los gremios (como en Toledo), lo que tal vez fomentara el traslado de la industria a las zonas rurales. Hasta cierto punto, la industria castellana fue casualmente también beneficiaria de desgracias ajenas, pues la industria textil de Francia y la de los Países Bajos tuvieron que sufrir los estragos derivados de las guerras de religión y la sublevación de Flandes. El siglo XVI ha sido considerado de hecho la edad de oro de los tejidos de Castilla (con Segovia a la cabeza, dedicada a la producción de paños de calidad), pero cuando acabó la «protección artificial» (en palabras de J. K. J. Thompson) proporcionada por las guerras del extranjero, y la corona cambió de política y abrió los mercados nacionales a la competencia exterior, la industria lanera española entró en rápida decadencia (aunque algunos comerciantes fueron lo suficientemente astutos y previsores para pasarse a la importación de tejidos extranjeros y a la exportación de lana).

No obstante, la industria textil castellana nunca pudo compararse en volumen con la francesa. En Francia, además, buena parte de la producción estaba organizada según el sistema de trabajo a domicilio (*putting-out*), y las zonas rurales subsistían en simbiosis con las ciudades mercantiles. No obstante, por simbiosis debemos entender dependencia, pues los peligros del putting-out se ponían de manifiesto cada vez que se anunciaba una inversión del ciclo económico, ya que los comerciantes reducían gastos y se concentraban en la producción urbana, abandonando a las zonas rurales a su suerte. Según parece, en Italia el sistema del putting-out no fue una práctica tan habitual, aunque se observan grandes variaciones regionales. La competencia podía tolerarse, como ocurría en Venecia, cuyas ciudades de la *terraferma* se convirtieron en el siglo XVI en grandes centros de producción lanera: la República se contentaba con salvaguardar sus lujosos tejidos y daba autonomía a las zonas del interior. O podía ser suprimida, como en Florencia, que protegió celosamente su monopolio industrial a expensas de la economía de las ciudades de su *contado*, y con el tiempo también de su propia vitalidad económica.

En general, la mayoría de las regiones del Mediterráneo experimentaron un florecimiento durante el siglo XVI, aunque se produjeran cambios estructurales en sectores determinados de la economía —la tendencia de las industrias del lino, la lana y la seda a marchar de las ciudades y trasladarse a los pueblos y las zonas rurales, ya fuera o no mediante la práctica de la producción a domicilio o putting-out— y ciertas regiones atravesaran dificultades (por ejemplo, la decadencia de la industria del hierro en el País Vasco). Las actividades mercantiles con los socios comerciales tradicionales del Mediterráneo en el norte de África y Levante siguieron siendo las mismas, por mucho que cayeran las exportaciones al norte de Europa. La decisión de la corona portuguesa de trasladar a mediados de siglo su monopolio de las especias de Amberes a Lisboa no pudo ocultar el hecho de que éste ya se había visto socavado por los mercaderes venecianos y genoveses. A lo largo del siglo las importaciones de especias de oriente se cuadruplicaron, y las dos ciudades italianas se quedaron con la parte del león mientras que las importaciones portuguesas se estancaron. Cabe resaltar el poder de recuperación de estos dos pilares del comercio mediterráneo medieval, pese a sus crisis periódicas. Venecia siguió siendo no sólo el principal puerto franco de los mercantes que se dirigían a oriente, sino también uno de los mayores centros de fabricación y procesado —de vidrio, jabón, azúcar, cera y construcción naval— reforzado por el monopolio estatal. Los bancos por acciones de ambas ciudades no dejaron de prosperar; de hecho, Génova consiguió sacar partido del hundimiento de las bolsas de Amberes y Lyon, pues tomó la iniciativa y en 1579 trasladó las ferias de Besançon, establecidas en la década de 1530, a Plasencia de Lombardía, donde siguieron funcionando bajo el control mercantil genovés hasta bien entrado el siglo XVII.

No puede negarse que la economía mediterránea (como la de otras partes de Europa) se vio sometida a grandes presiones a medida que el siglo llegaba a su final, pero a quién deba echarse la culpa de esta situación es una cuestión abierta al debate. Con frecuencia se aduce que la carga de los impuestos estatales y la deuda pública fue la causa principal de una esclerosis económica, pero este argumento debe ser tratado con cautela. En Francia la presión fiscal que ejerció la corona para compensar la deuda pública aumentó increíblemente, pero ¿fue al mismo ritmo que la inflación? Es probable que entre 1547 y 1574 los ingresos de la corona se incrementaran un 33 por 100, pero la *livre tournois*, la moneda contable oficial, perdió un 50 por 100 de su valor. Análogamente en España, el impuesto que gravaba las operaciones de compraventa, la alcabala, no era en 1600 superior en términos reales a lo que había sido en 1500, aun cuando en las últimas décadas del siglo se disparara vertiginosamente, mientras que el total real de todo lo ingresado por la corona en concepto de impuestos experimentó un incremento de sólo el 10 por 100 a lo largo del siglo. Para el conjunto de la población, la que trabajaba la tierra, la historia fue muy distinta. Buena parte de las tierras del sur de Francia, de España y de Italia meridional cayó en manos de la Iglesia y la aristocracia, o fue adquirida por terratenientes burgueses, que o bien estaban exentos del pago de impuestos, o bien se veían obligados a pasar esa carga a sus campesinos. Así pues, la cuestión no radica tanto en la carga fiscal en sí, sino sobre quién recaía. Los ingresos de los terratenientes, además, fueron canalizados principalmente hacia el consumo ostentoso o hacia la adquisición de títulos y cargos, y sobre todo hacia la compra de bonos del estado, y muy raramente hacia la inversión agrícola. Mientras tanto, al tiempo que bajaban los salarios, subían los precios; el hambre y la escasez eran más frecuentes; y aumentaba el número de los sin tierra, los sin trabajo y los pobres, lo que en términos humanos resultaría una miseria, y en términos económicos una lastra, pues la caída del consumo supone, como advirtió Adam Smith, la última barrera al crecimiento económico.

La Europa del noroeste

La «economía atlántica» es un concepto general que comprende regiones tan diversas como Alemania occidental, el norte de Francia y el sur de los Países Bajos, por un lado, e Inglaterra por otro, por no hablar de otras que siguieron siendo parcial o totalmente subdesarrolladas (la periferia escandinava, o Escocia e Irlanda). Dentro de lo que denominamos región atlántica, la economía del noroeste de la Europa continental durante el siglo XVI ha sido a menudo comparada negativamente con el crecimiento dinámico que tuvo Inglaterra y las Provincias Unidas de los Países Bajos. En una reciente polémica, Peter Musgrave ha sostenido que fueron las economías medievales más débiles de la periferia atlántica (Inglaterra y el norte de los Países Bajos) las primeras que se «modernizaron», por delante de las ya maduras (haciéndose eco de la opinión de Wallerstein en el sentido de que el «atraso» era una condición determinante para el desarrollo), debido a su mayor inestabilidad (y por lo tanto a su potencial para llevar a cabo una rápida transformación).

Para la economía agraria este argumento supondría un desafío fundamental a los supuestos que se ocultan tras el reciente debate acerca del desarrollo agrícola en la Europa del norte a finales de la Edad Media y comienzos de la Edad Moderna, iniciado por Robert Brenner. Este autor comparaba en un principio el desarrollo de Inglaterra hacia el capitalismo agrario con la agricultura de subsistencia del régimen tradicional de campesinos propietarios existente en Francia, que arrastró de forma inexorable a este país a una involución. Más recientemente, ha extendido su tesis a las provincias marítimas de la República Holandesa. En estas páginas no podemos hacer un seguimiento detallado del «debate Brenner», que en gran medida ha sido expresado en términos de estructura social (relaciones de clase), derechos de propiedad y marcos jurídicos o institucionales; en esencia, gira en torno a si estamos dispuestos a admitir que los propietarios agrícolas pueden actuar, dado el incentivo, como empresarios agrícolas. En buena parte del norte de Francia —una zona de producción champañera con grandes explotaciones agrícolas— podemos observar que se produjo la misma concentración de tierras en manos de los «agricultores fuertes», con el consiguiente empobrecimiento de los pequeños campesinos convertidos en jornaleros dependientes de un salario, que tuvo lugar en Inglaterra. Sin embargo, en la región de los alrededores de París, bajo la presión demográfica que se produjo a mediados de siglo, la parte de las cosechas que llegaba a los mercados empezó a disminuir a medida que los campesinos abandonaban el cultivo de otros productos comerciales y el pastoreo con el fin de dedicarse al cultivo de grano para sus propias familias, y dividían sus propiedades para legar una porción de tierra a sus numerosos hijos. Pero en las regiones en las que prevaleció la indivisibilidad de las herencias, como en buena parte del noroeste de Alemania, no se produjo esa situación; las explotaciones dedicadas al cultivo de cereales siguieron intactas, se deshicieron del exceso de mano de obra familiar y continuaron produciendo para el mercado, mientras que en las zonas costeras aumentó el número de campesinos que se dedicaba a un pastoreo rentable. En términos de productividad, el diferencial entre agricultura «campesina» y protocapitalista no estuvo predeterminado. La productividad de los cultivos en Escandinavia, dada su climatología y la poca fertilidad de su suelo, fue previsiblemente pobre, con un rendimiento de 1:4 en el mejor de los casos, y en Alemania occidental un poco mejor, con un rendimiento de 1:5 —aunque inferior al de las regiones supuestamente protocapitalistas de Inglaterra o las provincias holandesas, que llegaban a 1:7 o más—, mientras que en Flandes (incluidos los distritos que actualmente pertenecen a Francia) tal vez alcanzaran un rendimiento de 1:9 o 1:10. Ante estos datos es necesario realizar diversas puntualizaciones. La productividad inglesa comenzó a declinar en torno a 1630, precisamente en la misma época en la que se supone que la agricultura capitalista se hallaba en pleno apogeo, mientras que las cifras holandesas son en cierto modo irrelevantes, pues esta región se convirtió en un importador neto de grano a partir de 1500. La productividad del sur de los Países Bajos y determinadas zonas de Renania ya se había visto estimulada por la práctica de las cosechas rápidas, como las legumbres nitrogenadas, y por un uso más extensivo de los abonos procedentes de la cría del ganado, en lo que podemos considerar un anticipo de la agricultura «variable» de la Inglaterra de comienzos de la Edad Moderna, cuyo desarrollo agrícola se considera que dependió de la integración complementaria de las tierras de labranza y los pastos. No obstante, el régimen agrícola del sur de los Países Bajos en raras ocasiones llevó a cabo la transición al capitalismo agrario inspirándose en el modelo inglés. Ello indica que los problemas planteados originalmente por Robert Brenner todavía están por resolver.

Hasta hace bien poco el «debate Brenner», en cualquier caso, ha pecado de prestar escasa atención a la transformación que en el siglo XV ya se estaba produciendo en la economía rural de buena parte del noroeste del continente europeo, y que alcanzó su punto álgido en el siglo XVI: la difusión de las manufacturas textiles rurales —de lino, fustán (una mezcla de lino y algodón) y lana—, promovida a menudo por los comerciantes de las ciudades mediante el sistema del trabajo a domicilio o putting-out. En Alemania occidental, las industrias del lino y el fustán del sur se habían concentrado principalmente en las grandes ciudades, pero en 1500 la producción ya se había extendido a las zonas rurales en un intento por parte de los empresarios de burlar las restricciones gremiales y las normativas municipales, adhiriéndose así a una industria rural ya floreciente que utilizaron para la manufacturación de productos destinados a los mercados regionales e internacionales. Pero el papel desempeñado por las compañías comerciales en las ciudades medianas, como Ulm, Constanza, Nördlingen o Memmingen, se vio progresivamente socavado no sólo por la aparición de cárteles en las metrópolis punteras —Augsburgo consiguió estrangular la iniciativa mercantil de otros centros menores en un radio de setenta kilómetros—, sino también por la competencia que supuso el norte de Alemania, sobre todo las regiones de Westfalia y Sajonia, donde Chemnitz se convirtió a mediados del siglo XVI en el centro neurálgico de una industria linera que abarcaba la ciudad y las zonas rurales circundantes. En respuesta a esta situación, algunas empresas textiles de Nuremberg empezaron a dirigir su atención hacia el noreste, a las regiones de Silesia y Lusacia, donde contribuyeron al establecimiento de nuevos centros industriales. No obstante, la producción de lino en las zonas rurales estuvo menos expuesta a la penetración de capital urbano que la de fustán, pues los suministros de algodón tenían que ser importados del Mediterráneo a los países más fríos y húmedos del norte de los Alpes por comerciantes que contaran con las pertinentes aptitudes organizativas y los recursos financieros necesarios. Sin embargo, no sería prudente precipitarse y considerar la comercialización de la economía rural del oeste de Alemania como el preludio de la transformación capitalista, fuera cual fuese el papel desempeñado por el sistema de trabajo a domicilio o putting-out, pues en una época de crecimiento de la población los campesinos del suroeste de Alemania, como región en la que se daba mayoritariamente la partición de las herencias, consideraban el empleo complementario y el trabajo externo una válvula de seguridad indispensable que permitía la supervivencia de una economía principalmente de subsistencia.

El lino y el fustán eran tejidos baratos; muy distinto era el caso de las lanas finas, por no hablar de los tejidos de lujo, como la seda y el satén, y el papel que desempeñaban en la fabricación de cintas, brocados, alfombras y tapices. Como ya hemos observado en España, el siglo XVI se caracterizó por la difusión tanto de los tejidos baratos como de los de alta calidad, destinados a los mercados nacionales y extranjeros. Lo mismo sucedió en el norte de Francia, donde en Picardía, Normandía y Champaña se producían lanas baratas, junto con otros artículos de lujo, como las sedas de Tours y Lyon o los tapices de París y Orleáns, que eran vendidos por todo el Mediterráneo, desde el norte de África hasta Levante. En Flandes, en cambio, el éxito de sus tres ciudades principales, a saber, Gante, Brujas e Ypres, en su empeño por reservar para sus propios tejedores urbanos el derecho de fabricación de lanas de alta calidad favoreció el hecho de que las zonas rurales dejaran de producir lana para dedicarse al lino, cambio que pudo llevarse a cabo independientemente del capital urbano en forma de industria rural. Tras una fase de depresión en el siglo XV, la producción se reavivó cuando Flandes y Brabante empezaron a dedicarse a la fabricación de tejidos más ligeros. En 1565 las ventas de telas de lino en Eeklo, el principal mercado flamenco, se habían multiplicado por diez respecto a los primeros años del siglo, y Brujas se convirtió en el centro de una nueva industria del fustán. En los lugares en los que se seguía tejiendo la lana, la producción se organizó a pequeña escala (el llamado *Kaufsystem*), y la iniciativa se apoyaba en gran medida en los productores y no en el sistema de trabajo a domicilio o putting-out.

La capacidad del sur de los Países Bajos para adaptarse rápidamente a las nuevas modas de los tejidos puede atribuirse a su economía perfectamente comercializada, en la que los derechos jurisdiccionales que tenían las ciudades sobre sus *hinterlands* les permitió controlar un mercado laboral que se había hecho especialmente flexible debido a que las explotaciones de los campesinos eran normalmente demasiado pequeñas para mantener una agricultura de subsistencia. En el siglo XVI esa adaptabilidad se hizo patente sobre todo en la aparición de las llamadas «nuevas pañerías». Éstas no dependían de tecnologías innovadoras, sino de la imitación directa de las «viejas pañerías» de alta calidad, pero en ellas se utilizaban lanas más baratas, se simplificaba el proceso de acabado para dejar los tejidos prácticamente sin abatanar y sin tundir y se mezclaba la lana con otras fibras como el lino o el algodón; así, se daba lugar a un paño mucho más burdo y basto. Esos nuevos tejidos, llamados anascotes o sargas, supusieron la salvación y la fortuna de la industria textil flamenca en el siglo XVI, de forma más espectacular en Lille principalmente, donde la producción de las nuevas pañerías se multiplicó por diez entre 1530 y 1560; sólo la fabricación de telas baratas con aspecto asedado, las llamadas *changeants*, pasó de las 2.000 piezas de mediados del siglo XVI a las 175.000 de 1619. Sin embargo, en ciertas regiones de Alemania (e Inglaterra) las nuevas pañerías tuvieron connotaciones distintas. Los tejidos que salían de ellas no eran de hebra corta, sino de estambre (hebra larga) o una combinación de urdimbre de estambre y trama de lana. Más ligeras que los velartes tradicionales, esas telas abastecían a un nuevo mercado de calidad; estaban fabricadas por la industria nacional, principalmente en la Selva Negra, donde los tintoreros de la región de Calw, dedicada a la cría de ovejas, habían empezado a organizar a principios de siglo a los pastores y a los tejedores rurales en un sistema de integración vertical, lo que en 1650 daría lugar a la fundación de la célebre Compañía de Paños de Calw.

La economía rural del noroeste del continente europeo del siglo XVI estuvo, por lo tanto, profundamente implicada en el sector secundario (la fabricación) y en un entramado de relaciones campo-ciudad, lo que dio lugar a la aparición de una serie de paisajes económicos característicos. Como puntal de este sistema de desarrollo se encontraba el cultivo a gran escala de un conjunto de productos auxiliares de la industria textil, principalmente los tintes. La zona de los alrededores de Erfurt, en Turingia (Sajonia occidental), se hizo famosa por su glasto, cuya producción implicaba una considerable inversión de capital debido a los largos intervalos de tiempo existentes entre su siembra, su recolección, su trituración y su maduración; suministraba sus tintes a las industrias laneras de Hesse y Lusacia, y esta última también se beneficiaba de los tintes carmesí obtenidos a partir de la raíz de rubia que se cultivaba al oeste de Wrocław. El único sector de la economía rural comercializada del noroeste de Europa que experimentó un notable retroceso fue el de la viticultura, aunque su declive debe ser considerado una transformación estructural, no una crisis, pues el abandono de unas tierras poco idóneas y la concentración de la producción en regiones con un terreno más apropiado fueron de la mano del auge de la industria cervecera. La que hasta entonces había sido una bebida producida para su consumo inmediato con el fin de satisfacer la demanda local se convirtió, mediante la adición de otro cultivo industrial, a saber, el lúpulo, en un artículo que mejoraba con su almacenamiento y que podía ser exportado a otros mercados regionales. La fortuna de la industria cervecera de Franconia (Kulmbach, Bamberg, Núremberg) o de la Baja Sajonia (Braunschweig, Einbeck, Goslar), y también la de las ciudades costeras de la Hansa anteriormente citadas, se forjó en el siglo XVI.

A la vista de una economía de la Europa continental atlántica cuyo rasgo distintivo fue la diversificación de unos cultivos destinados a la manufacturación y el procesamiento de artículos, no resulta evidente de manera inmediata que Inglaterra o el norte de los Países Bajos deban ser considerados casos especiales. La historia de la agricultura del norte de los Países Bajos ha sido escrita habitualmente como un relato de débil control señorial, de servidumbre residual (si es que alguna vez la hubo), de propiedad generalizada de la tierra por parte de los campesinos, conservada según el principio de indivisibilidad de las herencias, y un activo mercado de terrenos y parcelas. Parecía que se daban todas las condiciones necesarias para la aparición de una sociedad de «agricultores fuertes», más que para la expropiación de tierras y la desaparición del campesinado tradicional. Sin embargo, bajo la presión impuesta por el crecimiento de la población y la fuerte demanda urbana, las provincias centrales (Holanda, Zelanda, Frisia y Utrecht) siguieron un camino distinto en el que se dieron «ambas» configuraciones contemporáneamente, y sólo las provincias orientales (Drenthe, Overijssel y Gelderland) siguieron mostrando muchos de los elementos propios de un régimen feudal. Algunos campesinos de las provincias marítimas empezaron a dedicarse a tiempo completo a la producción para el mercado en grandes explotaciones de capital intensivo —principalmente de ganado y productos lácteos—, mientras que la población rural sobrante, en vez de emigrar, se puso a trabajar en el campo en nuevas actividades (la construcción de carreteras y canales, la fabricación de ladrillos, la extracción de turba y su corte en bloques, la ferretería o el pequeño comercio).

Se ha suscitado una discusión interminable (en cuyo análisis no hay necesidad de entrar en este momento) acerca de si esos labradores especializados deben seguir siendo considerados campesinos o no, o de si la población rural no agrícola constituía un protoproletariado o no. Es importantísimo determinar por qué unos agricultores con buenos derechos de propiedad habrían seguido, según parece, sólo en el norte de los Países Bajos una serie de estrategias económicas potencialmente capitalistas. En este sentido la ecología desempeñó un papel decisivo. El hundimiento de las turberas a finales de la Edad Media dio lugar primero a su desecación y luego a su inundación: el resultado fue la degradación de la agricultura. Aunque la población rural siguió siendo en su mayoría propietaria de sus tierras, se vio privada de hecho de sus medios de subsistencia (aunque no de sus medios de producción), de modo que las estrategias que en otros lugares vinieron a reforzar la subsistencia (la división de las parcelas, los trabajos complementarios) tuvieron que ser rechazadas en favor de una especialización más arriesgada, en la que los campesinos fueron obligados por el mercado a invertir y acumular, pues carecían de cualquier otra alternativa viable a la que recurrir, o a abandonar por completo la agricultura. Una prueba de este argumento consiste en considerar lo ocurrido durante la depresión agrícola que azotó el norte de los Países Bajos a partir de 1660, cuando la dinámica capitalista siguió activa, incluso ante la caída de los precios y los atrasos en el pago de las rentas. Así pues, los arrendatarios que no pudieron hacer frente a los pagos de las rentas fueron simplemente desahuciados por sus señores, en favor de recién llegados que contaban con recursos para subsistir; a diferencia del sur de los Países Bajos, las fincas no se dividieron ni se intentó devolver a los campesinos a una agricultura de subsistencia. Por lo tanto, el punto clave de la transformación de la agricultura holandesa a partir del siglo XVI no es, como ha observado Jan de Vries, si los campesinos eran propietarios de la tierra como tal, y por consiguiente qué motivación o racionalidad habrían podido tener, sino más bien, según sus propias palabras, la «calidad de los activos» que tuvieran a su disposición, en el contexto de una sociedad urbanizada con una gran integración de mercado, buenas comunicaciones, amplias facilidades de crédito y un floreciente comercio de exportación.

Desde diversos puntos de vista, el crecimiento de la economía rural inglesa a partir de 1500 fue un reflejo de los avances que se produjeron en el norte de los Países Bajos. El campesinado tradicional, que trabajaba unas tierras según el sistema tradicional de ocupación, se vio supuestamente expropiado de sus parcelas a medida que los señores extendían sus derechos de propiedad, apoyados por la justicia y las sanciones parlamentarias, para transformar la posesión por enfiteusis en tenencia por arriendo, poniendo en alquiler las tierras a precios competitivos fijados por el mercado y subiendo de los derechos de entrada. Se ha calculado que entre 1450 y 1700 la *gentry* se convirtió en propietaria de la mitad de las tierras de Inglaterra, aunque probablemente entre una cuarta y una tercera parte de las tierras de labranza estaba en manos de pequeños terratenientes. Del mismo modo, las tierras que hasta entonces habían sido cultivadas en campos abiertos fueron cercadas o «puestas en posesión exclusiva» (esto es, adjudicadas a determinados agricultores), y a menudo dejaron de labrarse y fueron convertidas en tierras de pasto con el fin de criar el ganado ovino necesario para suministrar lana a una industria textil que respondía a una demanda nacional con tendencia al alza en una época de gran crecimiento demográfico. Ésta fue la vía directa al capitalismo agrario que diferenció a la Inglaterra de comienzos de la Edad Moderna de sus vecinos del continente y que constituye el punto de arranque del análisis comparativo de la transformación de la agricultura establecido por Robert Brenner.

Esta valoración de la economía rural inglesa (Escocia e Irlanda quedan al margen) ha sido atacada en los últimos años desde diversos frentes. La mayoría de los historiadores, aunque comparten los supuestos básicos, coinciden en que los cambios se produjeron en general de forma más desigual y lenta de lo que hasta ahora se creía; la erosión de los derechos de los enfiteutas, por ejemplo, es apenas perceptible antes de 1650. Análogamente, se ha puesto en tela de juicio el alcance y el ritmo con el que se puso en marcha la política del *enclosure* o absorción de las tierras (la transformación de las fincas en unidades de mayores dimensiones). Un condado del Midland bastante típico como Leicestershire sólo tenía cercado un 10 por 100 de sus tierras de labranza antes de 1600, aunque a lo largo del siglo XVI se alcanzaría el 50 por 100. En general, fueron los condados del Midland, que abastecían al gran mercado londinense, los que experimentaron el mayor número de cercados o enclosures. No obstante, ya se habían producido numerosos cercados de tierras antes de 1500, en una época de languidez de la economía, hecho que suscitó las protestas de políticos y de clérigos indistintamente (el caso más famoso es el de Tomás Moro, cuyo tratado, *Utopía*, se quejaba de que las ovejas se habían «convertido en devoradoras tan grandes y salvajes que comían y engullían a los mismísimos hombres»); pero estos enclosures estaban en su mayoría confinados a los condados del noroeste, donde siempre había predominado el pastoreo. Cuando el parlamento intervino en los enclosures, lo hizo normalmente para proteger a los arrendatarios tradicionales, no a los terratenientes que practicaban esa política. En cualquier caso, las tierras de feudo franco —tal vez una cuarta parte de todas las tierras de labranza— no se vieron sujetas al régimen de cercado o enclosure.

Sin embargo, han sido las recientes discusiones en torno a los derechos legales de los arrendatarios las que han empezado a retocar la idea habitual. La aparición de la enfiteusis no supuso la erosión de los derechos de propiedad de los campesinos; bien al contrario, en 1600 fue consagrada en la ley como equivalente del feudo franco (la posesión patrimonial absoluta). En consecuencia, los que hasta entonces habían sido arrendatarios tradicionales —villanos de los señoríos— se convirtieron, a juicio de R. C. Allen, en campesinos propietarios y de ellos salió, al igual que de entre los arrendatarios, una clase de «agricultores fuertes». Ninguna ley parlamentaria del siglo XVI favoreció el sistema de arriendos en detrimento de la enfiteusis; para algunos historiadores como Richard Smith no cabe la menor duda de que por lo tanto estos pequeños terratenientes enfiteutas siguieron siendo campesinos. El hecho de que los terratenientes, grandes y pequeños, abrazaran la agricultura capitalista fue el resultado de una determinada evolución política, social y jurídica que tuvo lugar en Inglaterra, según la cual un reino unificado precozmente llegó a reconocer a través de los tribunales los derechos de propiedad de los individuos a costa de la jurisdicción privada de los señores, y en la que la apropiación feudal no fue sustituida (como ocurrió en Francia y en los demás países) por onerosos impuestos estatales. Además, la aparición de un mercado nacional, dirigido por Londres y mantenido a través de una red de ferias regionales establecidas a finales de la Edad Media, fomentó la inversión en la agricultura y la especialización de la misma.

A raíz de todos esos hechos, la industria lanera inglesa sufrió un importante cambio de orientación. Se abandonaron las exportaciones de lana como materia prima en beneficio de la producción nacional de tejidos, que se vio favorecida por la existencia de mano de obra asalariada, rural y sin regularizar que ya no estaba sujeta a un régimen de agricultura de subsistencia. El corazón geográfico de la industria lanera, situado anteriormente en el suroeste (especialmente en los Cotswolds), empezó a trasladarse a East Anglia, Lincolnshire y Yorkshire, regiones mucho más convenientes para la exportación al continente. Antes de 1550 únicamente se habían exportado velartes y cariseas de lana (tejidos de cordoncillo fino), pero a partir de mediados de siglo empezó a comercializarse en el mercado exterior toda una variedad de telas, incluidas las fabricadas en las nuevas pañerías. Esas exportaciones se vieron facilitadas por las cartas de privilegio concedidas por la corona a las compañías mercantiles dedicadas a este negocio: en 1555 a la Muscovy Company, que comercializaba tejidos de lana en Rusia e incluso en Persia; en 1579 a la Eastland Company, que realizaba sus actividades mercantiles en el Báltico desde su sede de Elblag; y en 1581 a la Levant Company, que vendía en el Mediterráneo oriental velartes fabricados en Suffolk y posteriormente las telas producidas en las nuevas pañerías de East Anglia.

No obstante, el motor del crecimiento económico inglés siguió siendo principalmente el mercado interno, mientras que la economía holandesa se basó más en las exportaciones, y en consecuencia se resentiría de las crisis que sufrirían los mercados internacionales a lo largo del siglo XVII. Pese a que siguieron trayectorias algo distintas, las economías rurales de ambas regiones y la industria textil que construyeron a su alrededor compartieron diversos rasgos institucionales que en cierta medida las diferenció del resto del noroeste de Europa. Sin embargo, no cabe decir lo mismo de otros sectores de la producción manufacturada ni de la industria minera. El siglo XVI fue un período de escasa innovación tecnológica en Europa (aparte, tal vez, de la veloz difusión de la imprenta de tipos móviles), pero las industrias de extracción y procesamiento cuya actividad exigía un elevado consumo de combustible pudieron dejar de depender del carbón vegetal y la madera para alimentar sus hornos y forjas y empezaron a recibir los primeros suministros de carbón mineral. En Alemania los primeros filones de carbón bituminoso, a diferencia del carbón marrón o lignito, más abundante pero de inferior calidad, que era extraído de minas a cielo abierto, empezaron a explotarse antes de 1500 en aquellas regiones que ya se dedicaban a la minería y la metalurgia, como la del Ruhr, la cuenca de Aquisgrán o el sur de Sajonia, pero satisfacían sólo una parte de la demanda total de combustible. Más hacia el oeste, en cambio, las minas de carbón de Lieja producían 48.000 toneladas anuales en 1545 (cuando se empezó a llevar un registro de la producción), y 90.000 en 1562, que servían para alimentar los altos hornos de la industria siderúrgica de las Ardenas. En esta región el número de hornos y forjas se disparó de los 90 de 1500 a los 220 de 1565. Pero después de la sublevación de Flandes, la reinstauración del catolicismo en el sur de los Países Bajos supuso la emigración de muchos artesanos y hundió la industria en una decadencia de la que no se recuperaría hasta comienzos del siglo XVII. La industria del carbón inglesa no se vio sometida a este tipo de crisis. La producción carbonífera de Northumberland y Durham estaba concentrada junto a núcleos de población y florecientes centros industriales de la región que dependían de combustible (para la fabricación de cerveza y vidrio y para el procesamiento de la sal). Pero el carbón era también exportado en grandes cantidades por mar, sobre todo al sur de Inglaterra, donde era utilizado como energía para la industria y como combustible doméstico para la calefacción: de las 45.000 toneladas exportadas en 1510 se llegaron a las 500.000 a mediados del siglo XVII.

En lo tocante al hierro, la balanza se inclinó hacia el continente. Aunque la producción de Inglaterra aumentó drásticamente y pasó de las casi 5.000 toneladas de la década de 1550 a las 24.000 de un siglo después, estas cantidades corresponden a una parte del total de 70.000 toneladas anuales producidas en el norte y centro de Europa en 1500, y del doble de esa cifra en 1600, con dos grandes centros de producción en Alemania, en el Süderland al este de Colonia y en el Alto Palatinado al norte de Nuremberg. El Süderland se había hecho famoso antes incluso de 1500 por sus trefilados, sus herramientas y su cuchillería; tan especializada era la producción de los principales centros industriales —Solingen, Altena, Iserlohn y Lüdenscheid—, en la que se empleaban altos hornos y energía hidráulica, que dejaron de refinar los minerales de hierro para importar este metal en lingotes de una región situada más al sur, Siegerland. En el Alto Palatinado se desarrolló un verdadero paisaje industrial alrededor de Amberg y Sulzbach, donde el 20 por 100 de la población trabajaba en la industria siderúrgica. Su producción servía para abastecer las avanzadas industrias metalúrgicas de Nuremberg, que ya en el siglo XV utilizaban las técnicas de producción de hojalata y trefilados. Esta ciudad se convirtió en el núcleo de fabricación de una gran variedad de objetos de metal especializados, desde hojas, cuchillos, agujas y brújulas hasta armaduras y armas en general. En un principio, la producción de hierro del Alto Palatinado fue superior a la del conjunto de Francia (cuyas 460 forjas en 1542 eran en su mayoría de reciente fundación), pero a medida que fue avanzando el siglo el número de forjas disminuyó, y en 1609 la producción había bajado a tan sólo 9.500 toneladas procedentes de 182 forjas, dos tercios de las cuales cerrarían en la siguiente década. Si bien el Alto Palatinado entró en decadencia —produciendo en 1600 sólo un tercio del hierro alemán—, otras regiones siguieron floreciendo: la producción siderúrgica se expandió desde Süderland hacia el extremo oriental del Sauerland, al norte de Hesse y al sur de Westfalia, y a finales del siglo XVI surgieron nuevos centros industriales en Sajonia y en los montes Harz por no hablar de las minas de hierro a cielo abierto del valle del Saar.

Sajonia y Turingia fueron también importantes centros de producción de plata y atrajeron a todo tipo de inversores, desde accionistas locales con un pequeño capital (como fue el caso, por ejemplo, del padre de Martín Lutero) hasta notables familias dedicadas al comercio internacional, como los Fugger. Estos últimos enviaban incluso por tierra el mineral de cobre de sus minas de Eslovaquia a sus fundiciones de Hohenkirchen, en los bosques de Turingia, para que fuera refinado junto con la producción de esquisto cuprífero de los distritos de los alrededores de Mansfeld. Cuando la producción de plata experimentó una caída a mediados de siglo, el cobre sobrante pasó a utilizarse para la fabricación de artículos para el hogar, o bien era exportado a los florecientes centros metalúrgicos de Renania, en las proximidades de Aquisgrán, donde se procesaba con el zinc y la calamina locales para la producción de latón, alrededor del cual giraba la creciente industria armamentística del siglo XVI. En cualquier caso, la crisis de la minería del cobre no supuso ninguna catástrofe para Sajonia, pues fue sustituida por la del estaño. En el sur de Sajonia se pasó de las 10 toneladas de 1470 a las 200 de 1600. El único mineral necesario para refinar plata a partir de un mineral cuprífero del que carecía Sajonia era el plomo, que debía importarse del Harz, o del oeste, de los montes Eifel y los Vosgos, o incluso del extranjero (plomo inglés del noreste, de Derbyshire o de Devon).

El hincapié que había venido haciéndose en los fundamentos de la producción a la hora de analizar el crecimiento económico de Europa a comienzos de la Edad Moderna ha sido últimamente objeto de un ataque por parte de los especialistas que centran su atención en el papel desempeñado por el consumo, sobre todo en aquellas economías consideradas a la vanguardia del desarrollo capitalista. No se pone en cuestión que la aparición de una sociedad de consumo de amplia base fue en efecto un rasgo distintivo de Inglaterra y del norte de los Países Bajos, e indudablemente este hecho contribuyó con el paso del tiempo a su singularidad económica. Pero afirmar que el surgimiento de esta sociedad se produjo antes de mediados del siglo XVII, es una cuestión más delicada. En el siglo XVI el notable consumo de bienes materiales —o, si se quiere, de bienes culturales—, considerados originalmente artículos de lujo y confinados a los más ricos, siguió siendo exclusivo de las ciudades que habían sido centros del mecenazgo renacentista (Venecia, Milán o Florencia en Italia) y de sus élites, o que se estaban convirtiendo en capitales de reinos y principados cuyos gobernantes entendían la importancia ideológica de la ostentación pública y la cultura cortesana (Madrid, Nápoles, Lisboa, Bruselas o Viena), así como de las ciudades que hacían las veces de puerto franco o punto de partida de esas mismas capitales (Sevilla o Amberes). Mientras que la economía cotidiana del sur de los Países Bajos se vio sacudida por la guerra y la persecución religiosa, su comercio de artículos de lujo salió prácticamente ileso: los bordados y la talla de diamantes de Amberes; la mayólica, las joyas, los muebles, los tapices, los artículos de vidrio y los espejos de Bruselas y Amberes. En efecto, con el tiempo esos gustos, aunque con menor ostentación, fueron compartidos por la cultura burguesa del norte de los Países Bajos, donde la cerámica de Delft o los tapices y alfombras de Leiden adornaron los lienzos de los pintores de género holandeses, junto con las vajillas y cristalerías que posteriormente contendrían tentaciones tales como el azúcar, el tabaco, el café o los más exquisitos vinos. En ciertos casos, el comercio de artículos de lujo puede ser considerado una forma de compensación de la caída de la demanda de artículos de consumo masivo. A medida que la industria de fustán de Augsburgo fue perdiendo terreno a partir de 1600, la ciudad se labró una nueva reputación como centro de las artes decorativas y aplicadas, y sus talleres se caracterizarían por la actividad frenética de orfebres, plateros, grabadores, impresores, ebanistas, talladores de marfil y fabricantes de instrumentos musicales y científicos, por no hablar de los armeros.

Conclusión

Las distintas trayectorias económicas que se manifestaron en la Europa atlántica deberían incitarnos, en conclusión, a reflexionar más a fondo sobre los modelos que subyacen en la transformación económica de comienzos de la Edad Moderna, especialmente sobre la supuesta aparición del capitalismo y el lugar que ocupa el llamado «siglo XVI largo» en el desarrollo de la economía europea. En primer lugar, la aparición del capitalismo agrícola suscita varias cuestiones críticas. ¿La economía agraria comercializada impulsada por las exportaciones propia del noreste de Europa, basada en los latifundios propiedad de la nobleza (*Gutswirtschaft*), sería en alguna medida comparable con la expansión en Inglaterra del dominio por parte de la aristocracia de unas explotaciones agrícolas arrendadas a precio de mercado a pequeños terratenientes que daban trabajo a una mano de obra asalariada que no disponía de propiedades? Debido a su papel en la aparición de una economía mundial capitalista, Wallerstein ha defendido el carácter esencialmente capitalista de la *Gutswirtschaft*. Otros han puesto de relieve las claras similitudes existentes entre las fincas situadas al este del Elba trabajadas por mano de obra servil y las economías de plantaciones del Nuevo Mundo trabajadas por mano de obra esclava. Sin embargo, la economía agraria del este del Elba no tenía nada de capitalista en sentido estricto, pues los señores apenas tenían costes monetarios de producción y por lo tanto eran muy poco sensibles a los precios y los indicadores de mercado; en semejantes circunstancias una caída de precios no habría provocado necesariamente una reducción de la producción, pues la disponibilidad de mano de obra forzada podía desencadenar un aumento de la producción a modo de compensación. Sería más conveniente calificar el régimen agrario de la Europa del este de «feudalismo orientado al mercado» (según la expresión de Robert DuPlessis), calificativo que encajaría igualmente bien con aquellos dominios de la nobleza que se dedicaban a la artesanía rural, a los cultivos industriales y al sector textil, y en los cuales la coerción se aplicaba a la distribución en vez de a la producción.

En el caso de Inglaterra, la historiografía reciente, como hemos visto, ha sugerido que el camino al capitalismo agrario pudo verse obstaculizado por el campesinado tradicional al igual que por colonos que tenían explotaciones en arriendo. En cuanto al norte de los Países Bajos los planteamientos revisionistas han sido todavía más severos: la ampliación de las explotaciones agrícolas (y la difusión de los arriendos comerciales) fue sólo uno de los diversos caminos que condujeron al capitalismo agrario, y cuando éste apareció, lo hizo en zonas situadas a cierta distancia geográfica de las regiones en las que se daba un capitalismo mercantil. En el caso concreto de Holanda, Peter Hoppenbrouwers ha postulado cuatro configuraciones distintas de capitalismo agrario, de las cuales sólo la última —un sistema perfectamente dividido en tres tercios en el que habría terratenientes encargados de suministrar tierras y capital, agricultores en calidad de colonos (arrendatarios) y jornaleros— se corresponde con el modelo inglés. En cualquier caso, añade Hoppenbrouwers, seguía estando muy difundida la pequeña propiedad agrícola. Este argumento ha sido elaborado ulteriormente por Bas van Bavel en su reciente estudio sobre la zona fluvial del sur de Holanda, que se distinguió por la aparición de empresarios-colonos rurales y la supervivencia de campesinos con sólidos derechos de propiedad; pero los primeros actuaron por propia iniciativa, no por la exigencia de los comerciantes o los terratenientes de la nobleza, o como reacción a la penetración de capital urbano, mientras que los segundos, ante la presión demográfica y la escasez de tierras, no subdividieron sus posesiones ni recayeron en una economía de subsistencia, y por lo tanto no se ajustan al patrón de involución del campesinado sugerido por Brenner. Así pues, no se puede afirmar que Inglaterra y el norte de los Países Bajos fueran directamente los pioneros del capitalismo agrario en contraposición al resto de Europa: las diferencias existentes entre estos dos países *e incluso dentro de ellos mismos* son demasiado grandes para que puedan encajar con un modelo bipartito tan rígido.

Las mismas precauciones debemos tener antes de afirmar que el sistema de trabajo a domicilio o putting-out (*Verlag*) desempeñó el papel de puente entre el capitalismo mercantil medieval y el capitalismo industrial moderno. Su predominio en aquellas regiones europeas —España, Francia o Alemania occidental— que no experimentaron un rápido giro hacia la industrialización, junto con su progresivo traslado a partir del siglo XV a las zonas rurales como base de una producción textil que contribuiría a reforzar una economía y una sociedad rurales, debería suscitar nuestro escepticismo acerca de su capacidad para efectuar «de forma autónoma» una transformación económica decisiva. El sistema de trabajo a domicilio rara vez atrajo a los suministradores de capital y a los empresarios hacia el proceso de producción, y además es cuestionable si la dispersión de la producción en las zonas rurales, en vez de su concentración en los centros urbanos, desembocó o no en una eficacia institucional mediante el abaratamiento de los costes de transformación y transacción. En este sentido, el *Verlag* fue en efecto un fenómeno capitalista temprano, y como tal no contenía ninguna teleología del crecimiento económico. Y así seguiría siendo incluso cuando fuera aplicado en verdaderas protoindustrias: las compañías metalúrgicas de Núremberg, por ejemplo, ya habían establecido «protofábricas» antes de 1500, pero durante los siglos que estaban por venir seguirían siendo sólo eso, y no evolucionarían hasta convertirse en plantas industriales.

Incluso los casos esporádicos de integración vertical no evidenciaron ningún cambio decisivo. La empresa de estambres fundada por Heinrich Cramer en Altenburg, en el Siegerland, a finales del siglo XVI probablemente empleara tejedores holandeses que utilizaban el último modelo de tornos de hilar en el interior de cien naves dedicadas a la hilatura, donde no faltaba un batán y una planta de teñidos, y se abasteciera de la lana procedente de los grandes rebaños de ovejas de las zonas rurales vecinas en los que Cramer había invertido, pero nunca constituyó el preludio de la industrialización a gran escala de la región. Análogamente, en España una empresa textil de Segovia empleaba en la década de 1570 a más de cien trabajadores con cometidos en todas las fases de fabricación, y recurría al trabajo extra de hilanderas rurales, pero en 1600 ya estaba clausurada. Una suerte similar corrió la empresa constructora fundada en la década de 1540 en Amberes por Gilbert van Schoonbeke, que contaba con sus propios hornos de cocer ladrillos, hornos de cal y dormitorios para más de un centenar de excavadores de turberas, pero que cesó su actividad cuando concluyeron las obras de las nuevas fortificaciones de la ciudad, que eran su razón de ser. Incluso los Fugger, que habían recurrido a la integración vertical en sus minas de cobre de Eslovaquia, abandonaron —como ya se ha indicado anteriormente— la fabricación y distribución para concentrarse en la manipulación del mercado del cobre.

Por otro lado, la aparición de sociedades anónimas en el siglo XVI supuso una especie de presagio de los métodos modernos de allegar capital empresarial. No cabe duda de que la *commenda* italiana de la Edad Media fue un anticipo de la sociedad anónima; pero si en la primera los riesgos quedaban repartidos por partes iguales entre todos los socios que entraban en el negocio por su cuenta, en la segunda se daba cabida a nuevas sociedades, las llamadas *rederijen*, en las que un gran número de inversores, grandes y pequeños, podían participar en calidad de socios capitalistas o inversores. Este tipo de sociedades se creó por primera vez en el norte de los Países Bajos en el siglo XV a raíz de la necesidad de reunir capital para la construcción de barcos y la activación del comercio en una región todavía subdesarrollada. A finales del siglo XVI las sociedades anónimas se habían hecho con el control del comercio exterior inglés, siendo la Muscovy Company la primera empresa considerada verdaderamente de este tipo: fueron las precursoras de la Compañía de las Indias Orientales y la Compañía de las Indias Occidentales de época posterior.

Lo que caracteriza a la economía de la Europa del siglo XVI es de hecho el boom del crédito y de los instrumentos de crédito. La aparición de Amberes como centro financiero y comercial (hasta que se produjeron los disturbios de mediados de siglo) es una historia bien sabida; menos conocida es la aparición de Basilea en esa época como capital financiera de la Confederación Helvética, que suministraba más de la mitad de todos los créditos públicos y atraía a inversores del extranjero, entre otros a príncipes y prelados del sur de Alemania. La clave de esa revolución financiera fue la facilidad de negociación: sorprendentemente Inglaterra ya se había puesto al frente en 1437 con instrumentos de crédito negociables. A comienzos del siglo XVI Lübeck, la capital de la Hansa, reconocería las letras al portador, seguida de Amberes en 1507 y todos los Países Bajos de la España de los Habsburgo en 1541. Ese mismo año los Habsburgo legalizaron el cobro de hasta un 12 por 100 de intereses sobre los préstamos (barriendo de un golpe las disposiciones canónicas en materia de «usura») y acabaron así con uno de los principales obstáculos para el descuento de las letras negociables. Los pagarés para préstamos a corto plazo también pasaron a ser totalmente negociables, al igual que los bonos del estado (*rentes*), lo que dio lugar a un gran mercado de créditos, sobre todo tras la fundación en 1531 de la Bolsa de Amberes. Aunque esta ciudad —y el sur de los Países Bajos en general— cayó víctima de las intransigencias de los Habsburgo durante la sublevación de Flandes, los instrumentos financieros desarrollados en el sur fueron adoptados en su totalidad en el norte: Amsterdam suplantaría a Amberes cuando su Banco de las Divisas abrió las puertas en 1609. Por supuesto, la expansión tan rápida de los créditos tuvo sus propios problemas: la burbuja explotó en la década de 1560 con la primera de una serie de quiebras de bancos de ámbito internacional, después de que los exprimidos prestamistas de las coronas de España y Francia se quedaran en un callejón sin salida cuando los monarcas de estos dos países decidieron no pagar los plazos acordados y convirtieron su deuda en bonos del estado, dejando a los financieros con un montón de papel carente de todo valor. Incluso el gobierno holandés tuvo dificultades para abonar los pagos de intereses de sus *rentes*, lo que repercutió severamente sobre los pequeños inversores. No obstante, la investigación de los orígenes de la excepcionalidad de Holanda, el camino a la grandeza mercantil de la edad de oro de la economía holandesa entre 1580 y 1700, probablemente debiera comenzar con sus ventajas institucionales en créditos y finanzas, siempre y cuando tengamos presente que tuvo sus orígenes tanto en el sur (con las letras negociables) como en el norte (con las *rederijen*).

Las Provincias Unidas de los Países Bajos fueron también las beneficiarias de lo que actualmente llamaríamos traslado tecnológico con la llegada de los refugiados religiosos que huían de la persecución de los católicos y que trajeron consigo sus conocimientos y experiencia. Los flamencos que se refugiaron en Holanda a raíz de la sublevación de Flandes, por ejemplo, contribuyeron a reavivar la maltrecha industria textil de Leiden. Evidentemente, esa dispersión no se limitó a los Países Bajos —no debemos olvidarnos de la huida masiva de calvinistas franceses e italianos a Ginebra a mediados de siglo— y alcanzaría su máximo apogeo con la expulsión de los moriscos (que ya se habían visto dispersados a la fuerza por toda Castilla a raíz de las rebeliones que protagonizaron entre 1568 y 1570) a comienzos del siglo XVII. Pero la principal diáspora económica tuvo lugar en las provincias meridionales de los Países Bajos de los Habsburgo, cuando artesanos, empresarios y financieros abandonaron la región y se refugiaron no sólo en Holanda, sino también en Inglaterra (y Escocia) y en Alemania occidental, donde se fundaron específicamente nuevas ciudades como colonias de refugiados para aprovechar los conocimientos de tejedores de estambre (Frankenthal), calceteros (Hanau) o ebanistas (Neuwied). Si Inglaterra y la República Holandesa deben ser consideradas casos excepcionales, la capacidad de ambos países para hacer frente a las dificultades económicas que azotaron Europa a partir de 1560 sería testimonio de esta particularidad. Dichas dificultades se manifestaron en lo que se denomina vagamente una crisis maltusiana, en la cual una población cada vez más numerosa no podría seguir alimentándose adecuadamente con los frutos de las tierras de cultivo y sucumbiría a la hambruna y a las enfermedades, exacerbadas por una serie de malas cosechas a comienzos de la década de 1570, a mediados de la de 1580 y a finales de la de 1590. En vez de atribuir simplemente la crisis a la rigidez de una economía agraria sometida a una tensión máxima o al conservadurismo campesino, los historiadores han hecho hincapié recientemente en el papel desempeñado por el cambio climático. Desde aproximadamente 1560 buena parte de Europa sufrió una «pequeña época glacial» que duró hasta 1630. Este período se vio caracterizado por un descenso general de las temperaturas anuales, una reducción de la temporada de desarrollo de los cultivos y corrientes de aire frío polar. Este deterioro climático, no obstante, fue más acusado en el interior que en las regiones costeras (lo que situaría a Inglaterra y a Holanda en una situación ventajosa), y parece que afectó con mayor severidad a las regiones más frías del norte de Europa (donde la cosecha de grano destinado a la fabricación de pan y la de uva, cultivos típicamente mediterráneos, corría siempre peligro) que a las del soleado y cálido sur. Los especialistas que han escrito acerca del «siglo XVI largo» hasta 1650 —Fernand Braudel y otros— fijaban firmemente su atención en la región mediterránea; sostenían que esa época sólo llegó a su fin con la llegada de la llamada «crisis del siglo XVII». Pero al norte de los Alpes fueron las décadas posteriores a 1560 las que marcaron el fin gradual del ciclo económico iniciado en el último cuarto del siglo XV.

Braudel también señalaba el agotamiento de la vitalidad empresarial en el continente europeo como causa de una esclerosis económica a finales del siglo XVI. Mercaderes y financieros, *parvenus* en un mundo de valores aristocráticos feudales, aspiraban a títulos de nobleza y a grandes fincas rurales. Se supone que un ejemplo clásico de esta tendencia «refeudalizadora» —Braudel la llamó la «traición de la burguesía»— fue el refugio de los Fugger de Augsburgo en el latifundismo: en efecto, en 1600 habían adquirido fincas por valor de dos millones de florines, la misma cantidad que perderían en 1607 con la bancarrota de la corona española. No cabe duda de que los burgueses deseaban convertirse en nobles; pero ésta no es la razón primordial. Lo que a la larga tendría importancia sería si los factores institucionales promovieron o no la inversión y la asunción de riesgos. Si el estado —ya fuera una monarquía, una ciudad estado o una república— garantizaba los derechos de propiedad, protegía las salidas de mercado y eliminaba los obstáculos colectivos al comercio, los riesgos de la inversión se veían disminuidos. Sin embargo, en casi toda la Europa continental el afán de obtener beneficios sin correr riesgos empezaba en 1600 a pesar más que las recompensas de una inversión empresarial, y en este sentido Inglaterra y la República Holandesa fueron efectivamente la excepción que confirma la regla.

2

Política y guerra

Mark Greengrass

El 7 de mayo de 1511 se reunió en Sevilla el Consejo Real de la monarquía española. Los jueces allí congregados escucharon al secretario real leer una petición dirigida a «mi muy poderosa señora», la reina Juana de Castilla, por D. Diego Colón, almirante de las Indias. El informe que acompañaba la petición era muy voluminoso, como correspondía a los insólitos privilegios que pretendía obtener. A lo largo de seis artículos, Diego (hijo de Cristóbal Colón) afirmaba tener grandes «derechos» a un sustancioso porcentaje de los beneficios del comercio con las Indias, que, según decía su padre, le había concedido en varias «capitulaciones» la monarquía castellana a cambio de sus extraordinarios descubrimientos en el Nuevo Mundo. El gran explorador había comprobado que era más fácil naufragar en el piélago de la política del siglo XVI que en el Atlántico. Había regresado a Sevilla al término de su último viaje, lleno de deudas y decidido a hacer valer sus derechos a la obtención de una justa recompensa a sus esfuerzos. Había enviado repetidas cartas a la reina Isabel la Católica (1474-1504) y a su esposo, el rey Fernando (1452-1516). «He servido a Sus Altezas con más diligencia y amor que los que pudiera haber empleado en ganar el Paraíso; y si en algo fallé fue porque era imposible o estaba más allá de mis conocimientos y poder», decía en noviembre de 1504. Recurrió a familiares, parientes y amigos para que apoyaran sus pretensiones: a su hermano el Adelantado, a su hijo Diego, al secretario de la reina, Juan de Coloma, y a un banquero florentino al que debía dinero, Amerigo Vespucci (1454-1512). En febrero de 1505 este último se presentó en la corte, en Segovia, en nombre de Colón, llevando en el bolsillo la epístola recientemente impresa que dirigía a un príncipe de la familia Médicis, posteriormente titulada «El Nuevo Mundo», en la que se daba a entender que ese «Nuevo Mundo» era un descubrimiento suyo. Fue esta obra la que en 1507 llevó a un cartógrafo al servicio del duque de Lorena, en el norte de Europa, a imprimir en uno de sus mapas el rótulo «América», que quedaría grabado para siempre en nuestras conciencias: todo un monumento a la astucia política florentina. Harto de tan interminables demoras, Colón acabó presentándose personalmente en la corte. Y eso a pesar de la terrible gota que padecía y que lo llevó a pedir al arzobispo de Sevilla que le prestara el catafalco sobre ruedas que poseía. Pero Colón era lo bastante listo como para percatarse de que a su causa no le habría hecho ningún bien presentarse en la corte en un coche fúnebre. La honra, la reputación y la posición significaban muchísimo para él. De modo que viajó en mula hasta Medina del Campo y desde allí se trasladó a Valladolid, donde murió el 20 de mayo de 1506, mientras su caso seguía pendiente de resolución. Para su hijo —y luego para sus herederos (la familia Colón aún presentaba activamente sus reclamaciones en el siglo XVIII)— quedó la tarea de seguir pidiendo justicia. En 1511, los jueces veían las cosas de manera muy distinta. En su sentencia, firmada el 11 de junio, rechazaban la petición alegando que infringía los derechos inalienables de soberanía que poseía la monarquía española. Y eso a pesar de que don Diego Colón se había casado con una prima del rey y había sido nombrado «almirante de las Indias», convirtiéndose en personaje poderosísimo en el país y en una figura muy relevante en la corte española.

Esta petición nos sitúa en el meollo del proceso político desarrollado en la Europa del siglo XVI. Por un lado, estaban las estructuras políticas formales, consejos reales, tribunales superiores de justicia, tronos y cámaras, leyes y ordenanzas. Pero junto a estos elementos formales estaban las redes informales de poder, el favor y la influencia, las promesas y los premios, la honra individual y familiar, los privilegios y el estatus. Tanto las estructuras formales como las informales tenían sus propias reglas de compromiso. Unas dependían de precedentes históricos, de pretensiones jurídicas y de la salvaguardia de la *res publica*. Las otras se basaban en la amistad y los contactos personales. La política del siglo XVI se situaba en la intersección de estas dos estructuras, pues era la interacción de ambas la que hacía que funcionaran sus sistemas políticos.

Espacios unificados

Desde mediados de la Edad Media, las formas de gobierno de Europa, por su carácter y por sus antecedentes, fueron muy variadas. En el siglo XVI incluían repúblicas con pretensiones de imperios marítimos (Venecia, Génova), ciudades estado carentes de *hinterland* (Ginebra, Dubrovnik, Gdańsk), y una república provincial en mantillas que, hacia 1600, había alcanzado una especie de estructura estatal (la República Holandesa). Había un viejo imperio en trance de adquirir los arreos de un estado dinástico en la zona correspondiente a los primitivos territorios de los Habsburgo (el Sacro Imperio Romano), junto a un nuevo consorcio denominado república (*Rzeczpospolita*) que intentaba no seguir esa vía (Polonia-Lituania, fusionadas en la Unión de Lublin, 1569). Oligarquías rurales autónomas (los Grisones/Graubünden, que gobernaban los valles de la vertiente sur de los Alpes suizos, lindando con Italia) coexistían con una vaga confederación de repúblicas dominadas a menudo por una ciudad (la Confederación Helvética). Numerosos pequeños principados —más de los que generalmente nos imaginamos, pues la península italiana, partes de los Pirineos, el norte de Alemania y los Países Bajos tenían entidades políticas de ese estilo— se gobernaban a sí mismos en casi todos los aspectos prácticos, aunque a menudo guardaran una vaga lealtad a algún vecino más poderoso. Algunos de ellos eran los decadentes cráteres volcánicos de lo que retrospectivamente podríamos considerar antiguos estados «fracasados» (Borgoña, Navarra). Además en la política europea había todavía muchísimo espacio libre, sobre todo en sus márgenes, lugares en gran medida exentos de un poder político formal definible. Bandas cosacas de polacos y moscovitas dominaban las estepas de los confines de Europa oriental, los señores gaélicos de Irlanda gobernaban allá donde no llegaba el Dominio Inglés (*English Pale*) y los piratas uzkok recorrían el Adriático frente a las costas de Dalmacia. Estaban luego las monarquías electivas del este y el norte (Bohemia, Hungría, Polonia, Dinamarca y Suecia). Y una singular monarquía electiva que gobernaba el estado más grande de la Italia central (los Estados Pontificios). Por último estaban los estados que hoy día recordamos más y que suelen constituir el modelo del resto: las monarquías hereditarias. Algunas de ellas tenían viejos cimientos, aunque las dinastías reinantes fueran recientes (los Valois ocupaban el trono de Francia desde 1328, y una rama menor, los Valois-Angulema, desde 1515; en Inglaterra, los Tudor reinaban desde 1485; y en España los Habsburgo desde 1516).

En el siglo XVI no habríamos podido encontrar un «estado nación» en ningún sitio. Es éste un marco conceptual decimonónico que los historiadores del siglo XIX impusieron a las citadas monarquías hereditarias. Pero dichas monarquías no caben en él, pues eran esencialmente empresas dinásticas, más sensibles a los caprichos de la fortuna familiar que a las pretensiones de identidad nacional. El mapa político de las tierras del bajo Rin sufrió en 1477 una remodelación debido al accidente dinástico que supuso la muerte de Carlos el Temerario, último duque de Borgoña, en el campo de batalla. Lo mismo ocurriría en la península Ibérica en 1580, cuando el joven rey de Portugal, don Sebastián, murió a los veinticuatro años, tras haberse negado a contraer matrimonio (al parecer, por temor a padecer impotencia). La oportunidad dinástica permitiría unir los tronos de Inglaterra y Escocia en 1603 creando, por vez primera, una monarquía británica unida. No fue sólo la astucia política la que llevó a Carlos de Borgoña a unir el gobierno de los Países Bajos con las monarquías recién unidas de Castilla, Aragón y Nápoles, sino la inesperada muerte de don Juan, heredero del trono de Castilla allá por 1497 (el joven príncipe murió a los diecinueve años, según se dijo de un exceso de «cópula», es decir de sexo), luego la de su padre, Felipe el Hermoso, en 1506, y por último, el fallecimiento de su abuelo, Fernando de Aragón, diez años más tarde, en 1516. Estas circunstancias sentaron las bases de la que sería la mayor confederación dinástica que conocería Europa: el imperio dinástico de los Habsburgo, la superpotencia dominante en la Europa del siglo XVI. Incluso en la Europa occidental, los límites estatales eran a menudo inseguros, reflejo de derechos dinásticos contrapuestos más que de la cultura, la lengua o las instituciones. Las dimensiones del reino de Francia crecieron de modo espectacular alrededor de un tercio durante el siglo siguiente a la guerra de los Cien Años, sobre todo a raíz de la consecución de astutas alianzas dinásticas con Bretaña, Borgoña y otras regiones. En la Europa del este las fronteras eran incluso más inciertas, especialmente tras la partición de Hungría con los turcos a consecuencia de la batalla de Mohács (1526).

¿Cuál era el secreto del éxito de un estado dinástico? Los Habsburgo lo conocían mejor que nadie. «Ninguna familia alcanzó nunca tanta grandeza y tanto poder por medio de los lazos familiares y las alianzas matrimoniales como la casa de Austria», escribía Giovanni Botero en su *Razón de estado* (1589). Algunos suponían que el éxito de los Habsburgo fue, en parte, fruto de las costumbres hereditarias germánicas, que permitían transmitir la herencia por línea materna. Semejante situación contrastaba con las costumbres hereditarias de la monarquía francesa, gobernadas por la «ley sálica» (en realidad una invención de los juristas de finales de la Edad Media para poner obstáculos a las pretensiones inglesas al trono de Francia), que lo impedía. Pero las leyes hereditarias resultaban siempre convenientes en unos casos e inconvenientes en otros, y estaban para ser cumplidas, no para ser cambiadas. Esas mismas leyes hereditarias germánicas fomentaban la partición de las herencias, circunstancia que favoreció la continua subdivisión de los principados del norte de Alemania. Lo importante es que una dinastía representaba más que una simple familia. Era una colectividad de derechos y títulos hereditarios que trascendía a los individuos. Carlos V y Francisco I justificaron su intervención en Milán, Nápoles y los Países Bajos apelando a derechos que se remontaban, en algunos casos, al siglo XIII. En el corazón de la política dinástica se ocultaban tradiciones ancestrales. En su famoso discurso de condena de Martín Lucero en la dieta de Worms de 1521, Carlos V empezó haciendo una alusión explícita a «mis antepasados... emperadores cristianísimos, archiduques de Austria y duques de Borgoña», que habían defendido siempre la fe y a su muerte habían «transmitido estos sagrados ritos católicos por derecho natural de sucesión». El gobierno dinástico era, por tanto, intrínsecamente conservador, de un conservadurismo aburridísimo para los historiadores del estado nación decimonónico, que a menudo buscaron inútilmente en la conducta de sus titulares algún tipo de racionalidad dinámica capaz de construir un estado. Así, pues, la política del siglo XVI vino marcada no por racionalidades capaces de construir un estado, sino por los hechos característicos de la vida dinástica: matrimonios, nacimientos y muertes.

De estos tres hechos, el matrimonio era el que con más verosimilitud podía dar lugar a acuerdos políticos. Las alianzas dinásticas, como señalaba Erasmo en su tratado *Institución del príncipe cristiano*, eran «llamadas el mayor asunto de los hombres» y «en general eran consideradas cadenas inquebrantables de la paz común». Los compromisos matrimoniales principescos, cuidadosamente concertados en consejos dinásticos, venían a reforzar las alianzas militares y diplomáticas. El arzobispo de Capua escribía a Carlos V en los siguientes términos: «En tiempos de guerra, los ingleses utilizaban a sus princesas como si fueran lechuzas, como reclamo para atraer a otras aves menores». Y el propio Carlos señalaba que «la mejor forma de mantener vuestro reino unido es hacer uso de vuestros hijos». El principal artículo del tratado de paz impuesto por Carlos a Francisco I en 1526 era el que aludía al casamiento del monarca francés con la hermana del emperador, Leonor. El famoso tratado de Cateau-Cambrésis (1559) quedó sellado ni más ni menos que por tres propuestas de bodas reales. Pero los términos de dichos tratados no dejaban de ser flexibles. Reconocían distintos niveles de compromiso, en los cuales podían suceder muchos imprevistos entre la formalización del noviazgo, la celebración del matrimonio y su consumación, sobre todo porque los individuos afectados a menudo se encontraban por debajo de la mayoría de edad canónica (los doce años). En general, se admitía que cuanto mayor fuera el grado de parentesco entre una dinastía y otra, más vinculante debía ser el acuerdo. Los matrimonios principescos eran acontecimientos políticos: una ocasión para que las dinastías renovaran su conciencia de destino y un momento de reconciliación política. Catalina de Médicis dio tanta prioridad a este último aspecto que pasó varios meses negociando cuidadosamente el casamiento de su hija Margarita («Margot») con el príncipe protestante más destacado de Francia, Enrique de Navarra. La boda, celebrada finalmente en París en agosto de 1572, fue planeada como un triunfo del amor cortés y neoplatónico sobre las fuerzas destructivas de la controversia religiosa, aunque, al cabo de diez días, dio lugar al mayor desastre político del siglo: la matanza de la Noche de San Bartolomé (24 de agosto de 1572). En Inglaterra, la renuencia de Isabel I a contraer matrimonio, de la que tanta propaganda se hizo, se convirtió en la gran manzana de la discordia entre la soberana, sus consejeros y el Parlamento. Entre los contemporáneos no cabía duda de que los matrimonios dinásticos traían consigo honor, estatus, riqueza y herencias. Eran un medio de establecer una soberanía sin necesidad de llevar a cabo una anexión, aunque (y ése era el principal argumento de Erasmo) debido a los complicadísimos casamientos cruzados, se convirtieron también en fuente de conflicto al dar lugar a la presentación de derechos dinásticos contrapuestos. En realidad fue el principio dinástico el que hizo girar el mundo durante el siglo XVI.

Las dinastías funcionaban como clanes. Eran a la vez corporativistas y jerárquicas. El anciano emperador Maximiliano consideraba que él, su hija, Margarita de Austria, y su nieto y probable sucesor, Carlos V, eran «uno y lo mismo, correspondiendo al mismo deseo y al mismo afecto». Más tarde, en 1526, Carlos V ofrecería ayuda a su hermano, Fernando, «al que amo y estimo como a otro yo (*comme ung aultre moymesmes*)». Advertía a Fernando que los enemigos de los Habsburgo pretenderían «desunirnos, dividirnos con más facilidad para quebrantar nuestro poder común y arruinar nuestra casa». Ese temor era común a todas las dinastías, aunque en realidad sus divisiones solían tener un origen interno y en ese caso resultaban sumamente perniciosas. El hijo de Felipe II, el príncipe don Carlos, fue el primero en desafiar directamente el dominio del rey y hacia 1565 intentó crear su propio partido en la corte y sondear a los rebeldes de los Países Bajos. Todo ello tuvo como consecuencia la muerte del propio don Carlos en trágicas circunstancias. La enemistad mal disimulada que existía entre el último rey de la casa de Valois, Enrique III, y su hermano menor, Francisco-Hércules, duque de Alençon y luego duque de Anjou, fue evidente desde 1576 hasta la muerte de éste en 1584. Esta circunstancia contribuyó a causar la ruina de una de las principales dinastías de Europa. Ese mismo temor hizo que todas las dinastías reinantes de Europa desarrollaran una jerarquía informal de gradaciones dentro del propio clan, que llegaba a incluir en su seno a todos sus miembros, varones y hembras, hijos legítimos e ilegítimos, y que se vería reflejada en las numerosas historias dinásticas de la época. En su mayoría, las ramas menores de un clan aceptaban la necesidad de mantenerse leales al titular de la dinastía y el papel por ellas desempeñado, consistente en promover su destino común a cambio de la protección tangible de sus intereses personales.

En los estados dinásticos los nacimientos constituían verdaderos acontecimientos políticos. El sexo era la comidilla de la política cortesana. Las noches de boda eran públicas. La ley castellana no era la única que exigía la presencia de notarios junto al lecho real durante la noche de bodas. Francisco I y el papa Clemente VII contemplaron cómo Enrique II, de apenas catorce años, y Catalina de Médicis «retozaban en la cama» durante su noche de bodas. Se comunicaban con toda rapidez las posibles dificultades, que a veces se convertían en materia de burla y sátira. Brantôme afirmaba haber visto a Francisco II de Francia «fracasar varias veces» en la cama con María Estuardo: al pobre muchacho todavía no le habían bajado los testículos. Joyeuse y Epernon, los *mignons* de la corte del hermano de Francisco, Enrique III, fueron presentados por toda Francia como «los príncipes de Sodoma» de un rey homosexual, que no había sido capaz de engendrar un heredero. Los alumbramientos reales eran objeto de intensas especulaciones políticas. «En este país, los partos de la reina son el fundamento de todo», escribía el embajador imperial, Simon Renard, desde la corte de los Tudor en 1536. Los rituales no dejaban lugar a dudas de la magnitud del momento. De las paredes de la cámara de «alumbramientos» de los Tudor colgaban tapices que recordaban la ilustre historia de la dinastía. La futura madre llevaba ropas de importancia histórica para la dinastía, y junto a ella se exponían reliquias de buen agüero para que la asistieran en una coyuntura tan trascendental. Todo ello resulta perfectamente comprensible. Más de la mitad de las reinas Habsburgo del siglo XVI murieron de sobreparto. La esposa del rey Juan III de Portugal dio a luz nueve veces, pero sólo uno de sus vástagos llegó a cumplir los veinte años. Los dos primeros matrimonios de Enrique VIII produjeron catorce concepciones de las que se tenga constancia, pero sólo sobrevivieron dos hijas. Los estados dinásticos dependían del hecho biológico de que en el siglo XVI no era la concepción, sino la dificultad de llevar a término el embarazo lo que más riesgo suponía para la continuidad dinástica.

La muerte del titular de una dinastía constituía un momento extraordinario de transición política. Los funerales daban pie a la expresión de solidaridades personales y familiares con arreglo a unas leyes, tradiciones y costumbres heredadas de tiempos inmemoriales, elaboradamente ejecutadas y registradas. Al mismo tiempo, sin embargo, constituían un momento de ruptura. Los consejeros de Estado se encontraban de repente caídos en desgracia. Las pensiones concedidas por un príncipe no las asumía automáticamente su sucesor. Según la tradición francesa, el mayordomo mayor de la casa del rey rompía solemnemente su bastón a la muerte de un monarca para poner en evidencia que sus servicios, como los de toda la corte, habían concluido. En Francia e Inglaterra, las tradiciones concernientes a los funerales reales a duras penas lograban expresar la continuidad, manifestada en la frase: «El rey no muere nunca», que recoge, como si de un tópico se tratara, Jean Bodin, autor de varios tratados de filosofía política. Este principio se materializaba en Francia en la confección de una efigie en cera a tamaño natural del monarca difunto, que era expuesta públicamente en un catafalco ceremonial (*lit de parade*), ofreciéndosele platos de comida a intervalos regulares, y a la que se reverenciaba como al rey de palabra y de hecho hasta que concluían los funerales y accedía al trono su sucesor. Esas efigies, junto con los retratos, esculturas, trofeos y reliquias, servirían con el tiempo para educar a los jóvenes vástagos del clan. Erasmo, cuyo tratado hacía hincapié en la importancia de la educación de los príncipes, subrayaba la significación que tenían esos «exempla» entre los romanos. «¡Cómo resplandece la nobleza de tu padre en tu rostro!» (*Quantus in ore pater radiat*; el texto está tomado de Claudiano) era el emblema de una medalla conmemorativa de la ascensión al trono de Eric XIV, rey de Suecia, en 1560. El retrato desempeñó un papel significativo en la cultura política del siglo XVI, pues constituía el medio de expresión de esas continuidades pedagógicas, creando una presencia ausente que reproducía no sólo una semejanza física, sino también las virtudes interiores asociadas a ella. En toda Europa las dinastías del siglo XVI construyeron galerías en las que se mostraban esos retratos pintados y otras reliquias. Su contrapartida funeraria era el mausoleo, como la capilla de los Médicis en la iglesia de San Lorenzo de Florencia. Esta última construcción inspiró la erección del monumento de los Valois en Saint Denis, por encargo de Catalina de Médicis. El complejo equivalente de los Habsburgo en el Escorial fue diseñado por Juan de Herrera; el monasterio tenía además una celda para Felipe II, en la que el monarca podía entrar y comunicarse con sus antepasados, representados en sendas estatuas de Pompeo Leoni.

La abdicación imperial de Carlos V en 1555 supuso la transición política más extraordinaria del siglo. Aquella muerte «política» no tenía precedentes y hubo que inventar unas ceremonias especiales para la ocasión. Éstas dieron comienzo en Bruselas el 22 de octubre con la dimisión oficial del emperador como gran maestre de la orden del Toisón de Oro a favor de su hijo Felipe. Los caballeros de la orden, reunidos en capítulo, recibieron del emperador el mandato de renovar personalmente sus juramentos de fidelidad a Felipe en su presencia. Tres días después, tuvo lugar la abdicación propiamente dicha. El emperador tomó asiento en un estrado en la gran sala del palacio de Bruselas, con su hijo Felipe a la derecha y su hermana, María de Hungría, gobernadora de los Países Bajos, a la izquierda, ante una asamblea de más de mil dignatarios. Cuando leyó el discurso de abdicación, tuvo que apoyarse en el hombro del príncipe de Orange, le costó trabajo leer sus notas con los anteojos, y derramó algunas lágrimas. Al final, habló en español a su hijo, que se hincó de rodillas ante él. El emperador lo investió solemnemente de su autoridad, instándole a defender las leyes y la verdadera fe, y a gobernar a su pueblo con justicia y en paz. Al día siguiente, Carlos firmó el acta oficial de abdicación en privado, mientras Felipe recibía los juramentos de obediencia de los delegados de los Estados Generales de los Países Bajos y, a su vez, juraba mantener sus leyes y privilegios. La continuidad había quedado preservada en un acto oficial; y, de manera informal, la lealtad de las élites políticas había sido trasladada de una generación a la siguiente.

Élites políticas

Resulta considerablemente más fácil presentar a las dinastías de la Europa del siglo XVI que a sus élites políticas. Desde mediados de la Edad Media los estados de Europa habían sido, por su carácter y sus orígenes, muy variados en su naturaleza y en su contexto institucional. Así lo ponen de manifiesto sus principales instituciones. Dichas instituciones consistían en consejos y cortes, estructuras de poder formales e informales que colabo-

raban y cooperaban en la mayor parte de los casos. El gobierno del consejo era una realidad bien asentada incluso en las monarquías con pretensiones más absolutistas. En las monarquías electivas del norte, el este y el
centro de Europa, el consejo real comportaba la participación continua
de la aristocracia en el poder, encarnando a veces las pretensiones que tenían
los estados generales o parlamentos de representar al reino en su totalidad.
En las incipientes Provincias Unidas de los Países Bajos, los doce miembros de este Consejo de Estado, descendiente históricamente de su lejano
homónimo borgoñón, se convirtieron en un comité ejecutivo de los Estados Generales. En otros lugares, especialmente si la monarquía estaba compuesta por territorios diferentes, casi autónomos, el consejo real estaba dividido en entidades territoriales distintas. Los Habsburgo españoles tenían
consejos diferentes para Castilla, Aragón, Portugal y Flandes, además de
para sus posesiones en Italia y en las Indias. Los Tudor tenían consejos distintos y subordinados para el norte de Inglaterra y para Gales. En todas partes, el incremento del número de consejeros condujo al establecimiento de
consejos internos, «privados», de menores dimensiones, que tenían amplias
responsabilidades políticas y estaban especializados en los «grandes asuntos» de estado, de modo que la confidencialidad era esencial. La pertenencia a esos consejos a menudo estaba condicionada de antemano por el
rango y el estatus. En Francia, la familia real y los príncipes de la sangre se
consideraban miembros natos del consejo real. En algunos países católicos, ciertos prelados se las arreglaron para adquirir ese mismo estatus.
En Polonia, el canciller, el tesorero, el comandante en jefe del ejército y
los obispos eran miembros del consejo *ex officio*. Si un monarca intentaba excluir del consejo a este tipo de individuos con derecho a asistir a
sus sesiones corría el riesgo de ser acusado de autócrata o de ser prisionero de sus favoritos, presa de la voz de un solo consejero en detrimento de
los demás. Dar entrada a todos significaba disponer de una élite gobernante difícil de manejar. El «buen consejo» constituyó un problema político fundamental tanto para los príncipes de carácter electivo como para
los dinásticos durante todo el siglo XVI.

Una forma de abordar el problema era permitir que las actividades ad-
ministrativas cotidianas se convirtieran institucionalmente en una cuestión rutinaria y ponerlas en manos de «profesionales» encargados de su
gestión. La administración de justicia al máximo nivel, originalmente ges-
tionada por el rey en su consejo, fue delegada cada vez más a menudo a
otros consejos o secciones autónomas del consejo real. En los Consejos de
Castilla y Aragón, ya en 1500 había secciones judiciales y gubernamentales.

En Francia, el *conseil d'état privé* (encargado de los asuntos judiciales remitidos al consejo real) y el *conseil d'état et des finances* (que gestionaba los asuntos financieros de la corona) fueron apareciendo poco a poco como entidades distintas a lo largo del siglo XVI. En el imperio alemán y en la mayoría de sus principados, el consejo general de la corte de cada rey o príncipe (*Hofrat*) dio lugar a lo largo del siglo XVI a distintos tribunales de justicia (*Hofgerichte*), a menudo modelados a imagen y semejanza del *Reichskammergericht* del Imperio, fundado en 1495. Organizaciones similares, con frecuencia llamadas «cámaras» (hecho que viene a reflejar su origen en la administración de los principados), supervisaban las finanzas, cada vez más complejas, de los estados. En el Imperio Germánico, la *Hofkammer* de los Habsburgo, fundada en 1527, fue el modelo seguido en su momento por otros estados territoriales, como, por ejemplo, Baviera. En Nápoles, la *Camera della Sommaria* actuaba como organismo auditor y fiscal. Las cuestiones monetarias, no por abstrusas menos importantes desde el punto de vista político, eran tratadas cada vez con más frecuencia por cámaras independientes de un tipo u otro. Esta tendencia no fue ni mucho menos general. El senado de Milán siguió siendo un órgano judicial y gubernamental, y también el Consejo Privado inglés continuó teniendo miembros no especializados. Pero en todas partes da la impresión de que la recaudación de rentas, la gestión de los impuestos indirectos y de las deudas, la administración de los dominios, las cuestiones monetarias, el pago de los funcionarios, el nombramiento del clero y la dirección de las misiones diplomáticas fueron convirtiéndose en asuntos cada vez más complejos y más difíciles de manejar. No es de extrañar que los consejos principescos se adaptaran a las circunstancias para incluir entre sus miembros a individuos de la máxima competencia profesional. El grado en que lo hicieron, sin embargo, varió mucho en proporción con la especialización que se hubiera adoptado y la cultura política con la que estuvieran relacionados. De ese modo, en el siglo XVI casi todos los miembros del Consejo de Castilla eran graduados universitarios. En Francia, en cambio, «maestros de peticiones» con preparación jurídica elaboraban informes que presentaban a la consideración de un Consejo de Estado dominado por notables del reino de variadísimos orígenes, independientemente de que fueran juristas o no.

En todas partes se dio una tendencia a tomar las decisiones de forma colectiva siempre que fuera posible, con el fin de evitar las perniciosas consecuencias políticas de la división y el fomento de las peligrosas luchas de facciones. En España, esta tendencia dio lugar a una mayor complejidad del gobierno a través de distintos consejos, modelo que siguió el papado cuando el sumo pontífice Sixto V subdividió en 1588 el colegio cardenalicio en quince «congregaciones» (es decir consejos), a cada una de las cuales fue delegada un área de responsabilidades relacionada con los estados pontificios o con la Iglesia universal. Por otro lado, la complejidad progresiva de los asuntos gubernamentales y la proliferación de consejos hizo necesaria la creación de algún tipo de coordinador, especialmente cuando el príncipe, por razones privadas o institucionales, no podía llevar a cabo esa función él mismo. Esos individuos desempeñaban sus funciones en el intersticio, por lo demás bastante incómodo, existente entre las estructuras de poder formales e informales, dependiendo para alcanzar el poder del favor personal y de su posición en la corte, y ejerciendo su autoridad sin las limitaciones impuestas por su cargo. En Roma, ese papel se formalizó más que en ninguna otra parte a lo largo del siglo XVI por la evolución del cargo del cardenal-sobrino (*cardinale nipote*), personaje con amplísimos poderes, aunque bien definidos. En otros casos, esa labor de coordinación se desarrolló a partir de los cargos militares y judiciales tradicionales de la corona. En Francia, el primero de los grandes «favoritos» en la corte de los Valois fue el condestable Anne de Montmorency, que alcanzó el máximo favor con Francisco I a partir de 1526. En la corte de los Habsburgo austriacos la figura equivalente fue el mayordomo mayor (*Obersthofmeister*) o mariscal de la corte (*Obersthofmareschall*). En otros países, era el canciller (o el «guardián» del Gran Sello del estado que fuera su equivalente), jefe titular de la administración de justicia, pero a menudo responsable también del gobierno y de la administración en general. En Inglaterra, el cardenal Wolsey y Tomás Moro, ambos cancilleres, dejaron patente el poder que otorgaba su cargo, aunque en el siglo XVI no tuvieron sucesores directos. En Dinamarca, el canciller (*Kansler*) del rey desempeñó un papel similar en varios momentos del siglo XVI. Los favoritos de Enrique III, el último rey de Francia de la casa de Valois, debieron su influencia simplemente al ojo de un rey que buscaba unos individuos que estuvieran libres de las banderías aristocráticas que estaban destrozando su reino, y que actuaran como modelos de una aristocracia «reformada» al fiel servicio de su real majestad.

La novedad más notable en la coordinación del gobierno central durante el siglo XVI fue, sin embargo, la aparición del secretario de Estado. Los secretarios de Estado, que originalmente eran los notarios que asistían al príncipe, habían empezado a desempeñar un papel político significativo en los estados italianos hacia finales del siglo XV. En 1500, los duques de

Milán tenían cuatro secretarios, cada uno de los cuales se encargaba de un tipo distinto de asuntos (políticos, judiciales, eclesiásticos y financieros). Los duques de Saboya tenían tres (asuntos exteriores, interior y guerra). El secretario de Estado adquirió una importancia trascendental en Inglaterra a partir de 1530 con Thomas Cromwell. Sus sucesores —William Cecil, Francis Walsingham, y luego Robert Cecil (posteriormente conde de Salisbury) durante el reinado de Isabel I— fueron las principales figuras políticas de la corte de esta soberana. Los secretarios de Estado en España y Portugal utilizaron su posición de secretarios del Consejo de Estado para reforzar su influencia, igualmente notable. En Francia, los secretarios de Estado surgieron a partir de los notarios reales existentes en la cancillería primero para convertirse en secretarios de finanzas y luego, a partir de 1547, para asumir responsabilidades en la gestión de los «asuntos de estado». Con el tiempo (al menos a partir de 1561), pasaron a ser miembros del Consejo de Estado y cimentaron su posición como notables del reino a través de los matrimonios endogámicos, la sucesión en el cargo y la adquisición de títulos nobiliarios. La familia de l'Aubespine pasó de ser un linaje de comerciantes y juristas del valle del Loira a suministrar a la monarquía francesa una larga sucesión de secretarios de Estado. Claude II de l'Aubespine (1510-1567), barón de Châteauneuf-sur-Loire, fue uno de los principales negociadores del tratado de Cateau-Cambrésis. Junto con su tío por matrimonio, Jean de Morvillier, obispo de Orleáns y guardián de los sellos reales de 1568 a 1571, y sus cuñados, Jacques Bourdin, secretario de Estado desde 1558, y Bernardin Bochetal, obispo de Rennes, fue uno de los integrantes del pequeño núcleo de hábiles negociadores y administradores que rodearon a Catalina de Médicis y la ayudaron a seguir la dificilísima senda hacia la paz durante las primeras fases de las guerras de Religión. Su yerno, Nicolas III de Neufville, señor de Villeroy, descendiente de una familia de pescaderos de París, continuaría la tradición familiar desde 1567 hasta su muerte en 1619, con un solo breve alejamiento de los asuntos de estado durante la Liga de 1588 a 1594.

La significación política de los secretarios de Estado durante el siglo XVI marcaría una importante evolución en el proceso político: las decisiones eran registradas por escrito cada vez con más frecuencia y hechas públicas en forma manuscrita o impresa. Los grandes asuntos de estado, los edictos y los tratados de paz solemnes entre un estado y otro siempre habían sido —y seguirían siendo— promulgados y registrados con el Gran Sello, o su equivalente en cada lugar. El cambio se produjo en los países de la Europa dinástica que tenían unos gobiernos más fuertes a través del empleo y el predominio de los documentos promulgados con el sello privado o personal de los distintos príncipes. Dichos documentos adoptaban formas variadísimas —cartas de encomienda, certificados, permisos, nombramientos, verificaciones, pasaportes, etc.—, a veces adornados con el término «ordenanza» para indicar, como solía ocurrir, que afectaban a más de un caso concreto o a un momento dado. La carta ocuparía un lugar primordial en el proceso de intercambios y de acuerdos entre las élites políticas de Europa y sus entidades gubernativas. Las cartas de nombramiento definían los derechos y condiciones de los cargos ostentados por sus titulares, las cartas de privilegio determinaban las exenciones fiscales de sus beneficiarios, las cartas de nobleza premiaban a los individuos con títulos, las cartas de encomienda les conferían la autoridad delegada en virtud de la cual debían imponer a los demás la voluntad del príncipe. Han sobrevivido siete mil de las cartas de Catalina de Médicis. Cuando la reina se quejaba ante el joven Enrique de Navarra de la carga que suponía tanto papeleo, éste replicó secamente: «Os encanta esa tarea». Felipe II trabajaba en sus papeles hasta altas horas de la noche leyendo informes y escribiendo o dictando las correspondientes respuestas, y a menudo se quejaría de agotamiento, molestias en la vista y dolores de cabeza. En mayo de 1571, por ejemplo, recibió un total de 1.200 peticiones. Su secretario, Mateo Vázquez de Leca, comunicaba que el rey se quejaba de haber tenido que firmar 400 cartas en un solo día. Las redes de mensajeros y los servicios postales eran para las estructuras gubernamentales de la Europa del siglo XVI tan importantes como las guarniciones militares.

¿Cómo deberíamos considerar entonces las cortes europeas? Las memorias de los políticos y militares de la Europa del siglo XVI, por no hablar de los despachos de los embajadores, nos recuerdan la importancia trascendental que para la dinámica de funcionamiento de la política tenía la corte, complemento informal decisivo para la formalización de sus instituciones gubernamentales. Incluso cuando fingían despreciar el tiempo y el dinero que exigían de ellas, las élites políticas de Europa rondaban alrededor de la corte como las polillas alrededor de una luz. Como decía Blaise de Monluc, noble de provincias con años de experiencia militar a sus espaldas, era importantísimo dejarse ver en ella de vez en cuando «para calentarse como se hace al sol o delante de un fuego». Sin embargo, la corte no era tanto una institución cuanto un modo de vida. En sus orígenes era un conjunto de servidores y criados encargados de custodiar, escoltar, alimentar, vestir y proteger a un príncipe y su familia. En el siglo XVI se requería todo un pequeño ejército que se ocupara de la limpieza de los establos, de la gestión de la contabilidad, del mantenimiento de los edificios, de la conservación de las bibliotecas, de la puesta al día de los arsenales, y de dar alojamiento, comida y entretenimiento a los invitados del príncipe, por modesto que éste fuera. Aunque resulte difícil determinar con exactitud su escala, pues variaba de un año a otro, incluso la corte del pequeño ducado de Mantua tenía en 1520 a unos 800 individuos en nómina. Ese mismo año, la corte papal tenía cerca de 2.000, mientras que se ha calculado que la corte imperial de Maximiliano I contaba en el momento de su muerte (1519) con nada más que 350 personas, más otras 170 que había dejado en Innsbruck. Todos los indicios dan a entender que las cortes europeas se vieron obligadas a engrosar su número durante el siglo XVI. Al hacerlo, dejaron de ser itinerantes. Carlos V había estado constantemente viajando o en marcha. También Francisco I se había trasladado incansablemente de un lugar a otro de su reino, teniendo que utilizar unos 18.000 caballos para transportar las pertenencias de la corte. Isabel I anduvo asimismo errante con frecuencia por la zona meridional de su reino, corriendo su mantenimiento a cargo de la nobleza, cuyo apoyo buscaba. Pero durante la segunda mitad del siglo ya habían empezado a aparecer definitivamente las grandes capitales gubernamentales de Europa: Londres, París, Madrid, Praga y Estocolmo. Estaba produciéndose cierto grado de centralización política y social. Incluso cuando Felipe II estaba ausente de la corte —abandonando los negocios para refugiarse en los diversos palacios de retiro que tenía en Valsaín, El Pardo y (desde 1580 aproximadamente) El Escorial— los asuntos de gobierno seguían siendo gestionados en su ausencia en el Alcázar de Madrid, desde donde sus secretarios y nobles más influyentes remitían al monarca las cuestiones verdaderamente importantes que no podían esperar.

La corte tenía una importancia trascendental desde le punto de vista político porque era en ella donde las influencias informales podían tener un efecto práctico sobre la toma formal de decisiones. Cuando el gobierno era personal, la sede del poder estaba allí donde se encontrara el príncipe o, en los períodos de ausencia voluntaria, donde él decidiera que debía encontrarse. Allí estaba en todo momento la fuente de las preferencias, los honores, los dones, los favores, la justicia y su puesta en práctica. Y el favor era un elemento fundamental del buen gobierno, en el que la justa recompensa era la contrapartida a la fidelidad. François de l'Alouette, en su *Tratado sobre los nobles y las virtudes de que están formados* (*Traité des nobles et des vertus dont ils sont formés*), de 1577, pintaba un cuadro idealizado del reino bien gobernado en el que los nobles eran «tan amados y favorecidos por reyes y príncipes que tienen libertad de entrada y familiaridad en sus casas como si fueran sus servidores». Un buen príncipe, añadía, era aquel que recompensaba el mérito acreditado. L'Alouette escribía en la tradición del libro de conducta de los cortesanos, en la cual *El cortesano* de Baldassarre Castiglione, publicado en Venecia en 1529, constituye el ejemplo más destacado y leído en todo el siglo XVI; en 1619 existían 62 ediciones en Italia y sesenta traducciones a diversas lenguas extranjeras. Alcanzó su mayor éxito entre 1528 y 1550, con cincuenta ediciones y traducciones, y su popularidad no empezó a menguar hasta la última década del siglo XVI. En los discursos de Castiglione, el cortesano ideal era inteligente, bien nacido (aunque no necesariamente noble), apuesto, experto en las artes de la guerra, maestro en el arte de la conversación, respetuoso con las damas y dueño de sus emociones. Lo que implicaba el texto de Castiglione era que, al menos en la corte del duque de Urbino (ausente), donde tienen lugar los discursos relatados en el libro, ese cortesano podía «hablar con franqueza a su príncipe» y ver recompensadas sus maneras virtuosas y su lealtad inquebrantable. El problema era que cada servicio merecía una recompensa a ojos del peticionario. Satisfacer a todos estaba fuera de los límites de lo posible. Cuando Morata, uno de los bufones de la corte de Felipe II, preguntó a su señor por qué no concedía su favor a todos los que se lo pedían, el rey contestó: «Si tuviera que acceder a todas sus peticiones, no tardaría en verme pidiendo limosna». Este problema daba lugar a rivalidades constantes en un mundo en el que el honor y la virtud eran las cartas con las que no se debía jugar y que se ganaban en dura competencia, privando de ellas a los demás y humillándolos. El lugar que ocupaba uno en la mesa del consejo, si el caso de uno era oído o no, si uno cobraba su salario o no, si el príncipe lo miraba a uno favorablemente o no, todas estas cuestiones se convertían en asunto de importancia primordial. La política de la corte del siglo XVI tenía tanto que ver con lo que se decía como con lo que se quería decir: tanto con la promesa como con su cumplimiento. Sus maestros y maestras eran aquellos que sabían cómo obtener los mejores resultados actuando para la galería; las sonrisas, los regalos, el humor y los cumplidos eran medios de dar a entender el favor político; los desaires, el silencio y la exclusión, lo contrario.

Las facciones constituían, por tanto, un elemento de la vida cortesana. Impedir que se volvieran destructivas era otra cuestión totalmente distinta, para la cual no existía por lo demás respuesta satisfactoria. La política del siglo XVI tenía tanto que ver con el súbdito excesivamente poderoso como con el príncipe excesivamente poderoso. Cuando éste tenía que poner en su sitio a aquél, lo hacía con tanta fanfarria como la que acompañó a la «traición» del condestable de Borbón en Francia (1527), o a la ejecución del conde Pepoli de Bolonia por orden del papa (1585). Más a menudo, sin embargo, la nobleza feudal renunció a sus viejas ambiciones de independencia y unió su suerte a la de los propios príncipes. Valía la pena unirse a ellos. Mientras las percepciones tributarias siguieran aumentando y las facilidades crediticias en constante expansión siguieran estando al alcance del príncipe para que pudiera sufragar las campañas militares de las que las élites aristocráticas eran las principales beneficiarias, habría recompensas sin fin. Pero a largo plazo resultaba difícil sostener semejante situación. Los gastos superaban a los ingresos, que a su vez iban por delante, al menos por lo que sabemos, de la base económica en la que se sustentaban. El endeudamiento de los príncipes se hizo enorme. Hay indicios de que así era a mediados de siglo, cuando en 1557 los Habsburgo no fueron capaces de responder a los compromisos adquiridos con los banqueros genoveses y alemanes, y dos años más tarde cuando los Valois suspendieron los pagos de las deudas contraídas (el *Grand Parti*) con un consorcio de banqueros (principalmente italianos) establecido en Lyon. Consecuencia de todo ello fue el colapso parcial de la política de consenso entre los príncipes y la alta nobleza, justamente en el momento en el que las divisiones religiosas empezaban a poner en tela de juicio el sencillo *ethos* de lealtad y obediencia a los poderes existentes.

Hubo quienes supieron aprovecharse de la situación. El cardenal Granvela, Antoine Perrenot, fue el principal consejero de Margarita de Parma, recién nombrada regente de los Países Bajos, cuando Felipe II se trasladó a España en 1559. Según el cardenal, su papel consistía en controlar el patrocinio real en nombre de una regente inexperta en materias de estado. Y lo hizo estableciendo una «consulta» secreta o comité asesor interno formado por él mismo y otros dos individuos, con el fin de saltarse a la torera el procedimiento habitual, esto es el Consejo de Estado. Al mismo tiempo, solicitó varios favores para sí mismo: «Por nada en el mundo osaría importunar a Vuestra Majestad, pero tampoco quiero que mis parientes y amigos me achaquen un descuido indebido de lo mío... pues hace muchos años que no he recibido ninguna merced». Fue recompensado con el arzobispado de Mechlin, una especie de copa envenenada (como luego se demostró), pues transmitía el mensaje de que tenía más ascendente sobre Felipe II del que en realidad tenía. Las figuras más destacadas de la vieja nobleza holandesa eran Lamoral, conde de Egmont (1522-1568), y Guillermo de Nassau, príncipe de Orange (1533-1584). El primero había sido un alto mando militar, ampliamente respetado, en el imperio de los Habsburgo. El segundo tenía su propio principado independiente en Alemania y un enclave en Orange, en el valle del Ródano. Al principio aceptaron el nuevo statu quo, siempre que sus recomendaciones y nombramientos salieran adelante. Pero cuando dejaron de hacerlo, se quejaron amargamente de la tiranía de Granvela y se dedicaron a construir sus propias bases de poder local y a convertirlas en una red de fidelidades regionales, agradecidas únicamente a ellos. Y tampoco tuvieron muchos miramientos a la hora de escoger a quién promovían. Se comentaba, por ejemplo, que el duque de Mansfeld, en el pequeño ducado de Luxemburgo, vendía los puestos en el consistorio de la capital de su ducado por diez florines de oro, aceptaba sobornos, perdonaba la vida a los asesinos por cien escudos, se quedaba indebidamente con las multas impuestas por los tribunales, e intimidaba al fiscal general del ducado. En la primavera de 1563, Granvela y sus aristocráticos adversarios trabajaban entre bastidores y se dedicaban a organizar sus propias facciones, invitando a cenar a sus presuntos partidarios y propagando rumores insidiosos unos contra otros. Su éxito, al menos a corto plazo, fue mediocre. Los caballeros escasos de recursos y necesitados de empleo no dudaron en ponerse de su parte. Granvela encontró apoyo entre la comunidad banquera de Amberes, cuya inversión en el imperio y en el mantenimiento del statu quo era enorme. Los burgueses y consejeros municipales, sin embargo, prefirieron dejar correr el tiempo, y no quisieron comprometerse con los grandes señores, en su afán de no indisponerse ni con Bruselas ni con Granvela ni con el consejo de Madrid. A corto plazo, el clima de banderías partidistas se apaciguó cuando Felipe II tomó por costumbre sacrificar a los personajes impopulares (así ocurriría sucesivamente con varios virreyes de Nápoles y en otros casos) enfrentados a la oposición de las élites locales. Destituido en 1564, Granvela descubrió cuál era el talón de Aquiles de todos los encargados de ejecutar la autoridad regional en la Europa del siglo XVI: la imposibilidad de cultivar su base de poder en el centro y permanecer a la vez en la periferia. Enfrentándose a los consejos de su secretario y confesor y con la oposición cada vez más encarnizada de la facción de la princesa de Éboli, Felipe II trianguló a las fuerzas existentes en la corte y actuó en consecuencia. A medio plazo, sin embargo, lo único que consiguió fue enconar el resentimiento de los nobles, hecho que, con el tiempo, determinaría el curso de la sublevación de Flandes. El mismo guión que se desarrolló en Holanda podría escribirse, aunque con tonos más dramáticas y con muchos matices distintos, para la corte de los Valois tras la inesperada muerte de Enrique II mientras participaba en un torneo en julio de 1559. Los desarrollos políticos subyacentes fueron similares. Las dos cortes dependían en exceso de las afinidades existentes entre los nobles.

Pero si hacemos excesivo hincapié en el problema sistemático de las facciones existentes en las élites políticas del siglo XVI, no nos damos cuenta de que el clientelismo (la política basada en la creación de redes de clientelas) tuvo también su lado positivo. Este sistema proporcionó una estructura de poder informal que complementaría las maneras de relacionarse formalmente que tenían el centro y la periferia. Las relaciones de afinidad —vagas redes de fidelidades, basadas a menudo en el parentesco— tenían un carácter intrínsecamente personal, flexible, y capaz de amoldarse a las identidades institucionales, feudales y locales existentes. Admitían las dinámicas sociales más comunes del siglo XVI: el parentesco, el honor, la recompensa y la amistad. Las afinidades reportaban beneficios potenciales a ambas partes. Al cliente le daban esperanzas de ascenso, una voz en el banquete y la protección de sus privilegios. Al patrono le reportaban lealtad, servicios y un suministro constante de informaciones valiosísimas. Las esperanzas de ascenso se manifestaban en múltiples formas; pero mismo ocurría con los servicios. Los príncipes sabían muy bien lo que eran las relaciones patrono-cliente y las explotaron en su propio beneficio: eran la esencia de la monarquía «personal». Dicho esto, el sistema exigía de los patronos la utilización de todas sus virtudes personales para explotar de manera eficaz la lealtad de sus clientes. Había ocasiones, especialmente las del gobierno «en minoría», en las que este sistema no podía funcionar con eficacia. Y en la política del siglo XVI se dio un modelo recurrente que consistía en que el cliente leal de antaño se convertía en un momento dado en un peligroso adversario político. Los aristócratas, por su parte, aprovechaban su posición en la corte y en las provincias para actuar como intermediarios entre un príncipe y la localidad de la que cada uno procedía. También en este sentido todo dependía de su habilidad política, pues eran vulnerables a las maquinaciones de sus enemigos que pretendían dejarlos en mal lugar en la corte y a las críticas de los pretendientes insatisfechos. Aun así, en general el papel de las relaciones de afinidad debe ser considerado positivo. Sirvieron para unir a las élites locales con una organización política mayor y contribuyeron a superar los grandes factores de debilitamiento de los sistemas políticos del siglo XVI: la distancia y el tiempo.

El clientelismo no era coto exclusivo del estado dinástico. Podía darse en todas las oligarquías, es decir en la inmensa mayoría de los sistemas políticos de la Europa del siglo XVI. Podemos ver el funcionamiento de las relaciones de afinidad en lo que podríamos denominar su estado más complejo en la corte papal de finales del siglo XVI. En muchos sentidos, Roma constituía un caso singular, pues una institución que hacía del celibato su bandera limitaba mucho los lazos de parentesco. Sin embargo, lo que determinaba la política en la Santa Sede eran las amistades discretas. El proceso está bien documentado en la autobiografía de un futuro cardenal, Domenico Cecchini (1588-1656). Nacido en el seno de una buena familia romana, estudió derecho en Perugia y cultivó los contactos que tenía con el papa Aldobrandini, Clemente VIII. Cuando este último falleció en 1605, Cecchini se acercó discretamente al nuevo cardenal nepote (Scipione Caffarelli) al cabo de unos meses y le preguntó si «tendría la amabilidad de tomarme bajo su protección». Por fortuna, Cecchini era «muy cariñoso» y con el tiempo se convirtió en uno de los pocos «familiares» del papa. De ese modo, pues, el colegio cardenalicio estaba organizado en varias redes de clientes superpuestas por las cuales eran escogidos los sucesivos pontífices. Aunque su composición cambiaba constantemente a medida que sus miembros más viejos iban muriendo y eran sustituidos por otros nuevos, el sistema en general resultaba curiosamente estable, pues, como casi todos los sistemas de patrocinio en una oligarquía, se autoalimentaba. En las repúblicas municipales podríamos observar un modelo parecido que giraría en torno a las grandes familias que las componían y los círculos de parientes, juristas y banqueros. Las cofradías religiosas y los gremios asociados a determinadas capillas parroquiales, además de llevar a cabo actividades caritativas, apoyaban también a las familias cuyos fastuosos palacios flanqueaban el Gran Canal de Venecia, esto es a los linajes que dominaban los órganos de gobierno de la ciudad (el Consejo de Los Diez, los Savii Grandi, y los Savii di Terra Ferma). Venecia no fue entre las oligarquías urbanas la única que intentó evitar esas presiones estableciendo un sistema de votación por sorteo, limitando o prohibiendo el número de veces que un individuo podía ser reelegido para un determinado cargo, y cultivando una mitología patricia de conducta política orientada hacia el bien común. La realidad comportaba simplemente un mayor reparto del poder de manera marginal entre las mismas élites dominantes que se perpetuaban gloriosamente en sus cargos. Tal era la fuerza del parentesco unido a la clientela.

¿Dónde deberíamos trazar los límites de las élites de los poderosos de la Europa del siglo XVI? Podemos plantear la cuestión a propósito de sus numerosas instituciones representativas, muchas de ellas todavía en activo. ¿Pertenecían a las élites de poderosos los miembros de la *Sejm* polaca, del *riksdag* sueco, del *rigsdag* danés, del *Reichstag* y del principesco *Landtag* alemán, de la *Tagsatzung* suiza, de las diversas cortes de los reinos de la península Ibérica, de los *Staten-Generaal* holandeses, o del Parlamento inglés (por mencionar sólo una selección de esas instituciones)? No cabe dar una respuesta simple a semejante pregunta. Algunos eran poderosos por nacimiento, es decir, tenían asegurada su posición dentro de la élite en virtud de su nacimiento privilegiado o de su estatus como miembros del estamento aristocrático: así los miembros de la Cámara de los Lores en Inglaterra, o los senadores de la República Polaca, que tenían derecho a ingresar en la *Sejm*. Otros accedían al poder a través de instituciones representativas: así los principales representantes de la burguesía de Amsterdam en los Estados Generales de las recién nacidas Provincias Unidas, por ejemplo, o Thomas Cromwell en el «Parlamento de la Reforma» inglés de 1529-1536. Otros se veían investidos de poder por las instituciones representativas: por ejemplo, los numerosos representantes del tercer estado de los Estados Generales franceses, convocados con muy poca frecuencia, o los representantes de los campesinos en los parlamentos de Noruega y Suecia. El poder del que disponían era en general limitado. Sólo en algunos casos excepcionales (por ejemplo, en Austria) esos representantes tenían derecho a convocar o a disolver la dieta por propia iniciativa. Históricamente, su poder radicaba en su capacidad de aprobar la imposición de nuevos tributos, pero por diversas razones durante el siglo XVI resultó difícil mantener esta prerrogativa. Las Cortes de Cataluña y Aragón lograron hacerlo en tiempos de Carlos V; pero aunque las de Castilla intentaron hacer la misma jugada, en 1520 perdieron la apuesta por espacio de dos generaciones. Sus poderes legislativos siguieron siendo también muy variados, dependiendo de si tenían la facultad de promulgar leyes o simplemente de proponer asuntos sobre los cuales el príncipe o soberano se encargaba de legislar después. Esta situación se manifestaba por lo general en el derecho a presentar quejas (*gravamina, doléances*), que constituía un elemento más del proceso de presentación de peticiones. De hecho, la mayor parte de las veces los miembros del consejo del príncipe y los del órgano representativo aprobaban medidas que, tras su negociación, eran consagradas en «capitulaciones», «recesos», o «artículos», considerados de alguna manera la legislación del país. Pero en la Confederación Helvética, ningún cantón estaba obligado a admitir los acuerdos de las *Tagsatzungen*. En la *Sejm* polaca (pero también en Valencia y en Aragón), los diputados tenían un derecho de veto que obligaba a la asamblea a tomar todas sus decisiones por unanimidad. Y al poco tiempo del establecimiento de la Unión de Lublin, los tribunales soberanos de Polonia dejaron de ser ocupados por jueces nombrados por el rey y se convirtieron en organismos elegidos por las asambleas regionales de nobles. Sobre todo deberíamos mostrarnos escépticos ante la vieja historiografía que presenta las instituciones representativas europeas como si necesariamente estuvieran en oposición a la autoridad de los gobernantes y enfrentadas a las élites dominantes de los poderosos. Sus miembros fueron mucho más a menudo cómplices de los designios de esos mismos poderosos; aunque lógicamente en calidad de actores secundarios, dieron su consentimiento a las actividades de los gobiernos y participaron de manera constructiva en la concepción de éstos como «repúblicas» en las que había una reciprocidad implícita de responsabilidades entre gobernantes y gobernados.

La guerra y las finanzas

El 24 de abril de 1547, Carlos V obtuvo una de las grandes victorias militares del siglo en la batalla de Mühlberg contra las fuerzas comandadas por los príncipes protestantes de la Liga de Esmalcalda. El propio elector de Sajonia, Juan Federico, fue capturado, y su compañero, Felipe de Hesse, se rindió dos meses después. Un año más tarde, el emperador escribió unas instrucciones para su hijo, Felipe II. Entre otras palabras sabias, Carlos V decía: «Y porque de las cosas que más a Dios encomiendo es la paz, sin la cual no puede ser bien servido, demás de los otros infinitos inconvenientes que trae la guerra y se siguen della debéis tener continuo cuidado y solicitud de obviarla por todas las vías y maneras posibles, y nunca entrar en ella forzadamente, y que Dios y el mundo sepan y vean que no podéis hacer menos. Dios me ha ayudado de manera que aunque he pasado muchos trabajos, con su ayuda... los he guardado... mas ha sido un gran gasto de todos ellos y tanto que es mucho menester que descansen cuanto fuere posible, y ansí os lo encomiendo». Su prudencia pesimista ante las repercusiones de la guerra sobre el estado se basaba en toda una vida de experiencias de los azares que conllevaba la actividad bélica. Apenas cuatro años después, se vería envuelto en otra campaña militar contra los príncipes alemanes luteranos, y esta vez la mayoría de sus antiguos aliados y la fortuna se volverían contra él. Por muchos beneficios que a largo plazo pudiera comportar la guerra para el fortalecimiento de las incipientes entidades políticas de Europa, eran más los riesgos que a corto plazo acarreaba a su supervivencia y su bienestar.

Diez años antes de escribir estas instrucciones, Carlos V y su gran rival de la casa de Valois, Francisco I, mantuvieron un famoso encuentro personal en Aigues-Mortes, en la costa del Languedoc francés, en julio de 1536. La reunión había sido concertada en secreto por los más estrechos confidentes de ambos monarcas para evitar deliberadamente cualquier interferencia del papado. El rey de Francia rompió el protocolo y salió al encuentro de la galera del emperador sin escolta y antes de lo esperado. Los dos augustos personajes se dieron ostentosamente el beso de la paz en público, en el primero de los diversos encuentros, públicos y privados, mantenidos por dos príncipes que pretendían superarse uno a otro en virtud. Se trata de un importante recordatorio de que para los príncipes europeos la paz era el resultado del intercambio recíproco de «fidelidades». La búsqueda de la paz para toda la cristiandad constituía un componente más de su identidad de soberanos, una demostración de que Dios actuaba en las almas de los príncipes e inspiraba sus corazones. La paz era una «virtud soberana», parte de la mística de la monarquía, por encima y más allá de los tratados diplomáticos que pudieran intentar alcanzarla.

Desde luego este tipo de paz no se puso demasiado en evidencia a lo largo del siglo XVI. La realidad es que los riesgos de conflicto entre las distintas entidades políticas europeas aumentaron considerablemente durante esta centuria. Una inestabilidad fundamental era la que representaba la península italiana, donde las feroces rivalidades entre los numerosos estados y mini-estados existentes habían ido creando a lo largo del siglo XV bloques de poder de aliados, cada uno de los cuales desarrolló vínculos e intereses fuera de la Península. El sur (sobre todo Nápoles) quedó unido a la dinastía española, con intereses en el Mediterráneo opuestos a los de Venecia y Génova, en el norte. Mientras tanto, las regiones fronterizas de los Alpes (en particular Milán) buscaron protección en Francia. Milán y Nápoles se convirtieron en las cabezas de puente más importantes durante las guerras de Italia que acabaron por estallar en 1494, ensombreciendo toda la primera mitad del siglo XVI. Una vorágine de conflictos análoga amenazó con tragarse a una constelación similar de estados y mini-estados de dimensiones muy diversas en Alemania durante las décadas de 1540 y 1550. Los conflictos de Alemania e Italia se convirtieron a partir de 1516 en una confrontación dinástica de primer orden entre los Habsburgo y los Valois, en la cual los temores de verse rodeada que abrigaba Francia cristalizaron dramáticamente en la idea de que existía un «camino español» que, a través del Franco Condado, de Borgoña y los diversos pasos alpinos, unía Flandes con el Mediterráneo y la península Ibérica; y la idea se materializó en la avalancha de recursos militares enviados por los españoles para mantener sus ejércitos en Flandes y someter la sangrienta rebelión desencadenada en esta región a partir de 1567. Transcurrirían cuarenta y dos años de conflicto casi ininterrumpido de un tipo u otro antes de que se llegara a la firma de una tregua en 1609. Estaba además la lucha entre la cristiandad y los turcos otomanos. A ojos de numerosos publicistas europeos esa lucha constituía una empresa épica, una cruzada. ¿Cómo podía firmarse una «paz soberana» con el turco? Durante gran parte del siglo, dio la impresión de que los cristianos eran los que salían peor parados. Belgrado se rindió el 29 de agosto de 1521, y Rodas, el 24 de junio de 1522, abriendo el Mediterráneo oriental a los buques de guerra turcos. La decisiva batalla de Mohács el 29 de agosto de 1526 dejó desguarnecida la llanura del Danubio húngaro y un mes más tarde los otomanos tomaron Buda y Pest. El efecto desestabilizador de la amenaza turca se sintió en todos los estados de la franja suroriental de Europa. El triunfo cristiano de los caballeros de San Juan de Malta en 1565 y la victoria sobre la flota otomana en la batalla de Lepanto en 1571 fueron celebrados con alivio en todo el continente. Pero no lograron disminuir la amenaza turca a corto plazo, pues su legado no fue duradero. Los turcos reconquistaron Túnez en 1574, lo que significaba la continuación de la hegemonía musulmana en la costa del norte de África, y más tarde se desencadenó una cruenta guerra contra los turcos en Hungría (de 1593 a 1606). Por último, a estas grandes fisuras internacionales deberíamos añadir los diversos conflictos más localizados que tuvieron lugar en el Báltico (en particular la guerra de los Siete Años, 1563-1570) y las guerras civiles/religiosas provocadas por la Reforma protestante durante la segunda mitad del siglo. Los conflictos militares constituyeron un hecho de la vida política del siglo XVI.

Así, pues, los cambios militares tuvieron unas repercusiones políticas muy profundas y las innovaciones asociadas con la «revolución militar» de comienzos de la Edad Moderna identificados por algunos historiadores eran observables ya en el siglo XVI. La arquitectura militar desarrolló nuevas y elaboradas defensas fijas frente a las armas de fuego. Las consiguientes *traces italiennes* (como las denominan los historiadores anglosajones) siguen marcando el paisaje europeo en fortalezas impresionantes como, por ejemplo, las de Turín, Milán, Siena, Palmanova (en la república de Venecia), Navarrenx (en el pequeño principado pirenaico de Béarn), Sabiote (España), Breda, Amberes, y una cadena de plazas fuertes situadas a lo largo de la frontera entre el Flandes de los Habsburgo y la Francia de los Valois. También Moscovia empezó a reconstruir sus kremlin en piedra y ladrillo (se tardó siete años, por ejemplo, en levantar la fortaleza de Smolensk, con 150 millones de ladrillos, según se calcula). Mientras tanto, y este dato es mucho más significativo, los ejércitos de la Europa occidental aumentaron sus dimensiones, especialmente durante la primera mitad del siglo XVI. Carlos VIII había invadido Italia en 1494 con 18.000 hombres de armas. Francisco I hizo lo mismo en 1525 con 32.000. Su hijo, Enrique II, conquistó Metz en 1552 con 40.000. En 1532, es posible que 100.000 hombres marcharan en nombre de Carlos V contra los turcos. En el momento del asedio de Metz en 1552, el emperador tenía unas tropas formadas por 150.000 hombres, cifra que no llegó a superar ningún estado europeo hasta finales del siglo XVII. Las campañas militares se hicieron más largas y se llevaban a cabo en tierras cada vez más lejanas. La experiencia práctica contaba más, pues las formaciones de infantería provistas de arcabuces y picas requerían grandes cantidades de soldados veteranos que supieran lo que estaban haciendo. En las batallas de Bicocca (1522) y Pavía (1525), la infantería española, inspirándose en los escuadrones de apretadas filas de los alabarderos suizos, demostró su superioridad y empezó a organizarse en unidades más pequeñas de alabarderos y arcabuceros, caracterizadas por una mayor movilidad, los llamados «tercios», la invencible unidad de combate de los campos de batalla del siglo XVI. En el estado moscovita, se echó hacia 1550 la semilla de una infantería permanente armada de pistolas, los *streltsy*, formada inicialmente con miembros de la pequeña nobleza rural; en 1600, constituía ya una fuerza de unos 20.000 hombres.

El impacto político de estas innovaciones fue considerable. Los costes de las fortificaciones fueron colosales. Su planificación, ejecución y las posteriores obras de mantenimiento y reparación, así como el suministro de hombres con que guarnecerlas, requerían un compromiso a largo plazo, es decir constituían una exigencia organizativa continuada. Esos ejércitos cada vez más numerosos tenían que reclutar hombres, adiestrarlos, alimentarlos, pagarlos, atenderlos y equiparlos. Las innovaciones en el terreno militar plantearon a los estados del siglo XVI unos retos administrativos, financieros y logísticos enormes. La división entre la toma de decisiones políticas de gran calado por una parte y su lejana ejecución por otra, se intensificaría progresivamente. Y, debido a la combinación de estructuras de poder formales e informales de las que dependía la política de Europa, la gestión fue su punto más débil. Por eso se dio la tendencia a subcontratar la organización militar siempre que fue posible. Capitanes mercenarios reclutaban tropas en las regiones más pobres de la Europa rural, incapaz de garantizar la supervivencia de su población; suizos, lansquenetes (*Landsknechte*) de Suabia y el Rin, albaneses, dálmatas, escoceses e irlandeses pasaron a formar parte de los ejércitos franceses y españoles. Pero los mercenarios mostraban poca lealtad con el soberano o el estado que los pagaba. Cuando no cobraban, se negaban a combatir o, peor aún, tomaban a los negociadores como rehenes o amenazaban a la población civil. Roma fue saqueada por los lansquenetes de Carlos V en 1527 debido al retraso en el cobro de su paga. Incluso los ejércitos que no eran, formalmente hablando, mercenarios, tenían un sentido muy pobre de lealtad política. El reclutamiento era muy heterogéneo, la tasa de deserciones altísima, y las sublevaciones frecuentes. El ejército español de Flandes se amotinó 45 veces entre 1572 y 1609; pero las deserciones y los motines afectaron también a las fuerzas isabelinas desplazadas a Irlanda y Holanda a finales del siglo XVI, así como a los ejércitos que combatieron por la ascensión de Enrique IV al trono de Francia.

Las innovaciones militares incrementaron, pues, la complejidad y los riesgos de la política. Las enseñanzas militares de la Antigüedad ofrecían unos ejemplos no siempre claros de cómo debían ser abordadas las nuevas circunstancias. Los cambios introducidos vinieron además a tensar al máximo las carteras de recursos de los estados europeos. Dichas carteras eran muy complejas, y consistían en distintas combinaciones de rentas reales, impuestos directos e indirectos, y rentas ocasionales de un tipo u otro. Las finanzas del estado estaban gobernadas en una medida notable por consideraciones heredadas y precedentes establecidos. Los ingresos eran poco flexibles desde el punto de vista fiscal, relativamente insensibles a los elementos dinámicos de la economía europea e incapaces de reflejar las presiones inflacionistas que constituyeron un fenómeno difícil de explicar, a juicio de los hombres de la época, y con el que no cabían medias tintas. No había ninguna opción para obtener con rapidez ingresos cuantiosos que no tuvieran consecuencias políticas. Siempre cabía la posibilidad de alienar o vender las tierras de los reyes o los príncipes, si es que todavía quedaba alguna disponible. Las fincas y las rentas de los monasterios también pudieron ser expropiadas bajo la égida de la Reforma protestante, como ocurrió con la clausura de los monasterios ingleses en la década de 1530. Pero todas éstas eran operaciones puntuales que afectaban a los derechos de propiedad. Tuvieron unas repercusiones políticas, como, por ejemplo, la sublevación popular reflejada en la Peregrinación de Gracia inglesa (1536) y en las revueltas de los campesinos de Noruega de las décadas de 1550 y 1560. El cobro de los impuestos indirectos sobre los bienes de consumo y los servicios podía ser arrendado a recaudadores profesionales (como ocurría con la *gabelle*, la tasa sobre la sal que existía en la Francia del siglo XVI), pero semejante solución dio lugar a duras críticas populares en contra los odiados *traitants* y *gabelleurs*. La percepción de los impuestos podía ser subcontratada a las comunidades locales, como ocurría con los «encabezamientos», destinados al cobro de la alcabala, el impuesto sobre las transacciones comerciales que se aplicaba en Castilla, aunque también esta solución fue más o menos la causa inmediata de la revuelta generalizada que se produjo en 1520, la llamada sublevación de los Comuneros. La ampliación de la base tributaria por medio de los impuestos indirectos fue un recurso que utilizaron con bastante éxito en el siglo XVI sin que se produjeran sublevaciones estados como Venecia, Génova o la naciente República Holandesa, pero incluso en esos países provocó una generalización del contrabando. En otros lugares solió ser el preludio de sublevaciones populares, como la que se produjo en el suroeste de Francia en 1548. El cobro de impuestos directos a menudo comportaba arduas negociaciones con las instituciones representativas. Estas últimas eran muy hábiles en el empleo de argumentos basados en los precedentes históricos, la existencia de privilegios locales o regionales frente a semejantes medidas, negativas lisonjeras, y la duda frente a las pruebas aducidas acerca de la necesidad imperiosa de imponer las medidas propuestas. En Castilla, por ejemplo, inmediatamente después de la derrota de la Armada Invencible en 1588, Felipe II convocó las Cortes del reino, normalmente dóciles, para que le concedieran un «servicio» (impuesto directo) excepcional. Alegó ante el pleno de los diputados que los gastos acarreados conjuntamente por el ejército y la armada en Flandes y el canal de la Mancha habían superado los 10 millones de ducados y que necesitaba otros 8-10 millones para mantener al ejército de Flandes en el terreno y sustituir la flota destruida. Los diputados fueron intimidados, sobornados y amenazados con la cárcel. Se pidió a los aristócratas que marearan a los diputados con razones acerca de la conveniencia de la medida a fin de que dieran un voto favorable sin poner condiciones. Aun así, se produjeron importantes protestas por las calles de Madrid, circularon panfletos en los que se criticaba abiertamente al rey, y algunos nobles de provincias fueron procesados por fomentar la sedición. Al final, después de meses de tira y afloja, quince de las dieciocho ciudades representadas en las Cortes acordaron conceder al rey un servicio por valor de 8 millones de ducados, pero sólo por un período de seis años y con condiciones para su recaudación. Mientras tanto, en la Francia de los Valois, donde podían cobrarse impuestos directos a través de la *taille* en buena parte de las regiones centrales del reino sin tener que recurrir a una institución representativa, la cuantía de los mismos se hallaba limitada porque la cantidad exigida a determinadas localidades estaba fijada por un patrón de reparto de las cargas establecido históricamente y porque había privilegios que eximían del pago a los que tenían sus riquezas en ciudades amuralladas y a los nobles. Lo cierto es que en casi toda Europa los ingresos del estado durante el siglo XVI apenas pudieron hacer frente a la inflación, y desde luego no alcanzaron para satisfacer las exigencias cada vez mayores de la guerra. La excepción más evidente la encontramos en el nuevo estado moscovita, que a finales del siglo XV había logrado quitarse de encima más de doscientos años de dominación mongola y se había anexionado los pequeños principados independientes que lo rodeaban. Las tierras obtenidas por medio de la confiscación fueron convertidas en fincas concedidas a determinados individuos a cambio de la prestación de servicios militares, las llamadas *pomest'ia*, dando lugar al establecimiento de fincas rústicas que permitían el mantenimiento de un oficial de caballería, su familia y sus siervos domésticos. Por medio de esas concesiones, el estado moscovita se hizo con una poderosa clase de caballeros (los *oprichniki*) que, a su vez, obtuvieron permiso para convertir en siervos a los campesinos de sus fincas. Este proceso tuvo lugar sobre todo durante la época de «estado dentro del estado» de Iván el Terrible (la *Oprichnina*, 1565-1572). En concomitancia con este fenómeno, el gran príncipe de Moscovia desarrolló a lo largo del siglo XVI unas notables pretensiones autocráticas, prácticamente ilimitadas desde el punto de vista jurídico y tradicional, lo que significó que en la Moscovia del siglo XVI se introdujeran más innovaciones fiscales y se crearan más agencias distintas encargadas de la recaudación de impuestos (*prikazy*) que en cualquier otro punto de Europa por la misma época.

Para salvar el abismo cada vez mayor que separaba los ingresos de los gastos se recurrió en la mayoría de los casos a los préstamos, organizados de manera formal e informal. El modelo se pone de manifiesto con toda claridad en el caso del imperio de los Habsburgo españoles, cuya caja de caudales era Castilla. El secreto del aparente éxito financiero de Carlos V fue convertir las rentas ordinarias de Castilla en un fondo con el que pagar los intereses a sus acreedores contrayendo préstamos informales a corto plazo («asientos») con los banqueros imperiales de Augsburgo, Génova y otras ciudades, devueltos por lo general a un plazo estipulado, o por medio de réditos más formales («juros») garantizados con esas rentas, que resultaban atractivos a los inversores españoles y extranjeros. El colapso parcial de estos convenios crediticios vino marcado por las declaraciones de bancarrota de 1557, 1560 y 1575. En 1584, las rentas ordinarias de la Corona de Castilla ascendían a 1.636,6 millones de maravedíes, mientras que los pagos anuales sólo de los juros ascendían a 1.227,4 millones, es decir el 75 por 100 del total de las rentas ordinarias. Ni siquiera la inesperada afluencia de numerario procedente de la participación real en el tesoro de la América hispana a lo largo de las dos últimas décadas del siglo pudo evitar una cuarta declaración de bancarrota en 1596. Según un informe preparado para el hijo de Felipe II con motivo de su ascensión al trono de España en 1598, todas las rentas ordinarias de Castilla estaban comprometidas para el pago de las deudas, con el resultado de que los únicos recursos disponibles para el soberano del imperio en el que nunca se ponía el sol era el tesoro procedente de las Indias, los subsidios eclesiásticos sometidos a la aprobación papal y los impuestos directos negociados a trancas y barrancas cada tres años con las Cortes. El mismo sistema básico de préstamos formales e informales se desarrolló también en otros lugares de Europa. En 1600, más de la mitad de las rentas del papado procedían de los pagos efectuados por la compra de cargos eclesiásticos y de los intereses de los *monti* (bonos con la garantía de determinadas rentas). En 1596 y al término de las guerras civiles de Francia, se calculaba que las deudas de la monarquía francesa ascendían por lo menos a 105 millones de libras, o a 135 millones si se incluían en el cómputo las tierras y las joyas reales vendidas. A finales del siglo XVI, los gobiernos más poderosos de Europa eran también los más endeudados. Esto significa que eran también los más importantes redistribuidores de numerario para los individuos que invertían en su empresa política, y también los mayores contratantes de su época. Pero las tensiones del déficit financiero suponían una carga excepcionalmente grande para el poder de persuasión de los gobernantes europeos y ponían al descubierto las fragilidades de las estructuras de poder, cuya eficacia dependía de la informalidad.

Imágenes de dominio

Los gobernantes del siglo XVI no fueron ajenos a la propaganda. Los emblemas, grabados, edictos sellados, monumentos, historias oficiales y

discursos dan testimonio de la importancia que se les concedía. Los príncipes hicieron un uso político muy hábil del nuevo poder de la imprenta.
Pero no debemos pasar por alto las representaciones efímeras de la autoridad efectuadas en los desfiles, procesiones y rituales asociados con la
«entrada» en funciones de los gobernantes, expresada a través de una entrada ceremonial o «gozosa» en una ciudad, plaza o lugar importante. La
finalidad de este acto era calmar las tensiones y representar la armonía del
orden establecido. Y lo hacía apelando a una identidad o ideal situado por
encima de lo particular o local. Cuando Catalina de Médicis se llevó a su
hijo, el joven rey Carlos IX, a realizar una larga «gira» por Francia en 1564-
1566, se organizaron elaboradas entradas según unas tradiciones que se
remontaban al siglo XIV. En inscripciones, estandartes, arcos triunfales,
desfiles y discursos que debían mucho a la imaginación cultural de la corte francesa, quiso transmitirse el mensaje de que las divisiones entre los
católicos y los protestantes, los juristas y los comerciantes, la ciudad y el
campo, quedaban empequeñecidas por el amor común que naturalmente sentían los franceses por su monarquía. En el acto de su coronación, su
padre, Enrique II había añadido una cláusula por la que se estipulaba que
el rey contraía matrimonio con su reino, tomando a Francia por esposa.
Se buscó en la Antigüedad clásica y cristiana para encontrar temas armó-
nicos convenientemente universalistas. Una de las figuras mitológicas
más sobresalientes durante todo el siglo XVI fue la de Astrea, bajo cuya
égida debía producirse una edad de oro marcada por la paz, justicia y conocimiento. Los estados de la Europa del siglo XVI han sido llamados «estados teatro», no porque sus gobernantes fueran maestros del arte de la
ilusión, sino porque la autoridad se encarnaba en su propia representa-
ción. Las entradas «gozosas», las coronaciones, entronizaciones, actos judiciales de gobierno formales (como el *lit de justice* en Francia o la alocu-
ción de los monarcas ingleses ante el Parlamento) constituían una llamada
emocional directa a la lealtad, encarnaban una serie de verdades muy simples acerca de la naturaleza de la política, y hacían que todos estos acontecimientos fueran memorables. En general, los gobernantes del siglo XVI
pretendieron tener una hegemonía cultural mayor y más seductora que
sus antecesores.

El pensamiento político del siglo XVI ha tenido fama de estar obsesio-
nado por cuestiones de *Realpolitik*, por la búsqueda y el uso ilimitado del
poder. Es una consecuencia desafortunada de un libro famosísimo, *El
Príncipe* (1513), de Nicolás Maquiavelo (1469-1527) (*vid. infra*, cap. 4, sección «Pensamiento político»). La obra adquirió a lo largo del siglo XVI la

fama que hoy tiene de disociar el poder y la moralidad. Se trata de una interpretación errónea del libro, que es sólo una obra más de Maquiavelo, y ese error ha dado lugar a la distorsión de la orientación general del pensamiento político durante todo el siglo. Las obras de política escritas en el siglo XVI estuvieron dominadas por los grandes programas humanistas y su metodología, y reflejaban las corrientes intelectuales más difundidas en la época. Ese programa, evidente en los comentarios políticos más innovadores del siglo, decía que la autoridad política y el ejercicio del poder debían ser explicados en los términos de la organización de la sociedad que los condicionaba. Repúblicas, monarquías, imperios y estados tenían que ser comprendidos a través de su historia, su sociedad y sus principios particulares. La metodología humanista decía que esa comprensión sólo podía alcanzarse a través del estudio empírico y comparativo de los ejemplos del pasado y del presente. La corriente intelectual más generalizada era la creencia dominante de que la sabiduría política era una extensión práctica de la filosofía moral, y que, por tanto, la virtud y el gobierno no podían disociarse. Así, pues, la forma en que era concebida esa virtud constituiría un tema importantísimo de estudio, de comentario y de debate durante todo el siglo XVI.

Un elemento fundamental de ese debate durante el siglo XVI era si esa sabiduría podía conducir al alejamiento del mundo de los negocios o si semejante actitud no era más bien una dejación del deber moral fundamental de buscar la virtud a través de la dedicación a la cosa pública. Esta última postura constituía el principal legado platónico y ciceroniano subyacente en las obras de los humanistas cívicos de la Florencia y la Venecia del Renacimiento. Consideraba la dedicación a la vida política una actividad pedagógica que conducía a la virtud cívica, un vehículo para desarrollar la moralidad en el cual las acciones en pro del bien común debían configurar una fuerza de carácter individual (la virtud implicaría a la vez la cualidad de varón, *vir*, y su fuerza, *vis*).

En el siglo XVI el discurso cívico humanista pudo trasladarse fácilmente del ambiente republicano de Florencia y Venecia a las cortes monárquicas de Europa, y sus debates se reflejaron (por ejemplo) en el discurso privado del secretario de Estado de Isabel I, William Cecil, o en los hexámetros latinos compuestos para su solaz por el canciller de Catalina de Médicis, Michel de l'Hopital. Lo que fue cambiando cada vez más la forma en que la gente veía la política fue la Reforma protestante. Martín Lutero (1483-1546) abordó la política desde la perspectiva de su teología agustiniana. El género humano era pecador y sólo era la fe en la gracia de Dios la que lo salvaba. La autoridad política emanaba de la voluntad de Dios, y el deber político de todo buen cristiano era someterse a los poderes constituidos, pues existían por designio divino. Pero tanto él como evidentemente otros paladines de la Reforma protestante afirmaban también que los únicos príncipes legítimos eran los que ponían de manifiesto la justicia de Dios y que no debía obedecerse a un gobernante que demostrara su perversidad perpetuando la idolatría y persiguiendo al pueblo fiel de Dios. Este postulado llevaba implícita una tensión inevitable que contribuyó a dar un nuevo enfoque al pensamiento político apartándolo de las cuestiones relacionadas con la virtud pedagógica y dirigiéndolo hacia la naturaleza y el ámbito de la obediencia política. Su metodología vino determinada más bien por los teólogos y su programa se ajustaría a la tarea de adivinar los designios de Dios y aplicarlos al mundo. En su faceta más revolucionaria, el pensamiento político protestante podía utilizarse para justificar el tiranicidio, aunque (de hecho) fuera a un católico (Jacques Climent) al que se le ocurriera perpetrar un crimen basándose en esos presupuestos cuando el 1 de agosto de 1589 asesinó al rey de Francia Enrique III. En su faceta más sofisticada, el pensamiento político protestante absorbió también parte del programa, la metodología y los intereses del pensamiento político humanista. Podemos apreciar con toda facilidad el poder de esa amalgama en los escritos del jurista protestante francés François Hotman (1524-1590), especialmente en su *Francogallia* (1573) (*vid. infra*, cap. 4, sección «Pensamiento político»).

Durante el último cuarto del siglo XVI, sin embargo, las imágenes e ideas políticas dominantes fueron cambiando de rumbo en distintas direcciones, que reflejaban indudablemente el mayor impacto de la crisis religiosa de la época sobre el edificio político. Si bien parece que las ideas comunes a todas ellas acerca de la legitimidad del gobierno ya no eran aceptadas, especialmente por las élites políticas de la Europa dividida en materia de religión, el «estado teatro» perdió sus puntos de referencia naturales con el público. Además, como reflejo del impacto teológico de la Reforma, empezó a hacerse cada vez más hincapié en el poder incondicional e incuestionable de los gobernantes vistos como un reflejo de la voluntad de Dios y de la necesidad de obediencia estoica a sus personas. De ese modo, Felipe II declinó viajar por sus reinos aduciendo que semejante acto habría supuesto un desdoro para su majestad y fue retirándose cada vez más de la vida mundana. Su último retrato, obra de Pantoja de la Cruz, que hoy día podemos admirar en la galería de la biblioteca del Escorial, muestra una figura de una palidez mortal vestida de negro y gris en un espacio etéreo: el poder abstracto, vacío de contexto. Su contemporáneo francés, Enrique III, declinó casi todas las ocasiones que se le presentaron de efectuar entradas reales. Sus contemporáneos lo criticaron por el exagerado énfasis que hacía en las ceremonias cortesanas, destinadas a subrayar la majestad real. Se retiró también en numerosas ocasiones de la vida pública, realizando peregrinaciones y retiros en compañía de frailes franciscanos para hacer ejercicios espirituales. Por su parte, el emperador Rodolfo II se retiró casi por completo de la participación activa en los asuntos mundanos y trasladó su corte de Viena a Praga y posteriormente a Graz, sin más compañía que la de sus alquimistas y relojes.

Los comentaristas políticos empezaron también a reflejar un mundo en el que el poder estaba separado de su contexto social e institucional. El piamontés Giovanni Botero (1544-1617) publicó en 1589 su *Razón de estado*, obra muy influyente que pretendía definir el estado como un dominio sobre el pueblo y la «razón de estado» como la política consistente en aplicar normas de prudencia política para el mantenimiento de dicho dominio. El término «estado» había adquirido para entonces el valor de moneda corriente entre los diplomáticos del norte de Italia y los autores de obras de contenido político. Tardó algún tiempo en ser exportado y encontró distintos contextos en cada lugar. Se dice que Isabel I detestaba esta palabra. A finales de siglo, los escritores de obras de teoría política de Europa y los encargados de llevarla a la práctica empezaron a definir la *res publica* (independientemente de la forma en que se manifestara en cada lugar) como un estado, y a identificarla con el gobierno central. Por último, y en respuesta a los supuestos derechos de los grupos confesionales a oponer resistencia a la autoridad establecida, se produjo un contraaserto que hablaba de la necesidad del poder absoluto del estado sobre sus súbditos. Esta teoría se encarnaría en el poder de fijar impuestos y de legislar, sin el consentimiento necesario de los que iban a ser gobernados y sin obligación alguna de reflejar las costumbres de la sociedad en cuestión. Éstas serían las direcciones que determinarían la política de Europa durante el siglo siguiente.

3

Sociedad

Christopher F. Black

En la mitología política de la Gran Bretaña moderna un primer ministro negó con notoriedad la existencia de la «sociedad» frente a los comentarios burlescos de aquellos que habían interpretado el contexto equivocadamente. Al parecer, intentaba subrayar la necesidad de que el individuo asuma la responsabilidad de su propio destino, y que no eche la culpa del mismo al colectivo del «otro» o de los «otros», esto es a la sociedad. Aunque probablemente todo el mundo acepte que los individuos interactúan unos con otros, y por lo tanto mantienen una relación social, la descripción de la sociedad resultante y de las relaciones elaboradas en su seno es tan difícil para el siglo XVI como para el siglo XX de lady Thatcher. Al estudiar el siglo XVI, los historiadores se han enzarzado durante buena parte del siglo XX en una dura lucha con el fin de determinar si para describir la sociedad europea del siglo XVI es más útil hablar de «clases» o de «órdenes» y estatus. El primer enfoque, influido por el marxismo, aunque los marxistas no hicieran ni mucho menos hincapié en él, daba prioridad a los factores económicos que regían las relaciones existentes entre las personas, atendiendo ante todo a quién controlaba y a quién no controlaba los medios de producción. Se insistía sobre todo en los conflictos sociales y en la violencia existente en la época, causada por las luchas económicas. El planteamiento contrario sostenía que la sociedad de los siglos XVI y XVII estaba estructurada más bien jerárquicamente, en términos de estatus, órdenes y estamentos o «estados», como se suponía que estaban en el pasado feudal. Los estamentos u órdenes podían ser el clero, la nobleza y el tercer estado, que a su vez podía dividirse en «estados» urbanos y rurales en algunos sistemas políticos representativos (como, por ejemplo, en el Tirol o en Suecia). Según este segundo enfoque, la cuna en la que hubiera nacido el sujeto, el papel prestigioso desempeñado dentro de la sociedad, el grado de dependencia del soberano, el honor del individuo, o sus proezas militares podían ser más importantes que las relaciones económicas y financieras, o el control de los recursos y el trabajo. Los que subrayaban la importancia de los órdenes y los estamentos solían defender una sociedad más estática y armónica, con una interdependencia mutua de los estratos sociales. En los últimos años, los historiadores han solido subrayar la complejidad con la que los europeos de comienzos de la Edad Moderna veían y describían su sociedad. Han incluido asimismo muchos más factores en las relaciones existentes entre las personas, que irían mucho más allá de las simples relaciones de poder, jurídicas, hereditarias o económicas, tomando prestados diversos conceptos y enfoques de la sociología y la antropología.

Un estudio de la sociedad incluiría un análisis de todas las formas en que un individuo y su familia más próxima se relacionaba con los demás: el medio ambiente y el espacio físico, las relaciones económicas del patrono y el dependiente, los marcos institucionales, los diversos sentidos de identidad colectiva o de alienación, las actitudes mentales de unos hacia otros, empezando por el respeto o el temor, o incluso los modos de comunicación (gestos, y relaciones espaciales y lingüísticas). Al abordar el siglo XVI es preciso plantearse una serie de cuestiones, y preguntarse cómo podrían haber cambiado ciertos aspectos de esas relaciones sociales. El debate es muy vivo en muchos de estos campos. Al hablar de toda «Europa» debemos tener en cuenta hasta qué punto existía una gran línea divisoria que separaría la Europa occidental (que habitualmente incluiría el mundo mediterráneo, con la península Ibérica e Italia), y la oriental (situada «al este del Elba»); o una línea divisoria que separaría el norte del sur (las zonas del Atlántico y el Báltico frente a las del Mediterráneo y el sur de Alemania). ¿Las divisiones entre la sociedad urbana y la rural eran rígidas o fluidas? ¿Variaban geográficamente dichas divisiones? ¿Cuánta movilidad física y social había? ¿Las condiciones de la mujer y las actitudes hacia ella se volvieron más o menos adversas? ¿Se produjeron unas divisiones cada vez mayores entre ricos y pobres, y recibieron estos últimos un trato más duro a lo largo del siglo? ¿Qué repercusiones sobre la sociedad en sentido lato tuvieron los grandes «cambios» acontecidos durante el siglo: la crisis de la Reforma, la ampliación de los contactos con el mundo no europeo, y el impacto de la considerable expansión experimentada por las palabras y las imágenes impresas? Varios de estos temas se solapan con los asuntos tratados en otros capítulos, y quedarán mejor ilustrados en ellos. Un enfoque moderno de la «sociedad» en general incrementa irremediablemente la posibilidad de interconexiones.

Si queremos abordar una serie muy variada de asuntos vale la pena examinar a un personaje actualmente muy conocido, famoso por un estimulante y controvertido ejemplo de «microhistoria», de esa que está tan de moda hoy día: Domenico Scandella, más conocido como Menocchio, un molinero de Montereale, en el Friúl (región del noreste de Italia), que fue ejecutado por orden del Santo Oficio de la Inquisición en Roma, en 1599. Lo ha hecho famoso el historiador italiano Carlo Ginzburg en un libro titulado *El queso y los gusanos*. Esta expresión procede del propio Menocchio, quien dijo a los inquisidores que, según él, la tierra había empezado siendo como el queso en fermentación, y que los ángeles y los hombres habían surgido en ella como los gusanos en el queso. Menocchio tenía numerosas ideas críticas hacia la ortodoxia católica. Aunque Ginzburg lo considera un «campesino», que representaría en parte las ideas viejas y las nuevas, y un espíritu independiente, lo cierto es que Menocchio desempeñó varios papeles distintos en su comunidad, siendo entre otras cosas albañil, carpintero, maestro en el uso del ábaco, y músico en las fiestas populares, pero como molinero constituía en cierto modo un hombre singular. Debido al trascendental papel que desempeñaban en la economía alimentaria y en el cobro de las contribuciones, los molineros despertaban con frecuencia el temor y la desconfianza tanto de los señores locales como de los gobiernos comunales. Menocchio sabía leer y escribir, y tuvo acceso a algunos libros extraños, interpretados de manera perversa; así como a una Biblia en lengua vernácula (en el italiano de las élites sociales), que la Iglesia católica intentaba quitar de la circulación impidiendo que llegara al vulgo. La zona de la que era originario estaba muy apartada, pues se hallaba situada a los pies de las Dolomitas, aunque también formaba parte de una antigua red de comunicaciones. La gente de la región hablaba friulano, una lengua distinta del véneto y todavía más distinta del italiano estándar de los libros impresos. Pero los visitantes de Montereale pueden constatar que todavía sobreviven senderos y pasajes subterráneos, de varios siglos de antigüedad, por donde los hombres y los animales podían pasar al norte (excepto en invierno) cruzando los Alpes; y el acceso a la Laguna de Venecia tampoco era muy difícil. Desde 1540 aproximadamente el Friúl había dado muestras de interés por las ideas protestantes, incluso por el anabaptismo radical. Menocchio abjuró de sus ideas tras un primer proceso en 1583-1584, y recibió un castigo bastante leve, tras lo cual se le volvió a admitir en su comunidad de origen. Fue investigado y juzgado por segunda vez en 1598, después de caer en la trampa tendida por un nuevo párroco y por ciertos vecinos, que lo acusaron de propagar con demasiada libertad y escándalo ideas extrañas y heréticas. Roma insistió en que se le ajusticiara, acusándolo de ser un peligroso maestro de herejías, cuando los oficiales de la Inquisición local encargados de juzgarlo quisieron perdonarle la vida.

El episodio de Menocchio, aunque singular, nos advierte que no debemos considerar la sociedad rural como una entidad enteramente incomunicada y homogénea, alejada por completo de la alta cultura y de las nuevas doctrinas. Apunta también hacia la fuerza y la debilidad de los intentos de control socioreligioso.

Los vínculos sociales

En la sociedad del siglo XVI un individuo habría podido tener numerosos vínculos distintos que habría sabido reconocer con toda facilidad: de familia en sentido lato, de parentesco, de vecindad rústica o urbana, y los de parroquia, gremio o cofradía religiosa a la que perteneciera. De un modo menos favorable un individuo podía estar vinculado a un amo o señor. Probablemente fuera menos habitual la existencia de un sentimiento demasiado fuerte de pertenencia a un estado, monarquía o gran zona geográfica. Algunas de esas relaciones sociales cambiaron a lo largo del período en cuestión, pero son muchos los detalles que siguen siendo discutibles. Aunque es posible que en la Europa occidental se dieran algunos pasos hacia la familia nuclear, formada por los padres y los hijos (como se ha constatado en el norte de Francia, en Holanda e Inglaterra), existían muchas modalidades distintas de la familia y la casa. Dichas modalidades venían determinadas tanto por la mortalidad y las necesidades económicas de productividad y de supervivencia, como por la cultura. En muchas familias podía haber tres generaciones viviendo juntas, especialmente una viuda y sus hijos, con varios tíos y tías, hermanos y hermanas solterones, de la generación intermedia. Entre el 10 y el 15 por 100 de los habitantes de la Europa occidental que alcanzaban la edad adulta no se casaban, en buena parte por motivos económicos. Mientras que en la Europa occidental era habitual que los hijos dejaran la casa paterna al contraer matrimonio (o que se casaran cuando pudieran dejar la casa paterna y formar una nueva familia), había numerosísimas excepciones a esta regla. Varios hermanos casados podían vivir en la misma casa paterna de la ciudad, o en un complejo de viviendas comunicadas en una misma finca urbana, o en complejos rurales, como ocurría en el sur de Francia o en Lombardía. Este sistema podía resultar más conveniente para la gestión de actividades artesanales y de granjas, con el fin de asegurar la cooperación en el trabajo. Entre las élites urbanas de Italia era frecuente que numerosos miembros de una misma familia vivieran juntos en grandes mansiones. Los patricios venecianos de finales del siglo XVI acordaban a menudo que sólo se casara un hermano para mantener unido el patrimonio, mientras que los demás hermanos (y posiblemente sus amantes) y las hermanas solteras permanecían viviendo juntos en el mismo palacio. En la Europa del este y en la Rusia europea las familias a menudo vivían en casas plurifamiliares y trabajaban muy cerca unas de otras. Entre las familias de estatus más bajo de Italia, Alemania y el sur y el centro de Francia, los hijos casados se quedaban a vivir en casa de sus padres porque no disponían de una explotación agrícola aparte (de propiedad o de arriendo).

En contraposición con las agrupaciones familiares en sentido lato, los testimonios de finales del siglo XVI muestran cantidades significativas de «casas» urbanas al cargo de personas solas, a menudo viudas, aunque podían vivir con huéspedes, aprendices o sirvientes. En la Europa occidental muchos jóvenes se iban de casa durante una temporada siendo aún adolescentes, tanto si su familia pertenecía a la élite, con el fin de establecer contactos sociales y lazos de clientela, como si procedían de familias más humildes, para trabajar como criados o aprendices en las ciudades o como «braceros» en alguna explotación agrícola. En la Italia del norte y el centro las muchachas de las pequeñas ciudades y aldeas se iban a servir de criadas en las poblaciones más grandes con el fin de hacerse con una dote. En las casas humildes comprobamos que había un solo criado, y en los libros parroquiales de Roma y Bolonia aparecen registradas prostitutas que tenían a una criada a su servicio (no aparecen registradas como hijas). Para muchos, la movilidad y la interconexión entre las familias era importante por motivos económicos, para el establecimiento de una red social, para la ampliación de los propios horizontes, para el fomento de las relaciones entre la ciudad y el campo, o para la difusión de ideas y de una cultura material típicamente urbanas. Otras regiones se beneficiaron menos de este sistema. En el sur de Italia, fue menos frecuente durante este período que los jóvenes abandonaran la casa paterna. En la Europa central y del este el servicio doméstico era poco habitual, excepto en las fincas muy grandes o en los palacios.

Se ha suscitado un gran debate en torno a la importancia que tuvieron durante este período el parentesco y el clan en la red de relaciones sociales, así como los cambios experimentados en este terreno. Se jugaba con los lazos de parentesco en toda la sociedad, ya fuera con el fin de crear una base de apoyo para papas y cardenales o con el de obtener determinados puestos importantes en las cortes de Francia o Inglaterra, para concertar matrimonios de conveniencia incluso en los niveles sociales más humildes, o para impedir la disgregación de los bienes y recursos. En las principales regiones de Francia, Escocia, España, Córcega, Piamonte, el reino de Nápoles, y Friúl siguió habiendo durante todo el siglo XVI unos lazos de parentesco y de clanes de mayor alcance. Las familias podían tener importancia también para el férreo control político de ciudades como Génova, Brescia o Valladolid, pero los gobernantes las vieron como un peligro para el control de las zonas rurales, y fueron blanco de los ataques lanzados por las políticas emprendidas desde mediados del siglo XVI con el fin de alcanzar la formación del estado. Los lazos de parentesco podían exacerbar los actos de venganza, y constituir el sistema reticular oculto tras los graves conflictos sociales que se desarrollaron en el Friúl a principios de siglo, o tras las guerras de Religión francesas entre las décadas de 1560 y 1590. Este último conflicto vino determinado en gran parte por el control territorial ejercido por las familias de Guisa, Condé, o Montmorency, y por los sistemas feudales de clientela. Utilizando las redes de clientela que mantenían con otras familias nobles de menor rango, los Rohan y los La Rochefoucauld, los Guisa llegaron a controlar gran parte de Normandía, Picardía y Champaña en beneficio de la causa ultracatólica, tanto frente a los protestantes como frente a la corona, cuando ésta intentó llegar a una solución de compromiso y adoptar una postura de tolerancia.

El emplazamiento geográfico podía determinar diferentes lealtades sociales. Casi el 90 por 100 de la población del centro, sur y oeste de Europa vivía en comunidades rurales, pueblos o aldeas, y no en ciudades más o menos grandes. Algunas aldeas eran comunidades autárquicas, que desarrollaban diversas actividades económicas y en las que había distintos niveles sociales, como en el sur de Inglaterra o en los Países Bajos. Otras, como ocurría en el sur de Italia, podían ser grandes comunidades de varios miles de habitantes, aunque eso sí, monoculturales, en las que no podía apreciarse variedad social alguna y en las que posiblemente había muy poco sentido de comunidad. La mayoría de las comunidades constituidas en aldeas o ciudades pequeñas solían mostrar un fuerte apego a los derechos y privilegios concedidos por los monarcas, las ciudades vecinas o los señores feudales, y lograban unir a campesinos, artesanos y profesionales frente a cualquier amenaza que pudiera venirles del exterior. En la Europa occidental y meridional incluso las aldeas y villas feudales celebraban sus propias asambleas, y tenían sus magistrados y jueces locales que se encargaban de los asuntos de la vida cotidiana y de negociar con el señor feudal. En España los señores y la corona podían disputarse feudos y la soberanía de los mismos, pero es posible (según James Casey) que durante esta época se incrementaran el control y la pujanza de la colectividad. Las aldeas de la mayor parte de Alemania probablemente se vieran agobiadas por el poder estatal de los príncipes, pero las comunidades de Württemberg siguieron ejerciendo el control de sus asuntos locales. Aunque la Europa central y oriental se considera a veces más opresiva y «feudal» que el resto del continente, los magistrados locales, cuando no las asambleas municipales, podían tener cierta independencia socioeconómica e incluso cierta autoridad y capacidad de tomar decisiones legales (como en el caso de las comunidades del Danubio), sin que el señor ejerciera un dominio absoluto. Las lealtades locales podían generar antagonismos locales, pero también una competitividad sana. A menudo se ejercían fuertes presiones para impedir que los miembros de una comunidad contrajeran matrimonio fuera de ella, lo que daba lugar al envío a los obispos de peticiones de dispensa de las leyes relativas a la consanguinidad, como sucedió en Piamonte después del concilio de Trento.

En las comunidades de mayor tamaño, incluso en las grandes ciudades, los lazos sociales y las redes de relaciones extrafamiliares eran más complejos e incluso cambiantes. En las comunidades de menor tamaño la parroquia y sus proximidades inmediatas constituían el principal foco de atracción, no sólo para la celebración de los servicios religiosos, sino también para las reuniones públicas, para llevar a cabo actividades comerciales, para que le leyeran o escribieran a uno una carta, para cerrar un trato, o para que los enamorados concertaran sus citas. Lo mismo cabría decir de las villas y las ciudades, aunque hasta la Reforma las iglesias de las órdenes religiosas rivalizaban entre sí con los objetos sagrados que contenían y que atraían la veneración y concitaban el apoyo y la afluencia del público. Con las luchas suscitadas por la Reforma todas las iglesias institucionales intentaron reforzar la lealtad y el control de las parroquias. Se animaba y casi se obligaba a los feligreses a pasar más tiempo en la iglesia, asistiendo a los larguísimos sermones de los protestantes o a las elaboradas misas de los católicos. A partir del concilio de Trento, la Iglesia católica reclamó el control sobre el sacramento del matrimonio y el contrato conyugal (mientras que hasta entonces los matrimonios habían sido objeto de negociaciones y contratos de carácter muy variado), y decidió que la ceremonia de la boda tuviera lugar en la iglesia. La parroquia se convirtió tanto para los protestantes como para los católicos en un centro de educación, en escuela dominical y en escuela de doctrina cristiana; pero perdió el carácter de centro de reunión social profana. El estado secular tendía a utilizar la parroquia y las reuniones de la comunidad, ahora de carácter más forzoso, para dar órdenes y consejos.

Bastante importancia para las congregaciones y reuniones públicas tuvieron las asociaciones religiosas seglares, que reciben hoy día diferentes nombres: cofradías, hermandades, sodalicios o *gilds* religiosos (expresión esta última propia de la lengua inglesa). Antes de la Reforma desempeñaron un papel trascendental en muchos lugares de Italia, España, Francia, Inglaterra, el sur de Escocia, los Países Bajos y Alemania. A un nivel básico podían ser sociedades funerarias, encargadas de dar un entierro digno al difunto y recitar unas cuantas oraciones por su alma. Algunas tenían hospicios y hospitales, proporcionaban una dote a las doncellas pobres y organizaban peregrinaciones. Otras, como ocurría en Inglaterra, el sur de Francia, Piamonte y Alemania, organizaban sobre todo una gran fiesta anual, una celebración social memorable en la aldea, de la que podían beneficiarse marginalmente los pobres del lugar. Lutero condenó las cofradías existentes en Alemania porque fomentaban la ebriedad sin prestar auxilio a los pobres. Mientras que las iglesias protestantes condenaron y clausuraron este tipo de hermandades, en los países católicos las autoridades las fomentaron, aunque dándoles una nueva orientación, e intentaron imponerles una supervisión más rígida por parte del clero. Las cofradías incrementaron sus actividades filantrópicas en beneficio de los pobres y los necesitados; algunas ayudaban en la educación religiosa, mientras que otras se volcaron de nuevo en la flagelación activa (práctica derivada de los orígenes medievales de muchas de ellas) y otros actos de penitencia. Desde una perspectiva social más amplia, las cofradías contribuyeron al bienestar social, a la moralización y al control social. Podían representar a una élite religiosa (y llegaron a actuar como un ala ofensiva de dicha élite para la recuperación del catolicismo francés a partir de finales de siglo). Para algunas mujeres seglares, que podían ingresar en ellas y ocasionalmente incluso dirigirlas, ofrecían una vía para desarrollar algún tipo de actividad fuera del ámbito de la familia, y no sólo para rezar. Mientras que algunas tenían un carácter exclusivista desde el punto de vista social (sólo admitían a nobles o a artesanos), la mayoría eran socialmente mixtas. A finales de siglo, casi un tercio de las familias de las zonas urbanas de Italia y España probablemente tuvieran algo que ver en algún momento con alguna cofradía. La participación de la población de las zonas rurales era más desigual.

Los gremios de carácter económico (que en las zonas urbanas de Italia, España y los Países Bajos probablemente tuvieran también una dimensión religiosa) constituirían otra dimensión importante de la organización social en las comunidades urbanas. En las ciudades importantes de la Europa occidental la principal función de los gremios mercantiles y artesanales era la de controlar las condiciones laborales y comerciales, el aprendizaje, el cobro de deudas y muchos otros asuntos económicos. Podían asimismo tener la llave de la política municipal de una población, como ocurría en algunas ciudades italianas como Milán o Perugia, o en Londres y York. Podían asimismo llevar a cabo funciones religiosas y filantrópicas, como ocurría particularmente en Venecia. Los gremios venecianos mezclaban en un solo organismo a amos y a jornaleros, a ricos y a pobres, y podían favorecer la cohesión social; pero en otros lugares, como en Florencia, Milán o Londres, los gremios podían fomentar las divisiones sociales, protegiendo a un determinado grupo de intereses. En el siglo XVI los más prestigiosos, por ejemplo los de los mercaderes, los pañeros, banqueros y notarios, solían tener un carácter menos económico y ser más propensos al elitismo sociopolítico; cabría pensar de ellos que favorecían una determinada división de clase u orden dentro de la sociedad.

Jerarquías sociales: campesinos, operarios, la clase media y las élites

Al analizar «los grados de las gentes» en su *Descripción de Inglaterra* (*Descriptions of England,* 1577), William Harrison afirmaba: «En Inglaterra solemos dividir a nuestras gentes en cuatro grupos», a saber (1) los señores (*gentlemen*), en los cuales cabría diferenciar a los nobles (*nobles*), los caballeros (*knights*), los escuderos (*esquires*) «y por último los que son llamados simplemente señores (*gentlemen*)»; (2) los ciudadanos y burgueses, que poseen la libertad de la ciudad; (3) los hacendados (*yeomen*) rurales, «aquellos a los cuales, según nuestra ley, se llama *legales homines*, ingleses libres de nacimiento»; los propietarios cuya renta llega a los cuarenta chelines anuales; y los labradores, señores «que tienen cierta superioridad o simple estimación» entre las gentes sencillas; y (4) los jornaleros, peo-

nes y artistas «como los sastres, zapateros, carpinteros, ladrilleros, alba-
ñiles, etc.», criados y gentes que «ni tienen voz ante las autoridades de la
república, y están llamados a ser gobernados y no a gobernar».

En aquellos momentos Inglaterra consideraba a todos sus habitantes
libres; no existían en el país los estratos más humildes, el de los siervos,
como podía haber en la Europa del este y en Rusia, ni el de los esclavos, que
aún podían encontrarse en algunas ciudades de Italia y España (en Sevilla
había registrados 6.327 en 1565) y a bordo de las galeras. Los esclavos no
cristianos podían ser tratados tan bien o tan mal como los criados «libres», y ser recompensados con la conversión. En 1590 un noble andaluz
se casó con una esclava suya morisca, que era además la madre de sus hijos. La servidumbre en Rusia tenía también sus jerarquías y los siervos de
una familia podían ser bien tratados y respetados.

La sociedad del siglo XVI era jerárquica, pero en la mayor parte de las
regiones cabría pensar que los diversos estratos existentes no eran entidades rígidas, o instituidas de manera excesivamente simple, como indicaba
Harrison. Las estructuras más simples podían encontrarse en zonas como
Polonia, Prusia, Hungría, el sur de Italia y el centro de España, donde la
sociedad estaba formada por una gran masa de campesinos muy poco di-
ferenciados, nobles con su servidumbre doméstica, unos cuantos hombres cultos dedicados a la administración de las fincas, y unas cuantas ciudades con una clase media, cuya variedad era bastante limitada. Palabras
como «campesino» (cargadas de connotaciones peyorativas, como el inglés *peasant*, mientras que los términos correspondientes en francés, *pay-
san*, o italiano, *contadino*, no lo están tanto) designaban a numeroso tipos
de ocupaciones y de estatus (como sugería el caso de Menocchio, citado
anteriormente). Entre los «campesinos» podían incluirse los labradores
sin tierras y los siervos que padecían la rigurosa autoridad de un señor;
los aparceros que ejercían sus actividades bajo contratos de lo más variado, buenos y malos, con su terrateniente; pequeños o grandes colonos;
pequeños propietarios y feudatarios de ricas tierras dedicadas a diversos
cultivos; o los pastores de ganado ovino y vacuno. Un campesino o *contadino* podía ser un herrero, un zapatero, un sastre o un molinero; mientras
que un sacerdote del sur de Italia podía trabajar en el campo o tener una
pequeña tienda. Una misma familia podía ser simultáneamente o con pocos años de diferencia propietaria de una pequeña hacienda, cultivar una
finca en régimen de aparcería, tener arrendada otra y suministrar braceros a un terrateniente mayor. Los campesinos podían ser muy pobres y
despreciados, o ser ricos y hombres de honor. Una comunidad de Castilla

la Nueva, Puebla Nueva, tenía en 1575, según se dice, 350 familias; 70 de ellas son calificadas como campesinos (dedicados al cultivo de la tierra como propietarios o en régimen de arrendamiento), mientras que el resto son jornaleros o artesanos, excepto «tres o cuatro labradores que, según dicen, son hidalgos, pues tienen ejecutorias de nobleza».

La principal generalización que puede hacerse en torno a la sociedad «campesina» tal vez sea que en la Europa central y del este las condiciones empeoraron para la mayor parte de la población en relación con sus señores; por el contrario, en la Europa meridional y occidental los cambios fueron más variados. En Inglaterra el incremento de la población rural con cierto grado de libertad acabaría dando lugar al proletariado rural, a los nuevos pobres de ciudades como Londres o Norwich, o serviría para engrosar el número cada vez mayor de los hacendados y pequeños nobles. En cambio, la Europa central y del este vio cómo el poder de los señores era utilizado para impedir el movimiento de la población campesina, que quedó vinculada legalmente a la gleba (como podemos apreciar en las leyes de 1514 en Hungría, de 1526-1528 en Silesia, Brandenburgo y Prusia, y de 1580 en partes de Rusia). Los terratenientes del este, y ocasionalmente el estado, desarrollaron una economía agrícola, incrementando la postración y opresión social de sus campesinos, alimentando de paso a la población en constante ascenso de la Europa occidental y (a partir de la década de 1590) mediterránea, que vio cómo se intensificaba su diversidad socioeconómica. Las leyes dieron además a los señores derechos para despojar de sus bienes a los campesinos propietarios de tierras y convertirlos en labradores sin tierras o casi sin tierras, obligados a prestar sus servicios en las haciendas de los señores, como en Brandenburgo-Prusia en el período 1540-1572. Mientras que los servicios obligatorios e inexcusables que los campesinos debían prestar a los señores tanto laicos como eclesiásticos disminuyeron en Inglaterra y buena parte de Italia, en las zonas del centro y el este de Europa la prestación de servicios en forma de trabajo se incrementó notablemente: a finales de siglo los habitantes de las aldeas dependientes de la catedral de Havelberg (Brandenburgo) estaban obligados a trabajar noventa días al año en las tierras de la Iglesia. El poder de la nobleza se encargaba de que el derecho formal del estado normalizara ese tipo de prestaciones de trabajo, como sucedió en Brunswiek en 1597. Los señores podían llegar a tener un control considerable sobre los matrimonios o los derechos de traspaso de la propiedad que pudieran seguir teniendo los campesinos. Sin embargo, algunas zonas del centro y el este de Europa rompieron este molde y conservaron durante todo el siglo XVI y el XVII una población campesina libre, como ocurrió en Polonia, en la comarca de Cracovia, o en Colmer (Prusia). Los campesinos daneses y suecos conservaron incólumes en gran parte sus propiedades y sus libertades, pero tuvieron que aguantar el aumento de los impuestos y tributos a lo largo de todo el siglo, como les ocurrió a los campesinos libres de muchos otros lugares de Europa. En Sajonia, los electores ampliaron las tierras del estado controladas directamente por ellos y prefirieron proteger a los campesinos de las presiones, la rapiña y el aumento de los servicios impuestos por la nobleza: pero lo hicieron en parte al menos para garantizar las rentas de sus estados.

La sociedad rural podía estar llena de tensiones, fueran cuales fuesen los sistemas de control de la tierra, y no sólo entre labradores y señores. En España, en el reino de Nápoles y en los Estados Pontificios, se produjeron fricciones considerables entre los ganaderos que trasladaban sus numerosos rebaños de ovejas de la llanura a las zonas de montaña y los agricultores. En la época que nos ocupa se produjo una gran tensión social debido al sistema de enclosure y a las expropiaciones de las tierras comunales (que a menudo eran la tabla de salvación del sector marginal del campesinado), como ocurrió en algunas zonas de Inglaterra, España, Brandenburgo y el centro de Italia. Esta situación empujó a algunos campesinos a emigrar a ciudades como Londres, Sevilla, Roma o Nápoles, y a otros a dedicarse al bandolerismo en las propias zonas rurales. En la mayor parte de Europa probablemente hubiera una sociedad rural más polarizada entre ricos y pobres; es decir, entre los que podían tener cierto control de las tierras y los animales, y los que dependían casi por completo de otros. La relativa armonía social dependía de que estos últimos pudieran emigrar a las ciudades (como ocurrió en las regiones occidentales y meridionales del continente), o no, como sucedió en el este.

El siglo XVI fue testigo de graves motines y sublevaciones rurales: en el Friúl hacia 1511, y en Hungría en 1514; hubo «guerras de campesinos» en gran parte de Alemania, el Tirol y Hungría hacia 1520, y a finales de la década de 1580 en algunas regiones de Francia, los Países Bajos y la comarca de Nápoles, mientras que hacia 1590 se desencadenaron las famosas sublevaciones de los *Croquants* en Francia, y movimientos similares en Alta Austria y Hungría. Prácticamente ninguno de ellos puede ser considerado sólo una manifestación de la lucha de clases de los campesinos contra sus señores o contra la monarquía, aunque la protesta contra la servidumbre o las condiciones cuasi-serviles constituyera un factor importante. A menudo se unieron a ellos los artesanos de las ciudades, o incluso el clero local y la nobleza disidente, que prefería apoyar a sus colonos y labradores frente a la codicia fiscal del gobierno, o utilizarlos para otros fines, empezando por la disidencia religiosa. Las relaciones sociales podían quebrantar las jerarquías sociales.

Villas y ciudades

Cuando pasamos a la sociedad urbana, solemos encontrar una serie de relaciones más complejas. Como se indicaba en el capítulo 1, el período que nos ocupa fue testigo de una urbanización generalizada, pero a finales de siglo dentro de ese proceso se puso de manifiesto un desplazamiento hacia el noroeste del número de grandes poblaciones o ciudades. La proporción de personas que vivían en comunidades urbanas de más de 40.000 habitantes aumentó más o menos del 2 al 3,5 por 100 de la población europea a lo largo del siglo; y la de los que vivían en comunidades de 10.000 habitantes o más pasó del 6 al 10 por 100. Este fenómeno puede resultar equívoco, pues muchas villas inglesas de 600-800 habitantes podían tener una diversidad económica, social y cultural mayor que una ciudad española de 20.000. Algunas ciudades españolas, italianas y alemanas se estancaron o decayeron, como le ocurrió, por ejemplo, a Salisbury en Inglaterra. Para sobrevivir, dadas las tasas de mortalidad urbana, las ciudades necesitaban disponer de una red de inmigración procedente de poblaciones más pequeñas o de comunidades rurales. Así, pues, algunos habitantes de las ciudades habían sido poco antes simples «campesinos». Los habitantes de las comunidades urbanas podrían subdividirse fácilmente en labradores, una clase media de pequeños comerciantes, artesanos y profesionales, y una élite de nobles y de grandes mercaderes. Pero una ciudad podía tener también un perfil muy distinto, con numerosas gradaciones económicas y sociales. Tommaso Garzoni ofrecía una descripción bastante compleja en su obra *La plaza universal de todas las profesiones del mundo* (*La Piazza Universale*, Venecia, 1585, que conoció numerosas reediciones posteriores). El autor, que se imagina una gran plaza en la que se hallan presentes todos los grupos, los más nobles y honrados ocupando el centro y los más ínfimos limpiadores de letrinas en los extremos, describe cerca de cuatrocientas ocupaciones, desde carniceros, panaderos y abogados hasta amantes, prostitutas, espías, borrachos perpetuos, inquisidores y herejes. En realidad, las grandes ciudades podían representar un elevado número de estas profesiones agrupadas en hasta cien gremios o asociaciones distintas, que proporcionaban a sus miembros identidad y solidaridad. Las villas y ciudades tenían una configuración física muy variada y subdivisiones de todo tipo. En algunas, ricos y pobres vivían separados unos de otros, buscando los nobles barrios selectos o incluso calles, como la Strada Nuova de Génova. Los que realizaban actividades fastidiosas, como los curtidores, carniceros o bataneros, a menudo vivían segregados. Pero en otras ciudades las residencias y palacios urbanos podían tener tiendas, talleres y casas de huéspedes en la planta baja, como ocurría en algunos barrios de Venecia, Florencia o París. Así, pues, en las ciudades podía haber lealtades de barrio y sistemas de clientela que unían varios niveles distintos de la jerarquía.

A lo largo de todo el siglo la sociedad urbana se volvió en general más profesional, más culta y más consumista, y este fenómeno sería más apreciable en las zonas occidentales y meridionales del continente que en el este. La cultura conoció una mayor expansión: así lo refleja la difusión de la imprenta, las campañas humanistas en pro de una mayor expansión y diversificación del saber y las confrontaciones y debates religiosos. Este fenómeno se debió también al deseo de las iglesias institucionales de garantizar una educación religiosa adecuada, dirigida por un clero más culto, tanto si había estudiado en la universidad como si lo había hecho en el seminario. La consolidación del estado y la necesidad de cobrar más tributos para la guerra fomentaron el desarrollo de la burocracia (independientemente de que los cargos fueran funcionales o meros puestos venales menos eficaces creados con el fin de suministrar fondos a la corona). Abogados y médicos adquirieron una mayor conciencia de su rango y empezaron a competir con las viejas élites del comercio y la nobleza. Cada vez con más frecuencia los abogados y comerciantes de la Inglaterra isabelina desafiaron la primacía política y social de los caballeros e hidalgos de las provincias, e invirtieron además en bienes raíces. El consumismo se vio fomentado por la emulación en la ostentación de los gastos en bienes culturales, o por la cultura propagandística en favor de las necesidades políticas y religiosas. A finales del siglo XVI en los países católicos este fenómeno se dio más en el terreno de la arquitectura y la decoración; pero en las ciudades protestantes se manifestaría la rivalidad en la construcción de mansiones, edificios públicos o monumentos funerarios cada vez más elaborados. En el norte y el centro de Italia, en los Países Bajos, el norte de Francia y las principales ciudades alemanas las mansiones urbanas empezaron a fomentar cada vez más la privacidad familiar, mayores comodidades y ostentación en el tenor de vida, con lujosas camas y ajuares, sillas, tapices, loza fina decorada y objetos de cristal veneciano. Los archivos de Venecia indican que hacia finales de siglo ese consumismo se había propagado en parte a las familias artesanas de clase media. Este fenómeno sería un anticipo del protagonismo consumista ostentado por los Países Bajos durante el siglo siguiente.

Élites y estatus

El afán de diferenciación entre los grupos de clase media de las ciudades y las élites urbanas (o, como las llama Henry Kamen, la «élite media») ha dado lugar entre muchos historiadores a un acalorado debate en torno a las élites en la Europa de comienzos de la Edad Moderna. Cada vez más subrayamos la variedad de las élites, sus interrelaciones, y las tensiones existentes en su seno entre ricos y pobres. Jurídicamente la nobleza de título constituía un tipo de élite, pero podemos identificar otras élites políticas y sociales que no tenían títulos nobiliarios ni alcurnia, aunque en Occidente sus miembros recibirían cada vez más a menudo los calificativos de «caballeros», «gentilhombres», *gentlemen, gentiluomini* o *gentilhommes*. Las élites urbanas estaban formadas, si contamos a los «nobles» sin título (a veces llamados patricios, como en Venecia), por mercaderes, funcionarios y juristas; en ocasiones mantenían una rivalidad con la nobleza terrateniente (aunque esa rivalidad fuera cada vez menos sangrienta que la de las luchas típicas de la Italia de comienzos del Renacimiento). En ocasiones podía haber una «nobleza» y «aristocracia» (gobierno de los mejores) mixta, basada en la sangre (pertenencia a una buena familia), la virtud (como, por ejemplo, el valor militar), la competencia (en las labores de consejero) y la cultura. Se partía de la idea de que la nobleza y el poder que llevaba aparejado se basaban en la posesión de tierras y en las rentas producidas por éstas; tal era el caso especialmente en la Europa central y del este y en Escandinavia, pero también constituía una consideración importantísima en Gran Bretaña, Francia o España, y en algunas regiones de Italia. Algunas élites urbanas (por ejemplo en las ciudades del norte y el centro de Italia, en Renania, en Francia, en los Países Bajos, o en Sevilla), cuyo poder y dinero procedía del comercio, del gobierno municipal, el cultivo del derecho, o la corte, invirtieron cada vez más en tierras, con el fin de asegurar sus inversiones o de mejorar su estatus social. En un proceso inverso, algunos nobles cuya fortuna se basaba en la posesión de tierras sustituirían a los comerciantes en el gobierno de algunas ciudades mercantiles, como Córdoba. Desde finales de siglo, la nobleza terrateniente mostraría una acusada preferencia por vivir todo el tiempo o la mayor parte del año en la ciudad, por razones de cultura o motivos relacionados con la política cortesana, como harían el duque de Sessa en Córdoba, el de Chinchón en Segovia, o los Carracciolo, los Caraffa o los Pignatelli en Nápoles.

Bajo los Médicis, grandes duques de Toscana desde mediados de siglo, la élite o las élites de Florencia y sus alrededores se mezclaron cada vez más, dando cabida en su seno a viejas familias patricias cuyos orígenes se situarían en la actividad bancaria y mercantil, a nuevas familias burocráticas, a familias nuevas y antiguas dedicadas al desarrollo de los intereses agrícolas y que habían recibido la concesión de feudos, y a personajes del mundillo literario y académico que con su cultura instruían a la corte de los Médicis proporcionándole de paso honor y entretenimiento. Los segundones de las viejas familias florentinas (los Capponi, los Guicciardini o los Corsini) se mostraron dispuestos a dedicarse a artesanías acreditadas, como la orfebrería, además de seguir con la actividad comercial. La familia Gondi, volcada en el comercio con Lyon, obtuvo una baronía en Francia.

Los intereses agrícolas siguieron siendo muy poderosos durante todo el siglo, tanto los de las familias nobles tradicionales como los de los nuevos linajes que habían adquirido tierras en las zonas rurales, obteniendo a veces la concesión de nuevos feudos. Los grandes nobles de España, como por ejemplo los duques de Alba, Medinaceli o Medina Sidonia, controlaban inmensas cantidades de tierras y de personas. Cuando Felipe II decidió poner al frente de la Armada Invencible al duque de Medina Sidonia, pensó en utilizar sus recursos y las tropas de sus feudos para invadir Inglaterra. Tanto si la invasión y la ocupación de Inglaterra se veían coronadas por el éxito como si fracasaban, los recursos del duque quedarían exhaustos y el de Medina Sidonia sería un magnate mucho menos poderoso comparado con la corona. Desde 1589 aproximadamente la familia Zamoyski creó un gran estado territorial dentro del estado de Polonia-Lituania, hasta llegar a controlar en el siglo XVIII diez ciudades, 220 villas y 100.000 almas. Su engrandecimiento podría considerarse en gran medida beneficioso desde el punto de vista económico, social y cultural, pues se construyeron ciudades sólidas, se fundaron iglesias y escuelas y se promovió el comercio rural.

Para los distintos estratos de la élite la obtención de títulos, feudos y honores se convirtió en una preocupación cada vez mayor a lo largo del siglo. Las élites daban prioridad ante todo al reconocimiento de su estatus de nobles y gentilhombres, con o sin título. Buena parte de la literatura de Italia primero y luego de Francia e Inglaterra mostraría una gran preocupación por el honor, la virtud y el consiguiente comportamiento cortesano, que debía ir cubierto al menos de un ligero barniz de apreciación cultural. *El cortesano* de Baldassarre Castiglione (publicado en 1528) constituye el ejemplo más famoso y popular a la vez. Este complejo diálogo combinaba una cínica versión civilizada de maquiavelismo en los corteses consejos dados a un príncipe, con debates acerca del amor ideal y la belleza, la necesidad de domesticar a los guerreros nobles y de que las mujeres llevaran a cabo una misión cultural y civilizadora en la corte. A pesar de situarse en un contexto cortesano, algunos de sus mensajes bajarían a finales de siglo en la escala social y serían trasladados a los gentilhombres. Esta actitud indujo a los que deseaban ser considerados nobles y caballerosos por su virtud, y no sólo por su cuna, a patrocinar la literatura y las artes. Pero contribuyó también a que el estatus noble de un individuo se viera reconocido socialmente con un título e incluso con la recompensa de feudos territoriales, que proporcionaban poder local y beneficios de los que lucrarse. Algunos se conformaban con recibir el calificativo debido: Honorable, Su Ilustrísima, Eminentísimo Señor, etc. En España el tratamiento de «don» implicaba que el sujeto tenía estatus de hidalgo noble, pero además que era cristiano viejo, que no tenía mancha de raza, esto es que no tenía sangre de judío ni de moro, ni había sido acusado de herejía. El concepto de «honra» no era sólo una preocupación elitista; ser respetado socialmente tenía una importancia considerable, lo mismo que el hecho de ser cristiano «como es debido» una vez que se produjo el cisma de las iglesias. En Inglaterra los habitantes de las ciudades de clase media estaban ansiosos por ser reconocidos como *gentlemen*. Los italianos que acudían a los tribunales seculares y eclesiásticos intentaban que los testigos declararan que podían ser considerados hombres de buena reputación, *uomini da ben*.

Los príncipes concedían cada vez con más frecuencia títulos (de duque, conde o marqués), que unas veces llevaban aparejados «feudos» territoriales y otras no, con la esperanza de comprar así el favor de los beneficiados. Un «feudo» territorial podía comportar el control de una ciudad importante y su territorio circundante, con un significativo poder jurisdiccional, y que los vasallos no tuvieran apenas posibilidad de recurrir a

la autoridad real. Así ocurría en algunas regiones de España, en el reino de
Nápoles, en Polonia o Brandenburgo, por ejemplo. Pero en algunos casos,
como en Piamonte o en otros feudos del reino de Nápoles, el poder de los
titulares del feudo era limitado, su ámbito de influencia restringido, el control sobre la comunidad notable, y lo que le importaba al noble era su título, en términos de prestigio.

Una consideración trascendental de las élites era la del «privilegio»,
que significa el derecho efectivo a hacer una cosa o sólo una exención especial. En el ámbito político podía comportar el derecho a ocupar un es-
caño en una determinada asamblea representativa importante: la Cámara de los Lores en Inglaterra, la segunda cámara en los Estados Generales
en Francia o en las asambleas locales (en las que el clero constituía el primer estado), la cámara alta del Riksdag sueco o el Gran Consejo de la Se-
renísima República de Venecia. El «privilegio» podía comportar el derecho a ser juzgado por un tribunal especial, a ser ejecutado con la hoja
de una espada y no de forma ignominiosa en la horca, a tener un escudo de
armas, prueba del propio linaje y la propia virtud, a llevar armas en público, o a la exención de determinados impuestos. Los privilegios más
grandes iban acompañados de la concesión de un feudo con poderes jurisdiccionales prácticamente plenos. Algunos privilegios, especialmente
el derecho a portar armas, podían ser concedidos a individuos situados
en los niveles más bajos de la escala social. Los privilegios relacionados
con exenciones fiscales podían ser comprados por los municipios y por
determinados munícipes y burgueses; la venta de esos privilegios suponía una entrada inmediata de dinero en las arcas de la corona, a pesar de
la pérdida de base tributaria que pudiera significar a la larga. Los vasallos
de un feudo no estaban necesariamente descontentos de serlo; podía ser
más conveniente estar bajo la jurisdicción de un duque o un marqués español o napolitano —a menudo ausente o deseoso de desarrollar una red
de clientes en el ámbito local— porque sus impuestos o las exigencias de
prestaciones de trabajo podían ser menos gravosos que los impuestos y
contribuciones exigidos a los que se hallaban directamente bajo la jurisdicción del rey. En cambio, los vasallos podían realizar ataques crimina-
les contra los señores feudales que eran demasiado despóticos o tiránicos;
en Nápoles algunos señores de estas características sufrieron semejantes
ataques en sus feudos en 1511-1512. Convenía ejercer con prudencia los
«privilegios» que se tenían.

Claude de Seyssel, consejero de Luis XII y diplomático, sostenía en su
Monarquía de Francia que la nobleza favorecida con privilegios constituía

la clave de la armonía social y política si utilizaba su privilegiada posición y una buena cultura humanista para limitar el poder real por medio de buenas leyes y buenos consejos, y contribuía a garantizar la armonía entre los órdenes de la sociedad reconociendo los derechos y el papel de los demás órdenes, y sirviendo al estado y a la sociedad. Tales eran los ideales sostenidos en aquella época, aunque las familias nobles más influyentes no tardarían en fomentar los perniciosos disturbios civiles y religiosos.

El hincapié cada vez mayor que hicieron las élites en los conceptos de honor, respetabilidad y virtud, en las hazañas militares y en la prosperidad derivada de la posesión de tierras ha hecho que se haya acusado a los grandes nobles y magnates de ser un factor inhibidor del cambio económico y social. Se trata de un error. Las familias patricias venecianas se apartarían desde mediados de siglo del arriesgado comercio internacional e invertirían en la construcción de las villas palladianas, provistas de laboriosas granjas en el interior (como la espléndida Villa Maser de la familia Barbaro); pero las actividades llevadas a cabo por los Barbaro o los Michiel tuvieron un carácter plenamente empresarial y fueron acompañadas de inversiones en la creación de sistemas de regadío y la construcción de canales. Como consecuencia, se elevó el nivel de vida de las comarcas del interior del Véneto. Los Foscarini siguieron dedicados a la fabricación de aceite de oliva y al negocio de la madera. En Austria, Hungría y Bohemia las grandes familias se enriquecieron a través de la minería (así, por ejemplo, los Auersperg, que controlaban las minas de mercurio de Idria en Carniola), de la explotación de piscifactorías (así, por ejemplo, los Hradec) y en especial (por ejemplo las familias húngaras de los Zay, los Dobó y los Zrinki) de la ganadería, que servía para alimentar a Venecia, entre otros lugares. Esta expansión se consiguió en parte a costa de la expropiación de las tierras de la pequeña nobleza rural o aprovechando la venta de las tierras de la corona.

Sociedad rural y sociedad urbana: movilidad

La sociedad del siglo XVI se caracterizó por una notable movilidad, en términos tanto geográficos como sociales, al margen de lo que pueda implicar en este último sentido la importancia concedida al nacimiento. Las comunidades urbanas necesitaban una afluencia constante de vecinos para mantener estable su población; muchos jóvenes pasaban algún tiempo lejos de su hogar y de su localidad natal trabajando como sirvientes, aprendices o jornaleros en el campo. La transformación de las tierras de labor en tierras de pasto o el enclosure de las tierras comunales empujó hacia Londres durante la época isabelina a una cantidad considerable de gentes, y otro tanto ocurrió por la misma época en Roma o Nápoles. Las migraciones estacionales podían llevar especialmente a los varones a gran distancia de su lugar de origen, aprovechando las ventajas que ofrecía la necesidad de mano obra para las cosechas o la trashumancia de los rebaños, que eran llevados a los pastos durante el buen tiempo y regresaban en invierno para ser estabulados o sacrificados. Algunos seguían a los rebaños de vacas desde las llanuras de Hungría hasta casi las proximidades de Venecia, o desde la frontera de Escocia e Inglaterra hasta la comarca de Londres; los montañeses de los Alpes se trasladaban hasta la zona de viñedos de Francia, o iban desde el Piamonte hasta Sicilia para engrosar la tripulación de los pesqueros. Buena parte de la emigración era a largo plazo o permanente. La expansión ultramarina atrajo a gran número de europeos, especialmente en esta época españoles y portugueses, hacia América, y a mucha menos gente hacia las costas de África y el Lejano Oriente. Las guerras de la época contribuyeron también a la movilidad de la población; las guerras de Italia, con sus nutridos ejércitos, obligaron a ponerse en movimiento no sólo a los nobles de Francia y España, sino también a los soldados de infantería de condición más humilde de ambos países, y a numerosos mercenarios suizos y alemanes. Más tarde, las guerras de Religión francesas y la guerra de Flandes atrajeron a muchos hombres de Italia y de los distintos estados alemanes, además de poner en movimiento a muchos naturales de uno y otro país. Sobre los resultados de semejante situación nos ilustra la extraña historia del impostor Martin Guerre, que se ha hecho célebre por la versión cinematográfica de otra excelente microhistoria —obra de Natalie Zemon Davis— que nos permite vislumbrar numerosos aspectos y niveles de la sociedad francesa. La división de los Países Bajos hizo que muchos individuos y familias del sur que no deseaban seguir bajo la dominación española se trasladaran al norte, contribuyendo a la diversidad social y a la riqueza de esta última región.

Esa movilidad social, que afectó primordialmente a los varones, podía resultar muy perjudicial para la vida familiar, y fomentar de paso la movilidad, tal vez forzosa, de las mujeres, que salían en busca o bien de sus maridos o bien de empleo siguiendo a los ejércitos en campaña. La reconquista cristiana en la península Ibérica a finales del siglo XV obligó a la población de religión judía o musulmana que no quiso «convertirse» a emigrar a otros países, al norte de África, a los Países Bajos, a Venecia, o a los Balcanes y Oriente Medio (a ciudades como Tesalónica, Alejandría y Aleppo), pues el Imperio otomano era más tolerante con los judíos. El incremento del antisemitismo durante esta época, en el caso de algunos papas por ejemplo, contribuyó a esta desbandada, lo mismo que el aumento de los guetos (creados por primera vez en Venecia en 1516, donde el término dialectal dio lugar al genérico), en los cuales se permitía residir a los judíos, aunque, eso sí, segregados del resto de la población.

El intercambio social entre el campo y la ciudad no fue en un único sentido, como algunos comentarios efectuados anteriormente pueden haber dado a entender. Las grandes ferias y mercados anuales que se celebraban en toda Europa atraían a los «campesinos» y a los intermediarios de los lugares más remotos, y no sólo a los grandes mercaderes. La experiencia urbana tendría un efecto cultural notable sobre los individuos que regresaban a sus lugares de origen cargados de noticias, cotilleos, nuevos artefactos, modas o gustos. Actualmente se considera posible que el mercado de objetos de segunda mano tuviera fuertes repercusiones sobre el consumismo rural y urbano. Los buhoneros recorrían cada vez con más frecuencia Europa cargados de baratijas, tarros y medicinas, pero también de hojas de noticias, imágenes baratas de la Virgen o de algún santo supuestamente milagroso, o de mordaces invectivas contra el papa o los frailes (en consonancia con el mercado religioso local). Para bien o para mal, las comunidades rurales se vieron cada vez más expuestas a los visitantes urbanos, en forma de recaudadores de impuestos, abogados y representantes de los terratenientes, religiosos de rango superior que acudían a comprobar los méritos de los curas y pastores de los pueblos en el trato con sus feligreses, o a cazar supuestas «brujas» o cuando menos a curanderos de dudosa reputación. Algunas zonas rurales no demasiado apartadas de las grandes ciudades pudieron beneficiarse de la afición de algunos nobles a pasar ostentosamente temporadas en sus fincas de retiro lejos de la gran ciudad, por placer o con el fin de supervisar las labores agrícolas. Nuevas construcciones de este tipo —mansiones, pabellones de caza y villas, o viejos castillos remozados— surgieron en la Inglaterra isabelina o en las colinas de los alrededores de Florencia, Roma y Madrid. Algunos aspectos económicos y culturales afectaron también a la población local.

En el caso de los grupos más selectos e influyentes, podemos apreciar esa movilidad a larga distancia entre los estudiantes y los disidentes religiosos, así como entre los artistas y los músicos. Si bien Italia solió ser el principal foco de atracción para la mayoría, por razones religiosas podemos encontrar exiliados italianos en Ginebra —donde se mostraron más veleidosos e indisciplinados teológicamente que los franceses, según comentaba en tono lastimero Calvino— y en Polonia o Inglaterra. Los escoceses buscaron su inspiración en Ginebra y en Francia, o en Roma, en caso de que perseveraran en la fe católica. Las universidades italianas siguieron atrayendo a muchos estudiantes extranjeros, y los intentos de Felipe II de que los intelectuales españoles permanecieran en España no se vieron coronados totalmente por el éxito. Los extranjeros residentes en algunas ciudades clave, como Bolonia, Perugia, Roma o Venecia, tanto si se trataba de estudiantes como de clérigos, mercaderes o artesanos de paso, podían juntarse y formar «naciones» que les proporcionaban una base social y lingüística, redes socioeconómicas, o un punto de apoyo de carácter religioso en las cofradías. Esas colonias o «naciones» podían ser más o menos amplias o restringidas según el número de sus miembros; en Roma había por un lado colonias de Bergamo o de Nursia, y en la universidad de Perugia había una colonia alemana de la que formaban parte también bohemios, húngaros y algunos holandeses (mientras que otros se agregaban a la colonia franco-flamenca). La universidad de Glasgow, por influencia de la de Bolonia, tenía diferentes «naciones» de estudiantes, que aún seguían activas en el siglo XX. Las colonias formadas principalmente por artesanos tenían un valor social importantísimo para los inmigrantes. La hermandad de los españoles en Roma (que a partir de 1580 acogía también a los portugueses, además de a castellanos y catalanes) integraba a embajadores, cardenales, juristas y artesanos de esta nacionalidad. Recientemente se ha descubierto que constituyó uno de los aspectos fundamentales de la política imperial española de Felipe II y que supuso un paso importante hacia un concepto más moderno del nacionalismo.

Relaciones de género

El período que nos ocupa fue testigo de múltiples debates en torno a la naturaleza de la mujer y su papel en la sociedad, especialmente en el norte de Italia, en Francia y en Inglaterra. Existe una gran controversia entre los historiadores acerca de si las actitudes se volvieron más o menos misóginas, o de si las oportunidades socioeconómicas de la mujer mejoraron o empeoraron. No pueden detectarse unos modelos de cambio uniformes. La difusión de la imprenta a lo largo del siglo XVI ha contribuido a que tengamos un mayor conocimiento del debate en torno a las relaciones de género; los historiadores modernos pueden sacar a colación diatribas misóginas y escritos protofeministas de hombres y mujeres, en este último caso producidos sobre todo en imprentas venecianas a finales de siglo. Es indudable que las mujeres eran legal y políticamente inferiores a los hombres, a menos que fueran reinas, como María e Isabel de Inglaterra, María de Escocia o Catalina de Médicis, regente y reina madre de Francia. Las mujeres no eran miembros de las asambleas representativas ni de los consejos municipales, y cuando se les permitía ingresar en los gremios raramente ocupaban cargos de alto rango, aunque en Colonia y Nürnberg había gremios sólo de mujeres al menos a principios de siglo. Había restricciones muy importantes en lo tocante a los contratos que podían firmar las mujeres por su cuenta, y normalmente necesitaban permiso de su marido para comprar y vender al detalle. Por esos motivos legales a menudo pasan desapercibidas en los registros y archivos históricos oficiales. Pero recientemente los especialistas en historia social han encontrado algunas formas más sutiles de detectar el papel social y económico de la mujer, o su influencia, con frecuencia a través del estudio de los testamentos y últimas voluntades.

En muchos casos, la familia y el hogar constituían una unidad socioeconómica integrada, al margen de cómo estuvieran configuradas sus generaciones. Las muchachas y las mujeres en general —esposas, hijas o viudas de la parentela— podían ayudar en la producción artesanal o dirigir las actividades agrícolas al tiempo que se ocupaban de los más pequeños. Las doncellas jóvenes y las mujeres solteras podían marcharse de casa durante algún tiempo para trabajar como criadas y como obreras textiles, e incorporarse luego a una unidad laboral doméstica. Es posible que un número cada vez mayor de mujeres, casadas y solteras, tuvieran una vida económica independiente, especialmente en los Países Bajos y en el norte de Francia y de Italia, trabajando en el sector textil y en la producción de encajes o de forma más ocasional como boticarias, como taberneras (en Londres con un estatus igual al de los demás miembros del gremio desde 1514) e incluso como herreras en el arsenal de Venecia. Pero las unidades artesanas y las explotaciones agrícolas familiares siguieron vivas. El trabajo de la mujer solía ser humilde y menos cualificado que el del hombre, pero en cambio es posible que se fomentara en ellas el conocimiento de los números y las letras para que se encargaran de la contabilidad. Sabemos también que con la expansión de la imprenta en Italia las hijas y las mujeres casadas eran valoradas como cajistas y correctoras de pruebas; y en Holanda e Italia las viudas podían encargarse de la gestión de las imprentas, aunque no realizaran el duro trabajo físico que suponía accionarlas. Puede que las mujeres casadas y las viudas en general alcanzaran un mayor poder y una mayor influencia social y económica, pero había unas diferencias considerables entre los distintos tipos de ocupaciones y entre las diferentes zonas geográficas, y en cuanto a los gremios, las actitudes que adoptaron fueron muy variadas. En los de impresores y panaderos probablemente la mujer corriera mejor suerte que en los relacionados con la industria textil. En varias ciudades alemanas las mujeres salieron perdiendo, en parte debido a las actitudes preconizadas por la Reforma, pero en Inglaterra, en Augsburgo y en el norte de Italia, las viudas acaso ganaran un poder y una influencia mayores. En lo tocante a la posición de las viudas y de las mujeres casadas, los especialistas en la historia de Toscana suelen subrayar que siguió existiendo un rígido control por parte de los parientes varones, pero los estudiosos de Venecia y Roma detectan un mayor papel de la mujer en el manejo de su dote, de asuntos familiares como las alianzas matrimoniales o incluso de los bienes inmuebles, como ratifican los testamentos de los maridos. La situación de las viudas de los artesanos de Inglaterra, que a menudo carecían de la protección de las dotes que podemos observar en la sociedad italiana, probablemente fuera mucho más vulnerable.

El impacto de los debates y las luchas de religión sobre la posición de la mujer sigue siendo objeto de encarnizadas discusiones. Supuestamente la interpretación bíblica de los protestantes fomentaba una actitud que veía en las mujeres a las herederas del pecado de Eva, y por lo tanto eran consideradas seres inferiores y peligrosos debido a sus artimañas sexuales. En los círculos próximos a Lutero y a sus partidarios proliferaron los escritos y grabados misóginos. Se ha pensado que las imágenes visuales de Hans Baldung Grien, en dibujos, pinturas y grabados de mujeres, contribuyeron a la imagen pornográfica de la hechicera peligrosamente destructiva participando en aquelarres orgiásticos o tentando a los varones con su desnudez. Aquellas representaciones fomentaron supuestamente la caza de brujas en Alemania, basada en el mandato del Antiguo Testamento según el cual no debía tolerarse que siguiera viva ni una sola bruja. Otras imágenes y escritos producidos en Alemania e Inglaterra afirmaban que las mujeres eran demasiado dominantes, se ponían por encima de los varones y usurpaban el papel de éstos; y de ahí se deducía que la nueva doctrina religiosa debía poner a la mujer en su sitio, es decir relegarla al hogar y al papel de esposa dócil y madre diligente. No se sabe muy bien si las imágenes o los sistemas de tortura utilizados en Inglaterra contra las mujeres supuestamente marimandonas, chismosas o sexualmente escandalosas deberían usarse como prueba de la tiranía y misoginia de los varones, o como demostración de que las mujeres aún podían reafirmar el puesto que justamente les correspondía en la sociedad. El fervor protestante desembocó en el cierre de los burdeles municipales y de los barrios «chinos» de algunas ciudades alemanas, mientras que las autoridades católicas siguieron tolerando por lo general la prostitución como si fuera un mal menor que ponía a las mujeres honradas a salvo de las intenciones predatorias de los varones. Todas las confesiones religiosas siguieron promoviendo incluso con mayor asiduidad el matrimonio y las virtudes conyugales, aunque los protestantes ya no reconocían el matrimonio como un sacramento. Esta circunstancia hizo que la bastardía resultara menos tolerable y contribuyó al aumento de los abandonos de los hijos ilegítimos y de la expulsión de las criadas que quedaban embarazadas, mientras que en otro tiempo unos y otras habrían podido quedarse por regla general formando parte de la familia en sentido lato.

Si el fortalecimiento de los valores religiosos tuvo efectos negativos para las mujeres, también cabría ver la aparición de otras consecuencias más positivas a finales de siglo, al menos en los sectores intermedios de las sociedades urbanas occidentales. El deseo de que las familias fueran más devotas y estuvieran mejor informadas acerca de los valores cristianos suponía que había que recitar oraciones y leer obras edificantes en la propia casa. En los hogares protestantes el texto elegido sería la Biblia (aunque debemos tener en cuenta que la Biblia podía ser también una obra que no se leía nunca y que prácticamente sólo se abría para anotar la genealogía de la familia), mientras que en los hogares católicos, si bien se desaconsejaba tener traducciones de la Biblia a las lenguas vernáculas, algunos reformistas animaban a los creyentes a tener en casa otras obras de devoción para efectuar lecturas privadas. Aunque era el varón cabeza de familia el que tenía la obligación de dirigir a sus subordinados hacia la devoción, la esposa y madre quizá fuera la encargada de enseñar a leer a las nuevas generaciones, de modo que perseveraran en la piedad religiosa. Las imprentas venecianas de mediados de siglo fueron las primeras en publicar libros destinados a ayudar a los padres a enseñar a leer a sus hijos. En los países católicos, las hijas de las familias más acomodadas solían ser enviadas a conventos de monjas para recibir una buena educación, pero podían acabar convertidas en madres de familia cultas sin llegar nunca a entrar en religión. Entre las que permanecieron tras los muros del convento se ha demostrado que hubo compositoras, pintoras y escritoras, autoras de libros piadosos, obras de teatro o epístolas destinadas a la guía espiritual; y algunas mujeres entregadas a la vida de clausura, como Maddalena De' Pazzi, llegaron a exhortar a muchos cardenales y príncipes seculares a emprender reformas religiosas y morales.

En los círculos de la alta cultura, el siglo XVI vio cómo unas cuantas mujeres se convertían en destacadas poetisas, pintoras y músicas. Algunas se beneficiaron de tener padres o esposos que las instruyeran y animaran a seguir su carrera (como las pintoras Marietta Robusti Tintoretto y Lavinia Fontana, o como la compositora Francesca Caccini). Pese a no tener este tipo de antecedentes, la italiana Sofonisba Anguissola llegó a establecerse durante algún tiempo en la corte española como retratista; posteriormente regresó a Italia para instruir a sus hermanas menores y apoyar financieramente a su padre y a su hermano. Algunas personalidades destacadas fueron cortesanas (como la poetisa Tullia D'Aragona en Roma y Florencia) o corrieron el riesgo de ser acusadas de obtener notoriedad concediendo favores sexuales a sus mecenas, como les ocurrió a las hermanas Basile, cantoras en la corte de Mantua y en Roma a finales de siglo. El ejemplo más notable es el de una poetisa de gran talento, la veneciana Veronica Franco, a la que Enrique III de Francia quiso conocer cuando pasó expresamente por Venecia en el viaje de regreso a París después de ejercer durante un breve período como rey de Polonia para ocupar el trono de su país natal, vacante desde 1573 debido a la muerte de su hermano. Posteriormente se intercambiarían poemas. Veronica Franco se manifestó a favor de dispensar un trato caritativo a las prostitutas menos afortunadas y a sus hijos, a diferencia del que recibían en las instituciones casi carcelarias en las que a menudo eran alojadas. Esta «faceta femenina» de Enrique III le acarreó la censura de los que pensaban que su corte estaba dominada por la búsqueda de los delicados placeres estéticos italianos más que por el deseo de realizar proezas militares o defender la verdadera religión.

Italia siguió teniendo fama de país licencioso, tanto en el caso de los varones como en el de las mujeres, aunque sus reformadores más destacados se unieron a las llamadas de los protestantes del norte en pro de la continencia sexual, el respeto de los estrictos vínculos del matrimonio y la castidad. Los fornicadores serían perseguidos por la «policía» religiosa en muchas regiones de Italia tanto como en Escocia, Ginebra o Cataluña; pero muchas de esas medidas moralistas probablemente fueran provisio-

nales en la mayor parte de las regiones. A pesar de las normas e investigaciones ordenadas por los obispos, lo más probable es que, incluso después
de que los reformadores tridentinos entraran en acción, la sociedad siguiera aceptando que el cura del pueblo tuviera como ama (y a veces incluso como madre de sus hijos) a una mujer hermosa en vez de una pa-
rienta anciana, con tal de que fuera discreta y no demasiado entrometida.
Parece que Francia y el norte de Italia fueron los países más proclives a
producir obras en las que se defendía la igualdad de la mujer y su derecho
a disfrutar de la cultura y de las relaciones sexuales en pie de igualdad con
el hombre: tales actitudes pueden apreciarse en la poesía erótica de Gaspa-
ra Stampa y de Louise Labé, por no hablar de las obras de la ya citada Veronica Franco. A pesar de las normativas municipales draconianas que
prohibían los actos sexuales contra natura no destinados a la procreación
—la «sodomía» en sentido lato—, especialmente cuando eran cometidos
por varones, el ambiente humanista de comienzos del siglo XVI se mostró
propenso a ensalzar o a tolerar el amor y la amistad espiritual y a veces física de los varones, e incluso la bisexualidad. Eso es lo que ensalza la *Autobiografía* del exuberante orfebre y escultor florentino Benvenuto Cellini, al margen de todo tipo de distorsiones que quieran hacerse. Aunque
podían dictarse condenas muy duras, incluso la pena de muerte, era muy
raro que se ejecutaran, excepto en el caso de los sacerdotes pedófilos. Florencia y Venecia fueron objeto de numerosas invectivas por tolerar la actividad homosexual y la abundancia de cortesanas. Aunque a mediados
de siglo se produjo un cambio de actitud en contra de tanta permisividad
(como el libro y las experiencias de Cellini indican), Venecia, al menos, siguió siendo famosa por la libertad sexual de que gozaban los varones, hecho que supuestamente atrajo hacia ella a algunos caballeros isabelinos.

Los pobres y el control social

La pobreza, como la hermosura, puede estar en el ojo del que la contem-
pla; se define con relación a las expectativas y a la moda. Fue un tema dis-
cutido durante todo el siglo XVI y caracteriza también el debate histórico
moderno. Desde comienzos del siglo XVI el problema fue analizado por
personalidades religiosas y políticas, así como por escritores humanistas,
empezando por el español Juan Luis Vives, que escribió su obra *De sub-
ventione pauperum* («Sobre el alivio de los pobres», 1526) en los Países

Bajos. Se afirmaba que la cantidad de «pobres» era cada vez mayor; que éstos eran cada vez más peligrosos, especialmente en las áreas urbanas (debido a las recientes oleadas de inmigrantes causadas por las amenazas de guerra o la reubicación de las explotaciones agrícolas); que la vieja beneficencia (supuestamente indiscriminada) fomentaba la ociosidad, y que no socorría a los pobres verdaderamente necesitados que la merecían. Los gobiernos locales, empezando hacia 1520 por los de Nürnberg, Ypres, Mons, Brujas y Venecia, buscaron los conductos apropiados para introducir controles legislativos e intentaron poner remedio a la situación. Ciudades como Wittenberg, Lille o Venecia intentaron promover un alivio más sistemático de la pobreza o la organización de suministros de alimentos frente a la escasez, aunque las políticas emprendidas resultaron en gran medida negativas. Entre las medidas tomadas figuraban el castigo y la expulsión de la ciudad de los vagabundos (como ya se intentó hacer en París en 1516) o de los mendigos, vagos y maleantes (especialmente si eran recién llegados), y a veces incluso de las prostitutas. La mendicidad fue prohibida o severamente controlada. A los que más se lo merecieran, se les permitiría mendigar con licencia, como se hizo en Londres desde la década de 1520. La puesta en práctica de esos controles, sin embargo, resultaba muy difícil; pero fue esta mentalidad la que desarrolló la idea de que los gobiernos podían y debían controlar a una población potencialmente peligrosa de «pobres», y que debían promover directa o indirectamente algún tipo de ayuda para las gentes verdaderamente necesitadas que se la «merecieran». Estos últimos solía pensarse que eran los niños vulnerables, las ancianas y (a veces) los que padecían alguna minusvalía grave. También se presionó a las comunidades locales, a las parroquias y a las familias para que asistieran a sus pobres.

A lo largo del siglo las actitudes y las políticas evolucionaron de formas bastante complejas y diversas por toda la Europa occidental. Los conflictos religiosos tuvieron consecuencias muy variadas. Los ataques de los protestantes contra los monasterios y las cofradías y su consiguiente supresión eliminaron las fuentes tradicionales de ayuda a los necesitados. Al principio, el argumento que preconizaba la salvación únicamente a través de la fe y los ataques contra la idea de que esa misma salvación podía alcanzarse por medio de las buenas obras redujeron, al parecer, las obras benéficas en las regiones protestantes, pero casi con toda seguridad favorecieron el surgimiento, como reacción, de múltiples actividades filantrópicas en los países católicos, esto es en el centro y el norte de Italia, en España y en algunas regiones de Francia. Pero a finales de siglo la división entre católicos y protestantes estaba menos marcada. Es posible que los protestantes excluyeran del proceso de salvación las «buenas obras», pero en Inglaterra, Escocia y Ginebra destacados calvinistas invitarían a emprender algunas iniciativas filantrópicas como signo de salvación; no obstante, mostraron una propensión a fomentar más la caridad pedagógica que las donaciones materiales. Aparecerían hospicios para los ancianos que merecieran ser acogidos en ellos en ciudades protestantes como Londres, Salisbury o York, y en ciudades católicas como Münster y Venecia. Tanto los gobiernos protestantes como los católicos intentarían racionalizar los sistemas hospitalarios, fusionando los pequeños hospicios y sus patronatos para crear instituciones más grandes (como ya se había hecho en Milán y en otras ciudades lombardas en el siglo XV). Los hospitales eran para los pobres, no para los ricos (que hacían ir al médico a su casa). La sífilis, supuestamente importada de las Américas después de 1492, se registró por primera vez en Italia durante la invasión de Nápoles por los franceses, de ahí que recibiera el nombre de morbo gálico o mal francés (o napolitano). Dio lugar al establecimiento de hospitales para los «incurables» en Roma, Nápoles y otros lugares. Sobre todo a partir de mediados de siglo se fomentó la fundación de nuevas instituciones para albergar a los niños huérfanos y abandonados, las prostitutas arrepentidas, o incluso a las casadas que recibían malos tratos. Había también «hospitales» para mendigos (empezando por el de Bolonia, instituido entre 1560 y 1570, y el de Bridewell, en Londres, de 1553, y los posteriores correccionales creados en Ipswich y Norwich en la década de 1560), en los que se reunía a los pobres dedicados a la mendicidad y que hacían a un tiempo las veces de albergue y centro de castigo, permitían el control de las calles, suponían una medida de control moral y ofrecían educación religiosa, trabajo doméstico a los que estuvieran en condiciones de realizarlo y atención médica. Esta institucionalización y este control social se generalizarían todavía más en el siglo XVII, especialmente en Francia. Los ingleses tendieron a crear un sistema de leyes contra la pobreza (en realidad muy poco sistemático) por medio del cual se pretendía que las parroquias socorrieran a sus pobres, haciendo que los vagabundos (especialmente los inmigrantes llegados a Londres y a Norwich) fueran devueltos a sus parroquias de origen. Algunas autoridades italianas y españolas fomentaron también el auxilio parroquial, pero sin que la consecuencia de la medida fuera la devolución de los beneficiados a sus lugares de origen.

A finales de siglo, la población urbana de la Europa occidental tenía, por un lado, unos sistemas de bienestar social mejor controlados (en los que se mezclaban las autoridades civiles, la Iglesia y los particulares) y un control moral-social más riguroso. Por otro lado, no se había logrado erradicar la pobreza en las calles o en el interior de las iglesias, el vagabundeo y las bandas callejeras (supuestamente muy bien organizadas en Sevilla y en Roma), y las crisis alimentarias que afectaron a toda Europa durante la década de 1590 vinieron a empeorar la situación.

Temores y tensiones

Muchos comentarios acerca de la sociedad europea del siglo XVI sugieren que los temores y las tensiones se incrementaron a lo largo de este período. Se dice que la sociedad europea del siglo XVI se vio afectada en mayor medida por la dislocación económica que supuso la destrucción de las explotaciones agrícolas, circunstancia que desembocó en un aumento de los campesinos sin tierras; y que sufrió más los perjuicios de las guerras, que adquirieron unas proporciones mayores, y en las que participaron ejércitos más numerosos y se utilizaron armas más mortíferas. Las enfermedades y el hambre fueron sus grandes azotes. Las luchas provocadas por la Reforma hicieron que se pusieran en duda muchas cosas y tras la reorganización emprendida por las autoridades eclesiásticas probablemente hubiera muchos más individuos que temieran que sus creencias y sus prácticas fueran puestas en entredicho por las autoridades locales o por los inquisidores. Algunos estudiosos de la historia de la cultura hacen hincapié en un aparente paso del optimismo intelectual del Renacimiento humanista a un antirrenacimiento, en el que predominaron el escepticismo, la duda, la irracionalidad, y la fe en la astronomía y las ciencias esotéricas.

La llamada caza de brujas ha sido considerada un síntoma de las tensiones propias de la época, causadas por una mezcla de temor a la dislocación social y a la presencia de extraños en la sociedad en general, y de una irracionalidad en los círculos intelectuales que llevó a que los encargados de juzgar la «hechicería» mostraran una credulidad tan grande y aceptaran como verdaderas las historias fantásticas acerca de las obras del diablo y sus agentes. Quedaría bien patente el miedo a los «otros», a los diferentes, ya se tratara de judíos, gitanos, anabaptistas, o de la mujer peligrosa sin control (ni protección) del varón. Todos esos personajes serían perseguidos por la sociedad. Deberíamos subrayar que la caza de brujas varió mucho de un lugar a otro y de una época a otra. Hubo algunas persecuciones horrendas, aunque muy localizadas en Lorena, en la comarca de Ginebra o en Escocia. Sería mucho lo que dependiera de los sistemas jurídicos locales y de la estructura de los tribunales de justicia, de la mayor o menor instrucción que tuvieran los jueces y magistrados, del grado en que se utilizara la tortura, y de si los acusadores esperaban obtener o no beneficios financieros de la condena de los acusados. En la península Ibérica y en Italia, los asuntos de brujería, magia y «maleficio» (con o sin supuesta invocación o adoración del diablo) quedaron bajo el control de la Inquisición. En estos países prácticamente fue inexistente la caza masiva de brujas; la aplicación de castigos severos fue bastante rara, y se reservó más bien a los clérigos y a otros personajes que hicieran mal uso de los sacramentos, y no a los viejos que vivieran a las afueras de cualquier aldea perdida. Los agentes de la Inquisición habían recibido una buena preparación, usaban la tortura en raras ocasiones y habían recibido de sus superiores órdenes de mirar con escepticismo las denuncias maliciosas hechas por los vecinos cuando fallaban los intentos de curación o de obtener el amor de una persona por medio de la magia, o cuando se producía de forma inesperada la muerte de un niño. La sociedad europea estaba llena de individuos, más mujeres que hombres (pues estos últimos eran los que estaban al frente de la religión y la medicina oficial), que intentaban llevar a cabo curaciones por su cuenta, practicar medicinas alternativas, y hacer encantamientos amorosos o pronósticos; estos individuos podían resultar útiles y ser apreciados, o por el contrario temidos si no llevaban a cabo lo que se esperaba de ellos. Las cifras de víctimas de la caza de brujas han sido exageradas a menudo, y no se comparan con las de los castigos —igualmente bárbaros— infligidos por los delitos «comunes» (de las cuales, por lo demás, se sabe muy poco). No obstante, el predominio de las mujeres sobre los hombres (en una proporción de 70:30) en los casos de hechicería y brujería no tendría parangón en otros tipos de delito.

Durante el siglo XVI los europeos se vieron afectados progresivamente por la popularización de la imprenta, que propagaba la información... y la desinformación. Cada vez eran más los que podían conocer más cosas acerca de asuntos ocurridos en tierras lejanas, ya se tratara de la matanza de la Noche de San Bartolomé, del asesinato de Enrique IV, de los horrores de la peste o de un nacimiento monstruoso, presagio de la proximidad de algún desastre. Todo esto podía contribuir al agravamiento de los temores y las tensiones dentro de la sociedad; otras «noticias» e informaciones —sobre el éxito de una guerra de religión, o un tratamiento para la sífilis—permitían que se abrigaran nuevas esperanzas. A través de los buhoneros y del boca a boca eran muchas las novedades que podían llegar a conocimiento de la mayoría analfabeta de la población, al menos en la Europa occidental.

Al estudiar la sociedad del siglo XVI en general, el historiador moderno de talante pesimista puede hacer hincapié en los conflictos sociales, políticos y religiosos. Pero el más optimista podría subrayar lo que mantenía cohesionada a la sociedad, los lazos y la interdependencia social, la ventajosa movilidad social y física existente en Occidente, los intentos de buscar remedio a los males de la sociedad (incluso cuando comportaban un elemento punitivo), los avances de la medicina o el consumismo urbano en Occidente, que apuntaría hacia una elevación de los niveles de vida, al menos antes de que se produjera la funesta depresión del período 1590-1620.

4

Mentalidad

Charles G. Nauert

A comienzos del siglo XVI, la cultura de la Italia renacentista había empezado a ejercer una poderosa influencia en la Europa situada más allá de los Alpes. El humanismo italiano transmitió al norte de Europa numerosos logros. Uno fue de carácter lingüístico: un latín de corte más clásico y el dominio de dos lenguas, el griego y el hebreo, desconocidas casi por completo en la cristiandad occidental durante la Edad Media. Junto con las lenguas llegó un mayor contacto con la literatura clásica. Hacia 1500, la mayoría de los grandes autores latinos habían sido puestos al alcance del público gracias a la imprenta. Un siglo más tarde, también había sido publicada ya la mayor parte de la literatura clásica y patrística griega; además, se había editado en traducción a las lenguas vernáculas una proporción considerable de la literatura clásica. Más importante incluso que esa influencia tangible, sin embargo, era el propio concepto de Renacimiento (nuevo nacimiento cultural), pues los humanistas de la época de Petrarca (1304-1374) habían desarrollado una visión característica de la historia de Europa y del lugar que ocupaban en ella. Esa concepción de la historia rechazaba los siglos medievales por considerarlos «bárbaros» y profesaba una confianza extraordinaria, aunque hasta cierto punto poco definida, en que la civilización antigua llegara a ser restaurada a través de los esfuerzos de los propios humanistas por redescubrir el legado de la Antigüedad. La mentalidad de las clases cultas a uno y otro lado de los Alpes se caracterizó por la creencia en que iba a poder construirse un mundo mejor a partir de los restos literarios de Grecia y Roma. Esas innovaciones dieron lugar a la exigencia de reforma de las escuelas y universidades para que se prestara menos atención a ciertas materias que habían dominado la pedagogía medieval (particularmente la dialéctica) y se atendiera más a las lenguas y literaturas clásicas. Aunque los programas educativos medievales siguieron vigentes en gran parte hasta bien entrado el siglo XVII, la influencia humanística sobre la educación aumentó durante todo el siglo XVI.

El norte de Europa: el humanismo cristiano

Ese interés por los estudios humanísticos fue en sus orígenes inequívocamente italiano, pero cada país tomó de Italia sólo lo que le pareció atractivo. Aunque muchos humanistas italianos habían sido profundamente religiosos, el humanismo italiano en general había tenido un carácter secular. Su objetivo era transformar la educación, la literatura, e incluso la vida política; pero no llegaba a definir un conjunto claro de objetivos religiosos. La Europa transalpina tenía una cultura muy distinta. Antes de que el humanismo llegara a propagarse más allá de un puñado de individuos entusiasmados por la Italia de la época, tendría que convertirse en algo más que en una simple admiración literaria. Tendría que cristianizarse. La Europa del norte de finales de la Edad Media había desarrollado una serie de movimientos populares cuyo objetivo era alcanzar la santidad personal y la reforma de la Iglesia. Para prosperar, el humanismo del norte tenía que enlazar sus intereses clásicos italianizantes con unas reformas que abarcaran esas ansias de renovación espiritual del individuo y de reforma de la Iglesia. Los primeros humanistas del norte no habían sido demasiado espirituales. En Alemania, los máximos exponentes de las dos primeras generaciones de humanistas, el «poeta errante» Peter Luder (1415-1472) y Conrad Celtis (1459-1505), famoso sobre todo por propagar la nueva erudición por medio de la creación de sociedades humanísticas en las ciudades alemanas, fueron individuos que llevaron una vida disoluta e inestable. Sus poemas trataban más de la bebida y del amor carnal que de la santidad. La figura más destacada del primitivo humanismo francés, Robert Gaguin (1423-1501), pese a ser un monje venerable, escribió sobre temas profanos como la primitiva historia de los francos. Y no tenía ningún programa de regeneración de la religión por medio del saber.

Hacia 1500, sin embargo, varios humanistas empezaron a asociar el deseo de restaurar la civilización clásica con la decisión de llevar a cabo una recuperación de la vida espiritual y una reforma institucional de la Iglesia. Los primeros ejemplos de esta nueva orientación fueron el humanista alsaciano Jacob Wimpfeling (1450-1528) y el deán de la catedral de San Pablo de Londres, John Colet (1467-1519). Ambos veían en la mejora de la educación de las élites seculares y eclesiásticas un medio efectivo de iniciar una mejora gradual del estado de la cristiandad. Los dos se sentían atraídos por el humanismo italiano. Pero los dos temían que el estudio de la literatura clásica pudiera exponer a los jóvenes escolares a influencias paganas capaces de subvertir su fe y su moralidad. La solución que encontraron fue fomentar el estudio de los autores latinos cristianos de la Antigüedad tardía. Admitieron en sus programas educativos sólo a unos pocos autores paganos de reputación moral intachable, como Cicerón y Virgilio, alegando que se trataba de reconocidos maestros del estilo latino y que sus obras expresaban los valores morales más elevados que tuvo a su alcance el mundo precristiano. Poetas disolutos como Horacio, Ovidio o Marcial no tenían cabida en sus escuelas cristianas.

Lo que ningún humanista del norte había conseguido antes de 1500 había sido encontrar una forma de integrar la civilización antigua en el afán de recuperar el espíritu interior de la Iglesia primitiva. Los verdaderos inventadores del humanismo cristiano fueron el francés Jacques Lefèvre d'Etaples (*c.* 1453-1536) y el holandés Desiderio Erasmo (*c.* 1467-1536). Como Wimpfeling y Colet, creían que el mejor medio de regenerar una cristiandad corrompida era mejorar la educación de sus futuros líderes. Los dos deseaban llevar a cabo una renovación inspirada en las Sagradas Escrituras y las obras de los Padres de la Iglesia, pero también en los elementos más nobles del pensamiento clásico. De los dos Erasmo fue el más elocuente y también el que con más claridad expuso los defectos de la Iglesia contemporánea que impedían la renovación espiritual. Empleó sus dotes para la sátira en libros como el *Elogio de la locura* o los *Coloquios.* Ambas obras denunciaban y ridiculizaban a los clérigos que explotaban a las gentes sencillas fomentando reglas materialistas que servían de poco al alma, y de mucho, en cambio, para aumentar la riqueza y el poder del clero. Erasmo se mostró además muy crítico con la injusticia social y fue un pacifista sin tapujos en una época de frecuentes guerras.

Lefèvre pasó buena parte de su carrera enseñando en la universidad de París, centro del escolasticismo medieval. Atraído por la cultura italiana de su época, efectuó tres viajes a Italia (1491-1507) para enriquecer su conocimiento de los nuevos saberes. Conoció a los máximos exponentes del neoplatonismo florentino, Marsilio Ficino (1433-1499) y Giovanni Pico Della Mirandola (1463-1494). Pero una vez de vuelta en París, su primera medida fue intentar mejorar la doctrina de Aristóteles, la autoridad filosófica tradicional, mediante la introducción de nuevas traducciones directamente del griego con las que sustituir las versiones latinas del siglo XIII.

Lefèvre editó también obras de místicos antiguos y medievales y de patrística griega. Tras su abandono de la docencia en 1508, se volcó en la Biblia. Su *Quincuplex Psalterium* (*Quíntuple Salterio*, 1509) y su comentario a las Epístolas de San Pablo (1512), aunque menos innovadores que las obras de exégesis bíblica de Erasmo, fueron publicados primero.

El programa religioso de Erasmo

Erasmo, en cambio, fue el único cuyas publicaciones dejaron boquiabiertos a los jóvenes humanistas, cargados de idealismo, que aspiraban a transformar el mundo. Combinó el estudio de los clásicos, los Padres de la Iglesia, y la Biblia con una concepción de piedad personal y de reforma de la Iglesia que llegó a todos los miembros de las clases cultas de la Europa occidental. De muchacho y luego ya de joven, siendo monje, sus intereses fueron sobre todo literarios y lingüísticos. Estudiando teología en París, pensó que la doctrina escolástica era embrutecedora desde el punto de vista intelectual y no tardó en apartarse de la teología, convirtiéndose en uno de los numerosos poetas humanistas que se congregaban en la capital de Francia.

Entre 1498 y 1505, Erasmo pasó de ser un mero poeta latino menor a convertirse en el cabecilla de un movimiento de reforma específicamente humanista y cristiano, decidido a recuperar no sólo el legado literario de la Grecia y la Roma antiguas, sino también el poder espiritual de la Iglesia cristiana primitiva, tal como se refleja en el Nuevo Testamento y en los escritos de los Padres de la Iglesia. Articuló una ideología que denominó «la filosofía de Cristo» y que adoptó como fundamento de su carrera de erudito cristiano. Esa «filosofía» sostenía que lo fundamental del hecho de ser cristiano es una devoción sumamente personal a Dios, no meras cosas externas como los dogmas o los ritos. Esa devoción personal debía expresarse en una vida dedicada al bien de la religión y de la sociedad. Expuso este ideal en su *Enchiridion militis christiani* (*Manual del caballero cristiano*, 1503), que se convertiría en una obra muy popular. Llegó además a la conclusión de que el estudio serio de la Biblia y de los Padres de la Iglesia requería el dominio del griego, la lengua del Nuevo Testamento. Esbozó un programa de estudios explícitamente cristianos, centrado en el texto griego del Nuevo Testamento y en la patrística griega. Su objetivo era devolver a la vida el espíritu de la Iglesia primitiva. Identificó asimismo al más erudito de los Padres de la Iglesia latina, san Jerónimo, el famoso traductor de la Biblia Vulgata, como su primer objeto de estudio. En 1504-1505, su descubrimiento y posterior publicación de las *Anotaciones al Nuevo Testamento*, todavía inéditas, en las que el humanista italiano Lorenzo Valla aplicaba sus conocimientos del griego a la explicación de algunos pasajes oscuros de la Vulgata, agudizaron su determinación de abordar el texto griego del Nuevo Testamento y de introducir algunas ideas extraídas de esos estudios en su programa de renovación espiritual. La conclusión de su ambicioso proyecto de erudición bíblica, patrística y clásica le llevó más de diez años de duro trabajo, tres de los cuales pasó en Italia; pero en 1516, el año más productivo de su vida, sacó a la luz la primera edición publicada del Nuevo Testamento griego, una edición en cuatro volúmenes de las cartas de san Jerónimo, y (como muestra de su incesante interés por la literatura clásica) una edición del moralista latino Séneca. Estas publicaciones hicieron de él el erudito más famoso de Europa, idolatrado por los jóvenes humanistas, que acogieron con los brazos abiertos su objetivo de llevar a cabo una reforma radical (pero gradual y pacífica) de la vida espiritual y de las estructuras eclesiásticas del cristianismo. Para entonces Erasmo ya había publicado varias obras populares en las que criticaba severamente a la Iglesia y a la sociedad de su época, destacando entre ellas su gran sátira titulada *Elogio de la locura* (aparecida en 1511, pero aumentada considerablemente en posteriores ediciones). Había desarrollado un tipo de erudición humanista explícitamente cristiana y una visión típicamente «erasmiana» de la renovación religiosa.

Las publicaciones de Lefèvre y Erasmo atrajeron la atención desfavorable de los teólogos conservadores, que consideraban el hecho de que pusieran en tela de juicio el texto latino tradicional de la Biblia y su crítica franca de los abusos un ataque contra la autoridad de la Iglesia. Tanto Lefèvre como Erasmo se hicieron sospechosos. La ferocidad de estos ataques se incrementó cuando los teólogos empezaron a preocuparse por la difusión de la herejía luterana. La traducción al francés del Nuevo Testamento realizada por Lefèvre (1523) fue interpretada como una prueba de simpatía de su autor por el luteranismo. Ante tales ataques, el anciano humanista se retiró a la corte de su mecenas, Margarita de Navarra, y en 1526 cejó prácticamente en su esfuerzo de reformar la Iglesia. Como Erasmo, sin embargo, Lefèvre nunca quiso romper con la Iglesia tradicional.

Erasmo fue más influyente que Lefèvre. Los humanistas, jóvenes y viejos, acogieron con entusiasmo sus publicaciones de temática bíblica, patrística y clásica. En 1520, sus obras habían convencido a muchos humanistas jóvenes de que el triunfo de la «filosofía de Cristo» y de la reforma de la Iglesia era inevitable. Semejantes esperanzas se esfumaron cuando el movimiento reformista de Erasmo se vio envuelto en la Reforma. Cuando quedó patente que la Reforma iba a causar la división de la Iglesia, la mayoría de los viejos humanistas se unieron a Erasmo y abandonaron sus primitivas simpatías por Martín Lutero. El ataque de Erasmo contra Lutero en *De libero arbitrio* (*Sobre el libre albedrío*, 1524) supuso un acontecimiento decisivo, pues su acogida demostró que muchos humanistas jóvenes, aunque seguían admirando los logros de Erasmo en materia de erudición y sus ingeniosas sátiras de los abusos de la Iglesia y de la sociedad secular, habían dejado de ser simplemente humanistas y se habían convertido en luteranos. Erasmo siguió teniendo admiradores también entre los humanistas que permanecieron fieles al catolicismo. A la larga, sin embargo, cuando fracasaron los intentos de reunificar la Iglesia a través de la negociación y de las soluciones de compromiso, la postura de Erasmo se hizo insostenible. Muchos ex erasmianos empezaron a compartir la opinión de los conservadores de que la descarnada denuncia de la corrupción de la Iglesia llevada a cabo por Erasmo y su concepción subjetiva de la relación del cristiano con Dios habían socavado la autoridad de la Iglesia y contribuido al triunfo de los herejes.

A mediados de siglo, la reputación de los «humanistas cristianos» en la Europa católica había caído todavía más bajo. El riguroso *Índice de libros prohibidos* publicado en 1559 por el papa Paulo IV tuvo la singularidad de situar a Erasmo entre los autores cuyas obras tenían totalmente prohibido publicar, poseer o leer los católicos, y aunque su vigencia cesó a la muerte del pontífice en agosto de ese mismo año, el *Índice tridentino*, algo más moderado, que publicó Pío IV en 1564, seguía siéndole hostil. En esta lista revisada, sólo seis de las obras de Erasmo (entre ellas, algunas tan populares como los *Coloquios* o el *Elogio de la locura*) estaban totalmente prohibidas; el resto de sus publicaciones, incluidos los libros de erudición patrística e incluso bíblica, podían ser reeditados legalmente, pero sólo una vez expurgados ciertos pasajes objetables y cuando los censores aprobaran un texto debidamente revisado. Es cierto, sin embargo, que los autores cuyas obras eran permitidas en teoría después de ser debidamente expurgadas, dejaron de ser citados (especialmente por su nombre) con la misma facilidad que antes de la promulgación de los índices papales y de las listas análogas elaboradas en España y Portugal. Los católicos moderados intentaron presionar en Roma para poder seguir teniendo acceso a las obras no teológicas de los humanistas e incluso de algunos autores protestantes, pero su éxito fue sólo limitado. El *Índice* no hizo más que confirmar una tendencia que se había hecho evidente ya antes de 1559: el humanismo cristiano que había galvanizado a los jóvenes humanistas y había alarmado a los teólogos conservadores del período 1500-1530 se había convertido en un movimiento distinto y ya había desaparecido a mediados de siglo.

Eso no significa, sin embargo, que el humanismo desapareciera en todos sus aspectos, ni siquiera que sufriera una decadencia. Lo que hizo más bien fue limitar sus ambiciones. El humanismo conservó e incluso incrementó su papel en la educación de las élites de Europa, tanto seculares como eclesiásticas. En los países católicos, la nueva orden de los jesuitas, cuya primera escuela fue fundada en 1548, se convirtió rápidamente en una de las fuerzas más poderosas de la educación europea. Los ataques de Erasmo contra la corrupción clerical y su piedad individualista hicieron que el humanismo erasmiano resultara inadmisible en las escuelas jesuitas. Pero la faceta no erasmiana, clásica, del humanismo se convirtió en una especialidad de la nueva orden. Excepto en lo tocante a la doctrina teológica, las escuelas de los jesuitas serían comparables con las mejores escuelas luteranas y reformadas que crearon personalidades protestantes como Philipp Melanchthon (1497-1560) y Johann Sturm (1507-1589). El humanismo seguiría constituyendo durante siglos el fundamento de la educación de las élites europeas.

Los estudios clásicos en la literatura y el derecho

Otra destacada actividad de los humanistas italianos del siglo XV, la crítica y la edición de la literatura clásica, siguió floreciendo en el período que nos ocupa. Italia continuó dando eruditos clásicos notables, pero el centro del humanismo entendido como un programa de erudición clásica pasó al norte de los Alpes, primero a Francia y luego (sobre todo a partir de 1600) a los Países Bajos. El personaje decisivo para el establecimiento del liderazgo francés en este terreno fue Guillaume Budé (1468-1540), cuyos libros sobre derecho romano, pesas y medidas de Roma y lexicografía griega marcaron nuevos rumbos en los estudios clásicos. La obra de Budé supone en el humanismo un desvío significativo de los sueños petrarquistas y erasmianos de remodelación del cristianismo. Concentró sus esfuerzos más en los métodos y en los descubrimientos factuales que en objetivos trascendentes a largo plazo que pudieran (o no) resolver los problemas de la sociedad de la época. En cierto sentido, Budé representa un humanismo que ha abandonado la fe renacentista en los efectos transformadores del saber antiguo que acababa de ser redescubierto. Como funcionario de la corte francesa, Budé defendió la creación de un instituto nacional de estudios humanísticos como los que ya habían sido establecidos en Alcalá de Henares, en España, y en Lovaina, en los Países Bajos. En 1530, el rey Francisco I nombró a cuatro destacados humanistas catedráticos reales —dos de griego y dos de hebreo—, un pequeño comienzo de lo que acabaría convirtiéndose en el Collège Royal. Varios de esos catedráticos reales serían los paladines de la ascensión de los estudios clásicos franceses a la primacía europea. El helenismo y el latinismo francés alcanzaron su punto culminante con las carreras de Henri Estienne (1528-1598) y José Justo Escalígero (1540-1609). Estienne fue el mayor helenista de finales del siglo XVI. Su edición del texto griego de las obras de Platón, aparecida en 1578, sigue siendo la base de las citas eruditas de este autor, y su *Thesaurus Graecae Linguae* (1572), que era un diccionario de griego clásico, nunca ha sido superado del todo. Escalígero se hizo famoso por su estudio de la astronomía romana y de otro campo directamente relacionado con ella, la cronología, estableciendo la relación temporal existente entre los calendarios utilizados por las diversas sociedades antiguas para datar los acontecimientos.

Los humanistas franceses dirigieron asimismo su atención hacia el derecho romano, según se había conservado en el *Corpus Juris Civilis*, publicado por el emperador Justiniano en 529-534. Esta línea de investigación, denominada humanismo jurídico, surgió de las cuestiones planteadas por Lorenzo Valla y Angelo Poliziano en el siglo XV y ulteriormente estudiadas en las *Annotationes in Pandectas* (1508) de Budé. La aplicación de los métodos críticos humanistas a los textos jurídicos revolucionó la historia del derecho. El humanista jurídico François Baudoin demostró que los editores bizantinos habían entendido mal o habían distorsionado muchas de las normas recopiladas por ellos para Justiniano. Un contemporáneo suyo, François Hotman, puso en tela de juicio en su *Francogallia* (1573) la idea medieval de que el derecho francés derivaba del derecho romano; sus verdaderos orígenes eran autóctonos y debían buscarse en las leyes y fueros promulgados por los reyes franceses de la Edad Media. Otros juristas como Pierre Pithou (1539-1596) y Étienne Pasquier (1529-1615) continuaron esta labor, recopilando y publicando las leyes y fueros de la Francia medieval. Sus hallazgos de manuscritos marcan el verdadero origen de la historia medieval.

La búsqueda de lo esotérico

Con el paso del tiempo, al ver los humanistas que el estudio entusiástico de los grandes autores de la literatura griega y latina no había satisfecho sus esperanzas de renovación espiritual a través del redescubrimiento del saber perdido, muchos dirigieron su atención hacia un conjunto de obras mucho más cuestionables, la «teología antigua» asociada con la cábala judía, los tratados herméticos y otros fragmentos de teosofía antigua como los textos órficos, los oráculos de Zoroastro, los himnos pitagóricos o los libros sibilinos. Estos textos pretendían ofrecer un corpus de conocimientos que renovaban el espíritu humano y conducían al alma del individuo a la reconciliación o incluso a la unión cuasi-mística con la divinidad. A menudo, afirmaban también que conferían poderes mágicos al alma que comprendía su significado secreto.

El siglo XVI, durante el cual los textos que representaban esta literatura teosófica se pusieron al alcance del público sin que se hubiera hecho todavía una evaluación verdaderamente crítica de su valor, fue la edad de oro del ocultismo europeo. Sólo gracias a la destructiva crítica textual de J. J. Escalígero y de Isaac Casaubon (1559-1614) a finales de siglo, los lectores cultos empezaron a abandonar la ingenua creencia de que los textos ocultistas contenían un saber hecho a medida capaz de eliminar por completo los terribles problemas de la época. La mentalidad moderna tiende a despreciar los estudios ocultistas del Renacimiento calificándolos de mera superstición. Y sin embargo, eruditos cultivados y sensatos como Marsilio Ficino o Pico Della Mirandola estudiaron atentamente esos textos y no llegaron a darse cuenta de que eran espurios.

Otro nombre dado a este saber oculto es el de magia, y el humanista alemán Agrippa von Nettesheim (1486-1535) produjo el resumen más completo de magia renacentista en su *De occulta philosophia* (*Sobre la filosofía oculta*, 1533). Su magia, marcadamente influenciada por el neoplatonismo florentino, postulaba la existencia de un universo caracterizado por una estructura jerárquica, un universo en el que había unas conexiones misteriosas que unían las partes entre sí de modo que no podían ser descubiertas por la razón, pero que estaban expuestas en los libros antiguos. Se suponía que la magia renacentista era más que una teoría especulativa. Para el *magus*, el practicante de la magia, el saber es poder; y el conocimiento de las misteriosas conexiones existentes entre cosas situadas en distintos niveles de la jerarquía podía ser utilizado para conferir poder al *magus*.

La astrología fue la ciencia oculta más practicada. Se suponía que los cuerpos celestes afectaban a los seres terrenales, empezando por los humanos, de maneras que podían ser aprendidas a través de un cuidadoso estudio. Cuando los astrólogos intentaban utilizar las influencias celestiales para predecir el futuro, la astrología se convertía en un delito, pues el derecho canónico prohibía ese tipo de predicciones por considerarlas contrarias al libre albedrío y a la responsabilidad moral, aunque muchos papas, obispos y reyes las solicitaron. Otros usos de la ciencia astrológica eran perfectamente respetables. Los estudiantes de medicina tenían que aprenderse los efectos de los movimientos de los cuerpos celestes sobre el clima, las cosechas y especialmente la salud de las personas y los animales, pues todo médico competente debía tenerlos en cuenta a la hora de diagnosticar una enfermedad y de prescribir un remedio. Otra ciencia oculta relacionada con la magia era el corpus de tratados místicos judíos llamado cábala. Según se decía, en ellos se había conservado una revelación secreta que Dios había hecho a Moisés. Los estudios cabalísticos atrajeron la atención de los humanistas, siempre a la búsqueda de fuentes antiguas que los iluminaran. El humanista italiano más famoso dedicado al estudio de la cábala fue Giovanni Pico Della Mirandola. Como todos los cabalistas cristianos, también él estaba convencido de que las verdades escondidas en la cábala podían demostrar algunas doctrinas cristianas como la de la divinidad de Jesús. Otras ideas similares aparecen en los escritos del humanista alemán Johann Reuchlin (1455-1522), que viajó a Italia, conoció a Marsilio Ficino y a Pico Della Mirandola, y escribió dos libros sobre la cábala.

Aristóteles recuperado y puesto en entredicho

Aunque la influencia humanística sobre la educación y la alta cultura se incrementó durante el siglo XVI, la autoridad de Aristóteles siguió dominando en los estudios universitarios, y ese predominio se prolongó hasta bien entrado el siglo XVII. La vida intelectual católica del siglo XVI experimentó un renovado interés por el más destacado de los escolásticos medievales, Tomás de Aquino. El teólogo español Francisco de Vitoria (c. 1483-1546), catedrático de teología de Salamanca, hizo de esta universidad el primer centro de la tradición neotomista que dominó la filosofía católica hasta mediados del siglo XX. Pero el humanismo planteaba de por sí todo un reto a la filosofía aristotélica. Aristóteles intentaba determinar la verdad absoluta a través del razonamiento lógico. Desde los tiempos de Petrarca, los retóricos humanistas habían criticado el racionalismo escolástico y habían insistido en que la función propia del pensamiento humano no era la determinación de la verdad, sino hacer elecciones moralmente sanas entre las vías alternativas de acción a las que se enfrentaban los humanos en la vida cotidiana. Esas decisiones, relacionadas más con la vida real que con los debates académicos, tenían que ver no con la verdad absoluta, sino con asuntos sobre los cuales no cabía ninguna decisión que pudiera ser más que probable. De ese modo, la retórica humanística mostró una tendencia antirracionalista y antifilosófica, y las reformas humanísticas de la enseñanza universitaria emprendidas durante el siglo XVI hicieron que la dialéctica prestara mayor atención a cuestiones abiertas sólo a la extracción de conclusiones probables, y no científicamente seguras. Esta nueva orientación apareció en *De inventione dialectica* (*Sobre la invención dialéctica*), escrita en 1479 por el humanista alemán Rudolf Agricola (1444-1485), aunque no llegó a ser publicada hasta 1515. A Agricola no le satisfacía la dialéctica porque se centraba estrictamente en la lógica formal y en asuntos teóricos relevantes sólo para los intereses de los especialistas académicos. Su libro supuso la introducción en la dialéctica de una gran cantidad de material retórico. Definía la dialéctica no como un medio de alcanzar la verdad, sino como «el arte de hablar con probabilidad acerca de cualquier tema». Desde su primera publicación, *De inventione dialectica* se convirtió en el modelo de libro de texto que los humanistas se esforzaron por introducir (con un éxito notable) en los estudios universitarios de dialéctica. Significó una rebelión limitada, pero sumamente influyente, contra la dialéctica aristotélica. Una crítica aún más hostil del aristotelismo, que suponía un ataque directo a la autoridad del propio Aristóteles, es la que encontramos en las publicaciones de Petrus Ramus (Pierre de la Ramée, 1515-1572), que suscitaron un acalorado conflicto en París, la principal universidad del norte de Europa. Ramus se ganó muchos partidarios, aunque no consiguió definir con demasiada claridad el sistema que deseaba implantar en sustitución del aristotelismo.

A pesar de tales desafíos, Aristóteles siguió dominando la enseñanza de las ciencias naturales, con exclusión casi absoluta de cualquier rival. La hegemonía constante del pensamiento aristotélico se ha citado a veces como prueba de que las universidades eran un mundo agonizante, sin relevancia alguna para la vida intelectual. Sin embargo, no existía ningún otro sistema que pudiera servir como fundamento para la enseñanza de la filosofía natural. Los libros de Aristóteles estaban organizados de una manera eficaz, tenían una cobertura muy amplia de las diferentes ciencias, y en su mayor parte eran más fáciles de enseñar que cualquiera de las alternativas propuestas. El predominio continuo de Aristóteles no significa en absoluto que los pensadores del siglo XVI lo siguieran a ciegas. Las numerosas obras conservadas del Estagirita correspondían a un largo período de su vida y trataban de un amplísimo número de materias. Las obras más útiles para el estudio de la teología, como por ejemplo la *Metafísica*, eran muy distintas de las que podían atraer el interés del estudioso de las ciencias naturales, como por ejemplo la *Física*. En Aristóteles había muchísimas cosas y además útiles para casi todo el mundo.

Los científicos italianos descubrieron en Aristóteles una filosofía que era materialista y no particularmente relevante para la religión. La interpretación naturalista de Aristóteles realizada por el comentarista árabe Averroes no sólo sobrevivió, sino que alcanzó una mayor influencia a partir de finales del siglo XV. Los catedráticos de Padua Nicoletto Vernia (1420-1499) y Agostino Nifo (*c*. 1470-1538) escribieron tratados sobre Averroes y en general adoptaron sus interpretaciones, sin preocuparse demasiado de si ese Aristóteles socavaba o no la versión bíblica de la Creación o la creencia en la inmortalidad del alma. El máximo representante de esa tradición aristotélica secular fue Pietro Pomponazzi (1462-1525). Aunque empezó su carrera como tomista, Pomponazzi llegó a la conclusión de que los argumentos de santo Tomás contra Averroes no eran adecuados. Su reconsideración de la opinión de Aristóteles acerca de la inmortalidad lo convenció de que el gran maestro griego no enseñaba que el alma individual sobrevive a la separación del cuerpo en el momento de la muerte. Pomponazzi proclamaba esta opinión en su libro *De immortalitate animae* (*Sobre la inmortalidad del alma*, 1516). La obra suscitó una gran hostilidad, pero los ataques no echaron por tierra la consideración de su autor como el filósofo más destacado de su tiempo.

Donde Aristóteles no pudo llegar: matemáticas y astronomía

La falta de atención por parte de Aristóteles al razonamiento matemático y a los temas cuantitativos había creado ya problemas a los científicos aristotélicos en el siglo XIV, cuando los estudiosos de filosofía natural de Oxford y París consideraron que su *Física* era inadecuada para explicar el movimiento de los proyectiles. El problema que se les planteaba era inherente al propio pensamiento científico de Aristóteles. Aunque el maestro enseñaba que la experiencia sensorial es la fuente del repertorio de ideas del intelecto, prestaba poca atención al razonamiento inductivo y al modo en que la experiencia sensorial se organiza en generalizaciones que pueden ser comprobadas y cuya veracidad o falsedad pueden ser demostradas. El método intelectual adecuado para la determinación de las cuestiones en una ciencia mixta como la astronomía, en la que los datos observados tienen que servir como fundamento de las proposiciones, fue un tema muy debatido a lo largo de todo el siglo XVI.

Para los estudiosos de la naturaleza había otra dificultad inherente a la filosofía aristotélica. Para Aristóteles, el concepto de experiencia no equivalía al experimento moderno, cuya finalidad es averiguar si las consecuencias que se supone que se derivan de una generalización efectivamente se producen o no. Por el contrario, la «experiencia» significaba algo que se admitía como verdadero a partir de la simple observación cotidiana, no una observación efectuada para comprobar la validez de una generalización. En efecto, cualquier científico que apelara a una experiencia específica, especialmente si había sido diseñada por él mismo con el fin de poner en entredicho una opinión admitida por la mayoría, podía ser desacreditado fácilmente, pues podía citarse la «experiencia», en el sentido de las experiencias corrientes que compartía todo el mundo, para demostrar que el experimento efectuado ad hoc al que apelaba el innovador constituía un error o suponía una falta de honradez por su parte.

Las innovaciones que acabaron conduciendo a los nuevos descubrimientos científicos que tradicionalmente se engloban bajo el epígrafe de «revolución científica» supusieron un replanteamiento de los conceptos de inducción, experiencia y experimento. Pero supusieron también una nueva conciencia del papel trascendental que las matemáticas estaban empezando a desempeñar en la labor de los científicos más destacados. La experimentación, en el sentido moderno del término, no fue la principal fuerza escondida tras los grandes cambios que se produjeron en la opinión científica y que culminaron en los albores de la ciencia moderna. La verdadera clave fueron las matemáticas. Así queda patente con claridad meridiana en el caso del astrónomo polaco Nicolás Copérnico (1473-1543), autor de *De revolutionibus orbium coelestium* (*Sobre la revolución de las esferas celestes*, 1543), el primer gran tratado que indicaba el camino que seguiría la física durante el siglo siguiente. Sus estudios de matemáticas en Bolonia le hicieron darse cuenta de la debilidad de la astronomía ptolemaica, predominante en aquellos tiempos, que suponía que la tierra constituía el centro del universo. Esta teoría había sido transmitida desde los tiempos de los antiguos griegos primero a través de las obras científicas de Claudio Ptolomeo de Alejandría (muerto *c.* 151 d. C.). Desde el siglo XII había venido circulando una traducción latina de su obra, el *Almagesto*, impresa por primera vez en Venecia en 1515. La mayoría de los astrónomos, sin embargo, conocía el *Almagesto* a través de un resumen muy útil, la *Epitome Almagesti*, publicada por el astrónomo alemán Regiomontanus (Johannes Müller, 1436-1476). En principio la astronomía ptolemaica era sencilla, ordenada y armónica. Pero en realidad, los movimientos celestes observados por los astrónomos no se ajustaban al modelo expuesto por la teoría. El mayor quebradero de cabeza lo planteaban las órbitas planetarias, que presentaban un «movimiento retrógrado» que podía ser observado, pero no explicado. Para conciliar la teoría con la observación, los astrónomos introdujeron una compleja serie de mecanismos matemáticos imaginarios que no seguían la teoría, pero permitían justificar las posiciones observadas de los cuerpos celestes. El más habitual de esos mecanismos eran los círculos excéntricos y los epiciclos. Por lo que respecta a la teoría, esos mecanismos constituían un defecto, justificado como un recurso utilizado «para salvar los fenómenos», es decir para conciliar la teoría con la observación.

Preocupado por las complejidades e incoherencias de la astronomía tradicional, Copérnico emprendió la reforma de esta ciencia. *De revolutionibus* planteaba una sugerencia increíblemente simple. Si la posición de la tierra y el sol en el diagrama ptolemaico del universo era invertida, situando al sol en el centro y reduciendo a la tierra a la categoría de un planeta más, muchas de las molestas complicaciones del sistema ptolemaico quedaban eliminadas. Su astronomía reformada se deshacía de muchos artilugios (aunque no de todos), como los epiciclos y los círculos excéntricos, pero parecía ir en contra del sentido común y no era capaz de re-

solver varias objeciones, por lo demás bastante razonables, que se le planteaban. Como el *De revolutionibus* seguía la estructura del *Almagesto*, ofrecía al lector no sólo unas cuantas ideas anticonvencionales, sino todo un
sistema completo, matemáticamente demostrado. Fue por eso por lo que
atrajo la atención incluso de algunos astrónomos a los que no convencía
del todo. Algunas de las objeciones planteadas fueron resueltas con facilidad, pero los astrónomos veían también ciertas debilidades reales en los
argumentos de Copérnico. Su sistema creaba una discordancia entre la
física y la astronomía, pues invalidaba la explicación aristotélica de la gravedad como la tendencia natural de todos los cuerpos a caer hacia el centro del universo. La objeción científica más válida, sin embargo, era la
ausencia de paralaje en las observaciones de las estrellas fijas. A la mayoría de los astrónomos, la teoría de Copérnico les parecía interesante pero
no comprobada. Aunque algunas objeciones científicas hoy nos parecen
absurdas, pocas de ellas eran frívolas.

De todos los que estudiaron seriamente las ideas de Copérnico, los dos
más importantes fueron el danés Tycho Brahe (1541-1601) y el alemán
Johannes Kepler (1571-1630). Brahe aceptaba algunas ideas de Copérnico,
pero se negaba a creer que el sol fuera el centro del universo. Convencido por sus propias observaciones de que existían fenómenos astronómicos
(especialmente la aparición repentina en 1572 de una estrella nueva y de
un cometa en 1577) que no podían conciliarse con la teoría establecida,
Brahe no era capaz de admitir ni la nueva astronomía de Copérnico ni la
vieja de Ptolomeo. Su propuesta alternativa recibió el nombre de «sistema
tychónico». Según esta teoría, la tierra está inmóvil en el centro del universo. El sol gira anualmente a su alrededor (como enseñaba Ptolomeo), pero
los planetas giran alrededor del sol (como decía Copérnico). Este nuevo
sistema proporcionaba una explicación del movimiento retrógrado, pero
dejaba muchas cuestiones sin resolver. A los que lo contemplan desde una
época posterior a la aparición de las obras de Galileo y Newton, el sistema
tychónico les parece una solución de compromiso bastante inconsistente;
pero muchos contemporáneos suyos lo encontraron atractivo.

Kepler publicó la mayor parte de sus libros durante la siguiente centuria, pero los fundamentos de su obra fueron puestos en los últimos años
del siglo XVI. Al principio fue un partidario convencido de Copérnico, y
en su primer libro importante, el *Mysterium cosmographicum* (*Misterio cos-
mográfico*, 1596) hizo pública su opinión en este sentido. En 1600 fue nombrado ayudante de Brahe y más tarde su sucesor, lo que le permitió tener
acceso a la notable colección de observaciones astronómicas de su maes-

tro. Las obras posteriores de Kepler, que acabarían dando lugar a la revolucionaria demostración de que las órbitas planetarias son elípticas, fueron fruto del siglo siguiente.

Las ciencias de la vida

Las ciencias físicas —especialmente la astronomía y la física— experimentaron las innovaciones más sorprendentes. Las ciencias de la vida fueron menos innovadoras. A comienzos del siglo XVI tanto las ciencias físicas como las biológicas estaban dominadas por una pareja de autoridades antiguas: Aristóteles y Ptolomeo en física y astronomía, y Aristóteles y Galeno en medicina y biología. Pero estos dos campos del saber siguieron sendas muy distintas a partir de 1500, diferencia ilustrada por las direcciones tomadas por Copérnico en el terreno de la astronomía y Andrea Vesalio (1514-1564) en el de la anatomía. Copérnico no era ningún radical. Su *De revolutionibus* seguía el esquema organizativo de Ptolomeo. Las pruebas que utilizaba para sostener su teoría heliocéntrica eran en su mayoría tradicionales. No obstante, empezó por poner en entredicho la idea fundamental de toda la astronomía ptolemaica, a saber la de que la tierra constituye el centro del universo. Su «revolución» en el campo de la astronomía fue, por tanto, ante todo conceptual. En las ciencias de la vida, en cambio, no se produjo ningún enfoque teórico nuevo. Los importantes cambios introducidos en este campo supusieron la acumulación de nuevas observaciones, no la elaboración de nuevas teorías; y la labor de pioneros como Vesalio fue descriptiva, aportando información nueva que exigía ciertos cambios en los detalles, más que en los principios básicos. Aunque se mostrara crítico con la confianza de Galeno en las disecciones de animales, y no de seres humanos, Vesalio no aportó nada más radical que una mejor explicación de los temas tratados ya por Galeno. De ese modo, la nueva orientación adoptada por las ciencias de la vida tuvo un carácter acumulativo y empírico, no revolucionario y conceptual.

Sin embargo, la medicina y la biología hicieron importantes progresos entre 1500 y 1600. Una innovación particularmente fructífera fue la que comportó el estudio de las plantas utilizadas con fines medicinales. La edición y publicación de tres autoridades antiguas en materia de historia natural, Plinio el Viejo, Teofrasto y Dioscórides, creó la urgente necesidad de integrar las antiguas descripciones de las plantas en los conocimientos de la época. Especialistas en historia natural como Otto Brunfels (1488-1534), Leonhardt Fuchs (1501-1566) y Conrad Gesner (1516-1556), volcados en el estudio de la naturaleza y no sólo de los textos antiguos, escribieron herbarios de carácter enciclopédico que incorporaban sus propias observaciones. A un nivel puramente descriptivo, esas publicaciones y sus ilustraciones tomadas del natural contribuyeron a unificar la farmacología antigua y moderna.

Sorprendentemente, la anatomía había recibido poca atención por parte de la medicina medieval, aunque la práctica médica había estado dominada por la teoría humoral de las enfermedades desarrollada por el gran anatomista del mundo antiguo, Galeno de Perge (c. 129-199). El interés por la anatomía se intensificó a partir más o menos del año 1500, y en ese momento los humanistas identificaron los tratados de anatomía de Galeno como uno más de los tesoros recibidos de la Antigüedad que debían ser salvados de la incuria y el abandono. A comienzos del siglo XVI se publicaron varias traducciones latinas, y en 1525 apareció la primera edición griega de las obras de Galeno. El texto que en mayor medida contribuyó a hacer más influyentes sus tratados de anatomía fue su obra *Sobre los procedimientos anatómicos*. En 1531, un catedrático de medicina de la universidad de París, Johann Guinter de Andernach (1487-1574), publicó una traducción latina del original griego. Uno de sus ayudantes, el joven flamenco Andrea Vesalio, llegó a catedrático de cirugía en Padua. A diferencia de la mayoría de los anatomistas, efectuaba las disecciones con sus propias manos. En 1538, en colaboración con un artista holandés, realizó una serie de ilustraciones anatómicas basadas en Galeno para utilizarlas en sus clases. Pero a medida que realizaba más disecciones, iba volviéndose más crítico con su fuente. Su obra maestra, *De humani corporis fabrica* (*Sobre la estructura del cuerpo humano*, 1543), tenía por objeto sustituir la autoridad de Galeno. Vesalio criticaba al gran maestro griego por extraer la precipitada conclusión de que las estructuras encontradas en los animales podían atribuirse con toda facilidad al cuerpo humano. Su libro llegó a tener mucha influencia ante todo porque sus fundamentos no eran los textos antiguos, sino la nueva información adquirida a través de las disecciones ejecutadas personalmente. La contribución más importante de Vesalio a la ciencia médica fue su insistencia en que la anatomía debe basarse en la observación atenta de las disecciones y no en las páginas de ningún libro.

La filosofía moral

La filosofía moral fue la única disciplina filosófica que los humanistas incluyeron entre sus temas de interés. La asistencia a uno o a varios cursos sobre la *Ética a Nicómaco* de Aristóteles era obligatoria habitualmente para obtener un título en las facultades de artes liberales. El redescubrimiento de los textos clásicos despertó el interés por otros cultivadores de la filosofía moral. Naturalmente el mayor descubrimiento fue el de Platón. No obstante, sus obras de ética no consiguieron entrar nunca en las aulas de las universidades. El platonismo atrajo principalmente a los filósofos *amateurs*, esto es a poetas y otros autores que admiraban la elegancia literaria de Platón. La doctrina moral platónica que más influencia ejerció fue la del amor, expuesta en *El banquete*. El *Comentario al Banquete de Platón* (1469), del traductor del gran maestro ateniense, el florentino Marsilio Ficino, determinó el tono de los estudios del amor platónico en el pensamiento renacentista tardío. El tema del amor concebido como una fuerza que invade todo el universo y que conduce al alma hasta los bienes espirituales e incluso hasta la presencia de Dios, se convirtió en uno de los grandes tópicos de la poesía renacentista. Aparece en el diálogo *Gli Asolani* (1505), del humanista y poeta veneciano Pietro Bembo. Un Bembo de ficción elogia el amor platónico en el libro más influyente del Renacimiento acerca de las buenas maneras, *El cortesano* (1528), de Baltassare Castiglione.

Otra tradición ética que atrajo la atención de muchos fue el estoicismo. Las doctrinas de la ética estoica, expuestas por los grandes autores latinos, como Cicerón o Séneca, fueron bien conocidas durante la Edad Media. Cicerón y Séneca se interesaron primordialmente por las doctrinas morales del estoicismo, no por el estudio de la metafísica materialista del primitivo estoicismo griego. Lo que los lectores encontraban más atractivo era la definición de la virtud como finalidad suprema de la vida. Para los estoicos romanos, la virtud era el único bien verdaderamente deseable. Todos los demás supuestos bienes —la salud, la riqueza, la felicidad, o incluso la liberación del dolor y la opresión— eran indiferentes desde el punto de vista moral. El estoicismo enseñaba además que existe una ley natural inalterable, nacida de la razón divina, que gobierna el universo; y el acto virtuoso se define como aquel que se adecua a la ley natural. La ética estoica de autosuficiencia podía llevar al individuo a evadirse del mundo. Pero la mezcla de autosuficiencia moral y el mandamiento de vivir de acuerdo con la naturaleza podía favorecer también la búsqueda de la virtud en la vida pública. En el siglo XV el juicio aplicado generalmente a la ética estoica era que sus exigencias eran demasiado severas. La negación de las emociones, por ejemplo la teoría de que la muerte de una esposa o un hijo debía dejar al hombre sabio totalmente imperturbable, parecía inhumana.

Las convulsiones sociales, políticas y religiosas que azotaron Europa durante la segunda mitad del siglo XVI produjeron una crisis ética. El estoicismo y su doctrina de que las circunstancias externas no pueden infligir daño alguno a un alma bien ordenada, ofrecían un consuelo. Del mismo modo, el hincapié hecho sobre la obligación que tiene el individuo de cumplir con los deberes impuestos por el estatus que tenga en la sociedad resultaba atractivo para los líderes que se esforzaban por cumplir con sus obligaciones en una sociedad desgarrada por las sublevaciones, las matanzas y el mortífero odio político y religioso. El autor más influyente en la promoción de la filosofía moral estoica como remedio frente a semejante mundo fue el holandés Justo Lipsio (1547-1606). Aunque publicó importantes obras de erudición clásica, su libro más famoso fue *De constantia* (*Sobre la constancia*, 1574), una adaptación del estoicismo romano a los problemas de la época. Este libro se convirtió en el manifiesto del neoestoicismo. El principal mensaje lanzado por Lipsio era la necesidad de permanecer firme frente a la adversidad. Hacía hincapié en el autocontrol y la calma interior, y en lo deseable que era buscar la paz y el orden minimizando las discrepancias religiosas y adaptándose en apariencia a cualquier religión o gobierno predominante que contribuyera al mantenimiento de la paz común. Los violentos sobresaltos que tuvo que soportar Francia durante este período facilitaron un aumento similar del interés por el estoicismo en este país. Guillaume du Vair (1556-1621) fue la figura más destacada del neoestoicismo francés. Al igual que Lipsio, encontró en el estoicismo una doctrina del autocontrol que le ayudaba a soportar la violencia. A diferencia del holandés, que eludía toda participación en los asuntos públicos, Du Vair era un magistrado que siguió ocupando su puesto de juez en una época extremadamente peligrosa. Su ensayo *La philosophie morale des Stoïques* (*La filosofía moral de los estoicos*, 1584) sitúa el amor a la patria sólo por detrás del amor a Dios. Se critica en él a los que abandonan los cargos públicos frente al peligro, juicio repetido en su obra *De la constance et consolation ès calamitez publiques* (*Sobre la constancia y la consolación en las calamidades públicas*, 1590). El ensayista francés Michel de Montaigne (1533-1592) encontró atractivo el estoicismo en una primera fase de su desarrollo personal, pero lo abandonó, decepcionado por sus exigencias de impasibilidad y de eliminación de toda clase de emociones.

El pensamiento político

La teoría política es una rama de la filosofía moral. Las teorías políticas innovadoras suelen ser una respuesta a las crisis políticas de una época, y el siglo XVI estuvo lleno de ellas. Hubo dos grandes centros de crisis política, y cada uno de ellos inspiró obras importantes de filosofía política. La primera crisis tuvo lugar en Italia. La decisión de Carlos VIII de Francia de invadir Italia en 1494 para reforzar sus derechos hereditarios al trono de Nápoles supuso la ruptura del equilibrio político que había venido predominando desde la creación de la Liga Italiana en 1455. La invasión francesa atrajo a la zona a los ejércitos del rey Fernando de Aragón, que a su vez tenía intereses dinásticos en Nápoles; y los italianos no pudieron quitarse de encima a ninguna de las dos potencias extranjeras rivales. La invasión francesa provocó además la caída del predominio de los Médicis en la república de Florencia e inauguró un período de inestabilidad que no concluyó hasta la transformación de la república en un ducado hereditario en 1532.

La principal reacción frente a esta doble crisis fue la obra de Nicolás Maquiavelo (Niccolò Macchiavelli, 1469-1527). Destituido de su cargo tras la restauración del control de los Médicis en 1512 debido a sus antecedentes políticos contrarios a la familia, se dedicó a escribir con la vana esperanza de obtener el favor de los nuevos gobernantes. *El príncipe* (1513) fue su principal obra literaria. Tradicionalmente, los libros de este tipo analizaban la educación de los príncipes y daban consejos a los gobernantes sobre la forma moralmente correcta de ejercer el poder. Maquiavelo rechaza explícitamente en su libro esta función. Su pretensión no es analizar lo que los gobernantes deberían hacer, sino lo que tienen que hacer si quieren alcanzar el único fin esencial de todo gobierno, a saber «la preservación del estado», es decir la conservación del poder y el mantenimiento de la estabilidad social. Maquiavelo apoya muchas acciones que los códigos morales del aristotelismo, el estoicismo y el cristianismo vigentes en su época habrían condenado. Un príncipe puede hacer prácticamente todo lo que sea verdaderamente necesario para la supervivencia de su estado: mentir, defraudar, asesinar, emprender guerras agresivas o recurrir al terror. Así, pues, Maquiavelo preconiza que las vidas de los príncipes se guían por unas normas éticas muy distintas de las que gobiernan las vidas de los particulares. Ese dualismo ético explica por qué, desde la aparición del *Príncipe* en 1532, Maquiavelo se ganó la fama de ser un defensor de la inmoralidad política.

Su afán de eximir a los gobernantes de la ley moral ordinaria es la fuente de la idea habitual, pero injustificada, de que en el pensamiento de Maquiavelo no existe ningún sistema ético. Una lectura atenta del *Príncipe* y el análisis de su segundo libro, menos conocido, acerca de la república, los *Discursos sobre los diez primeros libros de Tito Livio*, revelan que aplica a los actos de los gobernantes un parámetro ético, a saber el interés general y la estabilidad social de la colectividad en su conjunto. Los *Discursos* demuestran además que seguía prefiriendo el régimen republicano moderado, a cuyo servicio había estado durante toda su carrera política hasta 1512. Su disposición a aceptar un príncipe autoritario cuando escribió *El príncipe* fue consecuencia de su convicción de que el gobierno republicano es posible únicamente en un pueblo dotado de «virtud», término que implica la voluntad de poner el interés general por encima del beneficio personal. Opinaba que, en su generación, los florentinos estaban demasiado divididos por las facciones políticas y demasiado corrompidos desde el punto de vista moral para gobernarse a sí mismos. Encontró en Polibio, autor antiguo que escribió una historia de Roma, una teoría del surgimiento y declive cíclicos de los buenos y los malos gobiernos y una imagen idealizada de la república romana como una «constitución mixta» que, equilibrando los intereses de un gobernante fuerte, de una aristocracia poderosa y de un pueblo políticamente activo, había sabido preservar su constitución republicana y conquistar el mundo mediterráneo. Al analizar hasta qué punto la fortuna determina el resultado de las acciones del hombre y hasta qué punto la razón humana puede afectar a esos resultados, considera que más o menos la mitad de los desenlaces políticos se deben a una política sabia, y que la otra mitad vienen determinados por condiciones que están más allá del control del ser humano. Aunque pueda sonar pesimista, esta respuesta es mucho menos desesperada de la que daba a esta misma cuestión su conciudadano Francesco Guicciardini (1483-1540) en su *Historia de Italia* (concluida en 1540, pero publicada en 1561-1564). Guicciardini daba a entender que nuestra creencia en que actuando de manera racional podemos influir en el resultado de nuestras acciones probablemente sea de todo punto ilusoria. Maquiavelo y Guicciardini tuvieron que enfrentarse al hecho, trascendental en su época, de que los estados italianos estaban perdiendo el control de su destino frente a las invasiones extranjeras.

Durante la primera mitad del siglo XVI, la mayoría de los países de la Europa occidental experimentaron un sorprendente crecimiento del poder de las monarquías. En Francia entre 1484 y 1560 la corona no convocó en ningún momento la asamblea representativa tradicional, los Estados Generales. Los funcionarios reales dispensaron al órgano judicial supremo, el Parlamento de París, un trato rayano en el más absoluto desprecio. A partir de 1560, la lucha de la minoría protestante para sobrevivir a los esfuerzos de los católicos por acabar con la herejía la obligó a desarrollar una serie de teorías que justificaban la resistencia armada. Como no dejaban de constituir una minoría, los hugonotes tuvieron que utilizar unos argumentos que no ofendieran a los católicos moderados. Al principio apelaron a una constitución tradicional que, según ellos (y según numerosos católicos decepcionados), era objeto de los ataques de políticos ambiciosos que exaltaban el poder del rey para socavar las antiguas instituciones que protegían al pueblo de la tiranía. Los hugonotes rebeldes insistían en su lealtad a la persona del rey, pero afirmaban que éste era prácticamente prisionero de la facción ultracatólica de los Guisa.

Sin embargo, esta situación cambió radicalmente tras la matanza de miles de protestantes en la famosa Noche de San Bartolomé, el 24 de agosto de 1572. La reina madre, Catalina de Médicis, y su hijo, el rey Carlos IX, apoyaron abiertamente a los autores de la matanza. De ese modo, los hugonotes no pudieron seguir afirmando que pretendían salvar al rey de las garras de los extremistas. Varios propagandistas protestantes publicaron obras en las que justificaban la resistencia armada. A corto plazo, el más influyente de esos tratados fue la *Francogallia* (1573) de François Hotman (1524-1590), humanista y jurisperito. Sabía que su propaganda no iba a enemistarlo con los católicos moderados, que también se habían sentido sobrecogidos por la matanza. De ese modo, la *Francogallia* se centró en la oposición a las innovaciones políticas que ofendían a muchos católicos influyentes, especialmente en el desprecio que mostraban los funcionarios reales por los Estados Generales y el Parlamento de París. En la *Francogallia* se afirma que la monarquía fue creada originalmente por los representantes del pueblo y que los Estados Generales seguían teniendo en último término el derecho a retirar al monarca el título de rey si persistía en faltar a su obligación fundamental de proteger las vidas y las propiedades de sus súbditos.

Pero la causa de los hugonotes necesitaba una teoría que fuera menos vulnerable a contraataques basados en una interpretación distinta de la historia constitucional de Francia. Algunos apologistas de la resistencia recurrieron a una tradición de pensamiento político muy distinta. Era el concepto medieval de ley natural, que había tenido mucho auge en las teorías constitucionales de los conciliaristas (muchos de ellos franceses) en tiempos del Gran Cisma. Algunos seguidores de esa tradición, como Jacques Almain (1480-1515) y el escocés exiliado y afincado en Francia John Mair (c. 1467-1550), sostenían que en cualquier régimen el poder reside siempre en último término en el pueblo. Los poderes que tiene el gobernante le han sido delegados según los términos de un contrato que estipulan que los debe utilizar para el bien de la comunidad. La ley natural da a la comunidad derecho a resistir al tirano. Pero Almain y Mair eran demasiado vagos a la hora de definir con precisión quién podía intentar legalmente derrocar a un tirano.

Esta idea escolástica de que el príncipe no es nada más que un magistrado supremo que ha recibido una misión del pueblo suministró la doctrina política secular que se necesitaba para justificar la resistencia armada a algo tan monstruoso como la complicidad de un rey en la matanza de sus propios súbditos. Como los hugonotes ya no podían pretender que Carlos IX era prisionero de una pandilla de políticos católicos radicales, justificaron la resistencia como una defensa de su derecho inalienable según la ley natural a defenderse a sí mismos y al conjunto de la nación frente a una autoridad injusta. Varios tratados políticos siguieron esa línea. El más influyente fue el libro *Vindiciae contra tyrannos* (*Defensa de la libertad frente a los tiranos*), publicado en 1579. En la actualidad se atribuye generalmente a un destacado noble protestante, Philippe du Plessis de Mornay (1549-1623). El empleo que hace de las fuentes medievales resulta sorprendente. Cita a Tomás de Aquino, al jurista medieval italiano Bartolo, a los compiladores bizantinos del derecho romano antiguo, y los decretos de los concilios de Basilea y Constanza, del siglo xv, que se oponían a las pretensiones papales de ostentar el poder absoluto. Una cuestión sumamente delicada en cualquier justificación de la rebelión es determinar quién tiene el derecho legal y moral de emprender una acción de ese estilo. Según Mornay, todos los gobiernos derivan de un complejo contrato doble en el que participan Dios, el rey y el pueblo. Su principal argumento es la violación por parte del monarca del contrato entre el rey y el pueblo. Sin embargo, ni los particulares a título individual ni el conjunto del pueblo actuando de modo colectivo deben ofrecer resistencia a un rey tiránico. Como individuos, todos los cristianos están obligados a ofrecer una obediencia pasiva. La resistencia activa se justifica sólo a través de la acción colectiva ejercida a través de líderes constituidos que representan a la nación, como puedan ser los miembros de la nobleza, las asambleas de los estamentos, los organismos judiciales y los consejos municipales. La teoría de Mornay tiene por objeto minimizar las posibilidades de que la resistencia lícita desemboque en anarquía. El tratado *Vindiciae contra tyrannos* representa la faceta respetable de la línea principal de la teoría de la resistencia desarrollada por los protestantes, pero los conceptos de ley natural y de soberanía popular podrían ser utilizados también para justificar una defensa más agresiva de la revolución. El ejemplo más curioso sería el diálogo *De jure regni apud Scotos* (*Sobre la ley de la monarquía en Escocia*, 1579), del humanista escocés George Buchanan (1506-1582). Buchanan hacía derivar toda la autoridad gubernamental de un sencillo contrato entre el monarca y el pueblo y daba por supuesto que el pueblo seguía teniendo derecho a arrebatar el poder al rey si éste se convertía en tirano. Eliminaba así el concepto de autoridad mediada de Mornay. El pueblo no delegaba en ninguna corporación representativa el poder que tenía de defender sus propios derechos. Las teorías de Buchanan eran excesivamente radicales para su época, pero tendrían un gran futuro en la Inglaterra del siglo XVII.

Durante el período 1562-1584, los hugonotes franceses fueron los únicos que se esforzaron en desarrollar teorías que justificaran la resistencia a la autoridad real. Pero la muerte en 1584 del único hermano que le quedaba a Enrique III hizo que la sucesión de este monarca recayera en su primo Enrique de Borbón, rey de Navarra y líder de los ejércitos hugonotes. De ese modo, los católicos franceses se enfrentaron a la posibilidad de tener un rey protestante. Los católicos más radicales adoptaron unas ideas de la obediencia política, la resistencia al rey y el origen de la autoridad real notablemente parecidas a las utilizadas por los protestantes radicales y que en realidad procedían de los mismos filósofos tardomedievales.

Aunque durante la segunda mitad del siglo XVI prosperaron las ideas de los derechos naturales, del contrato político y de la resistencia a la tiranía, el futuro de la política continental favorecería el tipo de monarquía que convencionalmente recibe la etiqueta de «absoluta». La terrible experiencia de las guerras civiles en Francia y los Países Bajos provocó un temor al desorden civil que hizo de la monarquía autoritaria algo aceptable y suscitó la hostilidad hacia todas las teorías de las libertades constitucionales que pudieran utilizarse para justificar la revolución. Los argumentos en favor del absolutismo irían en dos direcciones. Una sería la teoría del derecho divino de los reyes. Como el mandamiento bíblico (Romanos 13,1-7) que exhorta a obedecer a la autoridad política establecida constituía el principal obstáculo al que debían hacer frente los cristianos que pretendían justificar la resistencia a los gobernantes tiránicos, los teóricos del poder por la gracia de Dios insistirían en que los mandatos bíblicos eran absolutos y no permitían excepciones. La autoridad del estado secular, aunque fuera pagano o hereje, procedía directamente de Dios y por lo tanto era sagrada. El derecho del rey a gobernar no le había sido concedido por el pueblo, sino por el Todopoderoso. Por eso no podía ser restringido ni resistido por aquellos a los que Dios había colocado bajo su autoridad. El defensor más destacado del derecho divino sería un rey, Jacobo VI de Escocia, en sus tratados políticos *The Trew Law of Free Monarchies* (*La verdadera ley de las monarquías libres*, 1598) y *Basilikon doron* (*Don real*, 1599).

La segunda justificación teórica de la monarquía absoluta era más racionalista. Su representante más conspicuo fue el jurista francés Jean Bodin (c. 1530-1596). Escribió dos grandes obras de asunto político e histórico: *Methodus ad facilem historiarum cognitionem* (*Método para una comprensión fácil de la historia*, 1566) y los *Six livres de la République* (*Seis libros de la República*, 1576). En el *Método*, Bodin propugnaba una monarquía poderosa, pero, como la mayoría de los pensadores juristas, seguía opinando que la autoridad real estaba limitada por ciertas leyes y costumbres tradicionales. Sin embargo, incluso en el *Método* Bodin se mostraba crítico con el concepto de «constitución mixta» en la que los elementos monárquicos, aristocráticos y populares tenían garantizado cada uno una voz constitucional, de modo que el poder estaba repartido y ningún elemento podía ser todopoderoso. En 1576, cuando publicó la *República*, Bodin ya había reforzado sus objeciones a la constitución mixta y había cambiado de opinión en varios puntos. La crisis de la sociedad civil a partir de 1572 lo convenció de que el mantenimiento de las libertades del pueblo era mucho menos importante que la preservación del orden social. De ahí que ahora rechazara casi todas las limitaciones impuestas al poder real.

El fundamento de la *República* de Bodin es el concepto de soberanía. Este autor fue el primer pensador que desarrolló plenamente esta idea y de hecho afirmaba que la había inventado él. Dicho en pocas palabras, la soberanía es la facultad de hacer leyes sin necesidad de tener el consentimiento de nadie ni de respetar preliminares ni formalidades. La ley no es más que la declaración de la voluntad del soberano. Cuando Bodin llama absoluto al soberano, quiere decir que, aun cuando el soberano sea un opresor, ningún súbdito tiene derecho a quebrantar sus leyes ni a ofrecer resistencia en nombre de la justicia. Aunque a Bodin le interesaba principalmente la Francia de la época, su teoría es aplicable a cualquier forma de gobierno. La soberanía es el rasgo específico que constituye todo estado, de modo que si no hay soberanía, no hay estado. La soberanía no tiene por qué estar en manos de un rey. Se encuentra allí donde se sitúe en último término la facultad de hacer leyes. Se encuentra en manos de los nobles en una aristocracia y en manos de los representantes elegidos en una república. Pero la soberanía tiene que existir en todos los gobiernos. Si la sede de la soberanía no está clara o es objeto de disputa, el conflicto político y el desorden social se hacen inevitables. Bodin prefiere la monarquía, porque la soberanía está en manos de una sola persona. Sólo está en juego una voluntad y por eso no hay dificultad en determinar la ley. En las aristocracias y las repúblicas, crear una sola voluntad —es decir, hacer leyes— resulta más difícil. Los que insisten en que los parlamentos o estados generales deben dar su consentimiento a la legislación real lo que pretenden en realidad es trasladar la soberanía de los reyes a los jueces o a los estados generales. Un rey soberano no está sometido a las leyes; es él quien las hace. Pese a tanta claridad en sus principios generales, Bodin complica el asunto al reconocer ciertos límites al soberano. La limitación más peligrosa es su insistencia en que el soberano está obligado a respetar la propiedad privada de sus súbditos. Esa defensa de la propiedad privada es comprensible desde el punto de vista de Bodin, pues la finalidad del estado es preservar el orden social. Como la sociedad está formada por familias y las familias no pueden existir sin propiedades, el orden social depende del respeto a la propiedad privada, incluso por parte del rey. Aunque esta restricción está justificada por el concepto que tiene Bodin de la familia como fundamento del orden social, su doctrina de los derechos de propiedad constituía una amenaza potencial al poder soberano.

Retos al conocimiento: modalidades de escepticismo

Los europeos cultos de finales del siglo XVI tuvieron que enfrentarse a numerosos retos a las ideas acerca del mundo que sus antepasados daban por ciertas. El más chocante de ellos fue la Reforma protestante y la consiguiente ruptura de la unidad religiosa. En el norte de Europa, el humanismo cristiano que había florecido a principios de siglo se había ido a pique en medio de las luchas ideológicas de las décadas de 1520 y 1530. El humanismo que logró sobrevivir sería más prudente, al verse privado de sus grandiosas aspiraciones de renacimiento cultural y renovación espiritual, y se preocuparía fundamentalmente por la educación y la erudición. La frustrante búsqueda de nuevas maneras de regenerar la vida religiosa, política y social por medio del estudio de la Antigüedad causaba incomodidad a muchas gentes cultivadas. Ya nada parecía seguro. Sincretistas como los neoplatónicos florentinos habían esperado que el mayor conocimiento de la filosofía antigua revelara que, en el fondo, todas las filosofías de la Antigüedad eran una sola. Por el contrario, se había demostrado que los filósofos antiguos estaban tan divididos como los de la época.

Algunos pensadores recordaban que los escépticos griegos se habían preguntado si la mente humana tenía o no capacidad para descubrir la verdad absoluta. La filosofía medieval había mostrado poco interés por tales ideas, pero una obra escéptica de un gran autor latino, los *Academica* de Cicerón, había conocido una amplia difusión en la Edad Media, si bien nadie le había prestado demasiada atención. Cicerón defendía el escepticismo moderado (o académico) de la Nueva Academia platónica, que sostenía que la razón humana puede diferenciar lo más probable de lo menos probable, pero no puede conocer con absoluta certeza la verdad de ninguna proposición. Una modalidad más radical del escepticismo antiguo, el pirronismo, ponía en entredicho incluso la conclusión académica de que no puede saberse nada con certeza. Los pirronistas advertían que, al tener que hacer frente a la incertidumbre, lo único que puede hacer el filósofo es una suspensión del juicio. Esta forma de escepticismo fue todavía menos conocida en la Edad Media que la variante académica. Sólo sobrevivió un autor pirronista antiguo, Sexto Empírico. Si exceptuamos un pequeño libro reseñado por Gianfrancesco Pico Della Mirandola (1470-1533), no hay pruebas firmes del empleo directo de los libros de Sexto hasta 1562, cuando se publicó una traducción latina de sus *Resúmenes sobre las ideas de Pirrón* (*Pyrroneioi Hypotyposeis*). No obstante, las ideas escépticas flotaban ya en el ambiente en la primera mitad del siglo. Hay alusiones a los pirronistas y a los escépticos en el *Tiers livre* (1546) del prosista francés más popular de la época, François Rabelais (*c.* 1494-1553). Las alusiones de Rabelais son particularmente significativas, pues aunque era un hombre culto, el libro que escribía estaba en lengua vernácula e iba dirigido a un público popular. El filósofo francés Omer Talon (1510-1562) utilizaba en sus *Academica* la defensa que hacía Cicerón del escepticismo académico para justificar los ataques de Petrus Ramus a la filosofía aristotélica. Como prácticamente todos los que defendieron el escepticismo en este siglo, Talon sostenía que el escepticismo sólo demuestra que la fe cristiana, no la filosofía aristotélica, es la verdadera vía de conocimiento de Dios.

El interés cada vez mayor por el escepticismo encontró su expresión más conspicua en las obras de dos autores franceses, uno célebre y el otro casi olvidado por completo. El más oscuro es Francisco Sanches (1552-1623), que enseñó filosofía y medicina en Toulouse. Su obra *Quod nihil scitur* (*Que no se sabe nada*, 1581) es un ataque sistemático contra el concepto aristotélico de conocimiento. Lleva a cabo una pormenorizada crítica de los fundamentos de la confianza de Aristóteles en la razón y plantea un argumento auténticamente filosófico, a diferencia de los primeros cultivadores del escepticismo, bastante más chapuceros. Parece, sin embargo, que la influencia de Sanches fue muy escasa.

Aunque su escepticismo sea mucho menos coherente, Michel de Montaigne ejerció, en cambio, una gran influencia. Ello se debe, en parte, a que fue un gran escritor. Además de escepticismo podemos encontrar muchas otras cosas en sus *Ensayos* (1580-1588), que ofrecen un heterogéneo análisis de multitud de asuntos. Los *Ensayos* son particularmente importantes porque, al igual que su autor, hunden sus raíces en la cultura del humanismo renacentista. De niño, Montaigne fue educado para que hablara sólo en latín. Recibió la mejor educación humanística a la que se pudiera tener acceso en la mejor escuela clásica de Francia. Su dominio de la literatura antigua es evidente en todos sus escritos. Sin embargo, en su ensayo «Sobre la educación» insiste en que la erudición libresca, aunque deseable, es menos importante que una buena moral y que la claridad de pensamiento. El conocimiento de los clásicos, uno de los principales objetivos de la educación humanística, está muy bien, pero no tiene verdadero valor si sus enseñanzas son sólo memorizadas y no asimiladas.

Aunque conocía los *Resúmenes de las ideas de Pirrón* de Sexto Empírico, la postura de Montaigne ante el conocimiento humano procede más de las tendencias antifilosóficas de la retórica humanista que de Sexto o de cualquier otro autor. La retórica era el arte de la oratoria persuasiva. Suponía un reto al proceso intelectual que afirmaba determinar la verdad absoluta, objetivo primordial de la filosofía aristotélica. Por el contrario, la retórica planteaba decisiones de carácter más moral que científico, como la definición de la política pública o temas de la vida cotidiana en los que un

individuo tiene que escoger entre varias vías de acción alternativas. Los retóricos humanistas pensaban que las cuestiones relacionadas con la verdad
absoluta se plantean muy raramente, si es que alguna vez llegan plantearse, en la vida del individuo o de la comunidad política. La «verdad absoluta» como la que buscaba la lógica aristotélica era sobre todo una cuestión
de especulación vana entre académicos. Este tipo de reservas retóricas respecto a la capacidad de alcanzar la certeza había sido utilizado ya por
Erasmo contra Martín Lutero y por el humanista Sebastian Castellio contra Juan Calvino.

Montaigne era heredero de esa tendencia humanística. Su experiencia
de la violencia provocada por la Reforma reforzó su propensión al escepticismo. El escepticismo pirrónico de Sexto Empírico probablemente fuera
el que lo indujera a escribir su ensayo más paladinamente escéptico, la
«Defensa de Raymond Sebond». Sebond, teólogo español del siglo xv, sostenía que las cuestiones especulativas de todo tipo, empezando por la existencia de Dios y los atributos divinos, podían ser definidas por la razón.
Un tribunal eclesiástico lo obligó a abjurar de sus ideas porque no dejaban
espacio a la fe. Montaigne «defendía» a Sebond sosteniendo que sus argumentos racionalistas eran tan válidos como las conclusiones de los filósofos racionalistas en general: es decir, no tenían ninguna validez. Montaigne
se inspiraba en Sexto Empírico para hacer una crítica demoledora de los
sentidos humanos, demostrando que éstos, fuente, según Aristóteles, de todas las ideas de los hombres, no son fiables, y que, por lo tanto, los razona-
mientos basados en las ideas humanas nunca pueden llegar a definir una
cuestión especulativa. Los ensayos de Montaigne expresan también un relativismo cultural derivado de los informes suministrados por los exploradores europeos. En su ensayo «Sobre los caníbales», sugiere que los an-
tropófagos brasileños que cocinaban y se comían a sus enemigos vencidos
no eran más irracionales y antinaturales que los cristianos europeos que
robaban, torturaban y mataban a sus conciudadanos en nombre de la religión.

Los escritos de Montaigne están llenos de referencias a los autores clásicos. Manifiesta su admiración por la sabiduría de los antiguos. Pero la
verdad no se contiene sólo en los textos en los que la habían buscado sus
predecesores humanistas. El optimismo y la fe de los renacentistas en el poder regenerador de la cultura antigua habían desaparecido. En último término, concluía, la verdad absoluta está fuera del alcance de la mente humana. Como todos los escépticos de la época, Montaigne afirmaba que la
consecuencia de reconocer las limitaciones de la razón humana es la con-

fianza en la verdad revelada por Dios. Para la generación siguiente, el escepticismo pirronista se convertiría de hecho en la principal defensa filosófica del catolicismo en Francia.

Hacia el siglo XVII

Las obras de los escépticos abrieron el camino a los filósofos del siglo XVII que no se contentaron con aceptar el escepticismo como resultado último del discurso intelectual. Los dos primeros grandes autores que se enfrentaron al problema del conocimiento estuvieron influidos por Montaigne. René Descartes (1596-1650), que inició su carrera filosófica abrazando el escepticismo pirronista, es un personaje del nuevo siglo. Un producto más próximo al ocaso del siglo XVI es Francis Bacon (1561-1626), que estaba de acuerdo con los ataques contra el racionalismo aristotélico, pero intentaba definir una nueva dirección de la filosofía en su obra *The Advancement of Learning* (*El progreso del conocimiento*, 1605). Al igual que Aristóteles y en contra de los escépticos, Bacon reafirmaba el valor de la experiencia sensorial. Intentó, aunque sin mucho éxito, definir una nueva lógica que guiara la mente desde la experiencia sensible hasta la consecución de generalizaciones científicas válidas. Con mucha más torpeza que Montaigne, Bacon manifestaba su desprecio por la erudición clásica tachándola de inútil para las investigaciones filosóficas y científicas, aunque pudiera ser útil para otras cosas. En una obra que no llegó nunca a terminar, *The Great Instauration*, afirmaba: «Debe declararse abiertamente que el saber que hemos recibido principalmente de los griegos no es más que la infancia del conocimiento, y tiene la propiedad característica de los niños: puede hablar, pero no puede engendrar, pues es fértil en controversias, pero estéril en obras». En cierto sentido, este pasaje no es más que un nuevo ataque renacentista contra Aristóteles. En un sentido más profundo, sin embargo, marca el fin de la creencia renacentista en que la sabiduría puede redescubrirse buscando entre los restos literarios de la Grecia y la Roma antiguas. Para Bacon, la confianza renacentista en la tradición clásica había llegado a su fin: los antiguos griegos representaban no la sabiduría madura del género humano, sino su juventud bisoña, vocinglera e inmadura.

5

Las turbulencias de la fe

Euan Cameron

Si en algún momento de la historia del cristianismo europeo se produjeron cambios turbulentos fue en el siglo XVI. En 1500 los habitantes de la Europa occidental pertenecían a una Iglesia internacional teóricamente al servicio de todos ellos. Aunque flexible y diversa en muchos aspectos, esa Iglesia era casi tan universal que pocos europeos necesitaban de manera consciente considerarse a sí mismos cristianos occidentales, latinos y católicos. Aunque existieran pequeñas células de «herejes» valdenses o *lollards* formadas por unas decenas o incluso centenares de individuos en ciertos enclaves aislados diseminados por toda la Europa occidental, la herejía estructurada había quedado reducida a una mínima fracción de los niveles alcanzados en otros tiempos. Incluso la Iglesia de Bohemia, semiescindida desde la época de Jan Hus, había llegado a desarrollar cierto tipo de coexistencia con Roma. En absoluto contraste con esa uniformidad casi total, hacia 1600 muchos habitantes de Europa, o tal vez incluso la mayoría, eran perfectamente conscientes de que eran unos católicos romanos, otros luteranos y otros reformados. Se suponía que las personas sólo medianamente cultas sabían por qué eran lo que eran. La adhesión a una u otra de las confesiones religiosas grandes o pequeñas existentes en Occidente permitía definir no sólo la conciencia del individuo, sino también la filiación política de cada uno. Los estados se hallaban alineados unos frente a otros en una gran variedad de ligas y alianzas poco estables, dispuestas a someter a la Europa central al baño de sangre que se desencadenaría a partir de 1618.

Las creencias mayoritarias

No obstante, debemos guardarnos mucho de incurrir en exageraciones. Estamos sólo empezando a darnos cuenta de lo importante y duradero que es el conjunto de creencias que se oculta tras la superficie de la cultura europea. Esas creencias no se hallaban relegadas a una especie de compartimento que pudiéramos llamar «cultura popular» o «religión popular». Se solapaban con las creencias y actividades religiosas fomentadas por las autoridades, y se mezclaban e interactuaban con ellas. Reflejaban las preocupaciones, las necesidades e inseguridades cotidianas a las que se hallaba expuesta la mayoría, cuando no la totalidad de los europeos de comienzos de la Edad Moderna.

La inmensa mayoría de la población de Europa mantenía una relación relativamente próxima con la tierra. Su seguridad, sus modos de vida, y a veces su propia existencia, dependían de la fertilidad del suelo, de la supervivencia y fecundidad de sus ganados, y de la eventualidad de un clima benigno en determinadas épocas trascendentales del año, circunstancias todas que se volvieron cada vez más problemáticas a medida que fue avanzando el siglo XVI. Las personas confiaban además en poder gozar ellas mismas, sus familias y sus criados, de salud y fuerzas suficientes para llevar a cabo las tareas rutinarias que fueran precisas. Necesitaban tener acceso a la tierra y utilizarla sin peligro de robos, sin la presencia de ejércitos, o sin la exigencia de impuestos, todavía más onerosa. Estos factores se hallaban casi siempre fuera del control de la mayoría, cuando no de la totalidad de la población. No había medios naturales eficaces que aseguraran su bienestar ni que la protegieran de la desgracia. Así, pues, la gente buscaba la ayuda de lo sobrenatural por muchos medios, empezando por los recursos que ofrecía la Iglesia establecida, pero también a través de otros que excedían con creces los límites de ésta.

En torno al año 1500 los teólogos católicos contribuían a mantener esa sensación de dependencia de la ayuda sobrenatural frente a unos males que potencialmente tenían un origen también sobrenatural. En 1505 el catedrático de teología de la universidad de Tübingen Martin Plantsch pronunció varios sermones en la parroquia de San Jorge. Plantsch sostenía de manera harto convencional que los demonios podían hacer daño a la gente provocando tormentas para echar a perder sus cosechas, robando el grano y el vino de sus despensas, o retirando la leche a sus animales, y causando enfermedades, esterilidad e impotencia en las personas y los ganados. Los hechiceros provocaban a veces esas mismas desgracias por medio de conjuros, encantamientos, imágenes y sustancias medicinales o ponzoñosas (aunque estos recursos eran meros instrumentos que permitían a los demonios causar daño). Como es habitual, muchos reaccionaban ante la experiencia de la desgracia buscando ayuda en diversas fuentes sobrenaturales, algunas situadas incluso muy lejos de lo permitido por la Iglesia. Plantsch sostenía que buscar ayuda en los curanderos, «entendidos» y magos, era un error desastroso. Todos los males que padecía la gente provenían, en último término, de la providencia de un Dios preocupado por sus criaturas. Dios permitía que ocurrieran los males para tentar a aquellos que tenían una fe más débil y para probar la fortaleza de los santos. Advertía a los fieles que no buscaran remedio ni protección alguna que tuviera visos de magia o de hechicería diabólica. Por el contrario, debían utilizar los remedios espirituales aprobados por la Iglesia católica, junto con la medicina tradicional. De ese modo, Plantsch animaba a los habitantes de Tübingen a rociar con agua bendita sus heridas y llagas, e incluso las casas y los edificios. Podían echar hojas benditas de palmera en la lumbre para alejar las tormentas, «siempre y cuando lo hicieran para mayor honra de Dios». Podían recurrir a una gran variedad de aguas, cirios y panes benditos dedicados a diferentes santos para curar los males específicamente relacionados con cada uno de ellos: el agua de san Antonio servía contra el «fuego mórbido», el agua de san Pedro Mártir contra las fiebres, y las velas de san Blas contra las dolencias de garganta.

A lo largo del siglo XVI los luteranos y los protestantes de las iglesias reformadas rechazarían con una unanimidad pasmosa el marco de pensamiento del que procedían todos esos remedios sacrosantos. Los teólogos protestantes afirmaban que ni las ceremonias eclesiásticas ni los ritos mágicos podían alterar las propiedades de los objetos materiales. Por mucho que a menudo estuvieran consagradas, el agua y la sal no dejaban de ser más que agua y sal. Sin embargo, la mayoría de la gente continuaba viendo la causa de sus desgracias en lo sobrenatural, incluso en términos diabólicos. Las fuentes de la época insisten en afirmar que la gente sencilla seguía creyendo que el mal de ojo y los malos pensamientos podían causar enfermedades e incluso la muerte. Para librarse de la desgracia la gente seguía recurriendo a todo tipo de remedios populares y empíricos fuera de los límites de la medicina y la religión convencionales. Creían que mediante diversas técnicas adivinatorias podían encontrar los objetos perdidos y localizar a los ladrones causantes de su desaparición. Listas de estas prescripciones y remedios fueron incluidas en los escritos del físico renacentista, de tendencia escéptica, Johannes Weyer, del escritor luterano Johann Georg Godelmann, o del teólogo jesuita Martín del Río. Por mucho que discreparan en materia de ideología, todas estas autoridades coincidían en los «datos» que ofrecían acerca de las creencias del vulgo.

A comienzos del siglo XVI apareció en la sociedad de la Europa occidental un nuevo recurso frente a la magia diabólica. Aquellos individuos de quienes se creía que habían causado algún daño por medio de la magia eran acusados de pertenecer a una subcultura diabólica, es decir a la «herejía» de los brujos y hechiceras. La caza de brujas en Europa comenzó antes de 1500, pero no reveló sus aspectos más perniciosos y espectaculares hasta pasado el año 1600. Durante buena parte del siglo XVI se vio eclipsada por los sucesos de la Reforma, que causaron una enorme confusión en la justicia eclesiástica. Ya mucho antes de esta primera fase de la Edad Moderna, las gentes creían que sus vecinos podían causarles graves daños, incluso mortales, si así lo deseaban, concentrando en ellos su mala voluntad. Lo que cambió con la «caza de brujas» fue que diversos tipos de autoridades judiciales, eclesiásticas y seculares, centrales o (más a menudo) de carácter local o provincial, se mostraron dispuestas a encargarse de las supuestas «brujas» a través de los tribunales disciplinarios, como alternativa a la antimagia o la negociación. En el siglo XV la justicia ofrecida había sido la mayor parte de las veces, pero no de manera exclusiva, la de los clérigos de la Inquisición. Los escritores inquisitoriales mezclaron las imágenes mentales que tenían del hereje y el mago para crear un «estereotipo» de brujas que pertenecían a una sociedad real y visible, se reunían regularmente para adorar al diablo y realizaban actos de hechicería maléfica con ayuda del demonio. En torno al año 1500 ese estereotipo fue difundido a través de numerosas pinturas de género, así como en los tratados eruditos. Caló a fondo en las teorías cultas y (hasta cierto punto) en la jurisprudencia, pero su repercusión sobre las ideas populares fue más limitada. Sin embargo, fue sobre todo a finales del siglo XVI y en algunos territorios de características especiales (ciertos principados episcopales de Alemania, la zona del Sarre, algunas regiones fronterizas, Suiza y Suabia) cuando y donde se produjo una caza de brujas sistemática mediante procedimientos inquisitoriales. En aquellos momentos los juicios estuvieron presididos más por tribunales seculares que por jueces eclesiásticos. Las autoridades locales y provinciales solían llevar a cabo más bien investigaciones «absurdas», caracterizadas por el uso indiscriminado de la tortura y en consecuencia por una sucesión en cadena de las acusaciones. Los sistemas judiciales muy centralizados, como la Inquisición italiana y española o el Parlamento de París, solían atenerse a normas más estrictas de aportación de pruebas, permitían moratorias y apelaciones, y por consiguiente causaron muchas menos víctimas.

En un sentido importante, las creencias de las diversas élites teológicas y las de la mayoría coincidían. Cuando se consideraba que el orden de la naturaleza era quebrantado de forma violenta, se creía que actuaba la mano de Dios. Gentes de todo tipo de orígenes tomaban nota de todo tipo de prodigios, engendros de la naturaleza, eclipses, cometas y otros portentos o signos de advertencia o cólera divina. Dos de los engendros de la naturaleza más famosos, el «asno papal», hallado muerto en el Tíber en 1496, y el «ternero fraile», nacido en Freiberg, Sajonia, en 1522, dieron lugar a un considerable debate entre los eruditos y a gran cantidad de interpretaciones. En 1531, una mujer dio a luz en Augsburgo a tres criaturas deformes, casi grotescas, que la literatura de la época no dudó a describir minuciosamente. En el Báltico fueron pescados en varias ocasiones peces que llevaban curiosos mensajes en sus escamas, y también se recogieron algunos cuerpos deformes. Entre 1530 y 1550, cuando la Alemania protestante se vio amenazada una y otra vez por conflictos armados de carácter religioso, consta que se vieron diversos portentos en el cielo: caballeros armados, torres, leones, osos y dragones. Los cometas, aparecidos de forma imprevisible en cielos por lo demás perfectamente claros y estables, no podían ser más que señales de que Dios enviaba severas advertencias a su pueblo.

El catolicismo común antes de la Reforma

Antes de que se produjera la Reforma, la piedad de la Europa occidental católica había asumido ciertos rasgos distintivos. En el fondo de todo ello radicaban unos principios que habían ido adquiriendo cada vez más importancia a lo largo de la Edad Media. La obra salvífica de Cristo contaba con la mediación del ministerio sacrificial y sacramental de los clérigos de la Iglesia católica. En la Iglesia, según había declarado en 1215 el IV Concilio de Letrán, Jesucristo era a la vez sacerdote y víctima sacrificial; fuera de la Iglesia no había salvación para nadie. Así, pues, en el centro del cristianismo de finales de la Edad Media se erguía la figura de Jesucristo, crucificado por los pecados de la humanidad. Las representaciones del sacrificio de Cristo del gótico tardío, en retablos, esculturas en piedra y tallas en general, se recreaban con un detalle cruel, a veces casi pornográfico, en el horror físico de sus padecimientos. El vía crucis daba estructura y forma narrativa a la meditación en torno al relato de la Pasión que había sido elaborado al margen de los relatos evangélicos. A cierto nivel, esa recreación en el tema de la Pasión tenía por objeto incitar al creyente a una contemplación emocional, y por lo tanto meritoria, de las consecuencias de sus pecados. Sin embargo, no pueden interpretarse las representaciones de la Pasión ejecutadas a finales de la Edad Media sin tener en cuenta sus connotaciones eucarísticas. En el famoso retablo de Isenheim de Matthias Grünewald, el cordero de Dios al pie de la cruz derrama su sangre directamente en un cáliz. Análogamente, las hostias milagrosas conservadas en la capilla rural de Wilsnack, en Alemania, derramaban gotas de sangre del cuerpo del hombre-dios crucificado en el que se habían convertido en virtud de la transubstanciación. En otras palabras, el sacrificio de Cristo no era sólo un hecho ocurrido hacía mil cuatrocientos años: era un milagro que se repetía a diario y volvía a producirse una y otra vez en todos los altares de la cristiandad.

Los historiadores suelen analizar la doctrina de la presencia eucarística y la del sacrificio eucarístico como dos elementos distintos del pensamiento medieval. Pero en realidad una apoyaba y reforzaba a la otra, y cada una fue adquiriendo mayor importancia a medida que se acercaba el año 1500. Como Cristo se hacía tan accesible, tangible y visible en la eucaristía, la eucaristía se convirtió en la forma más natural de conferir la divina gracia a los individuos y a las comunidades. El culto cristiano fue centrándose cada vez más en la elevación de la hostia, en la exhibición de la sagrada forma en el rito de la exposición, o en la procesión de la hostia por las calles de la comunidad en la festividad del Corpus Christi (inventada en Lieja en 1246, si bien no se popularizó hasta que recibió el patrocinio de los papas a comienzos del siglo XIV). Por otro lado, en el clero y el pueblo fue creciendo progresivamente la seguridad de que los beneficios de una misa sacrificial podían ser cuantificados y multiplicados. Cuantas más misas se dijeran, y en igualdad de circunstancias, mayor era la gracia recibida. Ésta no es una idea nueva que se desarrollara poco antes de la Reforma: a finales del siglo XIII los curas ya habían sido advertidos de que no celebraran una sola misa en sufragio por varias personas. Sin embargo, fue sobre todo en el siglo XV cuando este principio vino a legitimar la celebración de múltiples misas de difuntos, la instauración de capellanías perpetuas, y la existencia de grandes colegios de clérigos dedicados exclusivamente a acelerar la estancia en el Purgatorio de las almas de los difuntos mediante la interminable repetición del sacrificio de la eucaristía. Esta «contabilidad del más allá» llegó a alcanzar tales cotas que los individuos que compraban sólo un número «moderado» de misas *post mortem* en algunas regiones de Europa han suscitado en los historiadores la sospecha de que eran partidarios de la herejía valdense.

Vista desde otra perspectiva, no parece, sin embargo, que antes de la Reforma la religión estuviera tan centrada en la figura de Cristo. Cristo podía hacerse visible ante todos en forma de pan en el altar. Pero cuando Jesús no era representado en la cruz como una advertencia tremenda de las consecuencias del pecado, era mostrado presidiendo el Juicio Final, una advertencia todavía más tremenda de la suerte que aguardaba a los que desdeñaban los medios suministrados por la Iglesia para expiar los propios pecados. El papel de mediadora amable y compasiva recayó cada vez más en la figura de la madre de Jesús. En las últimas décadas de la Edad Media la Virgen María se convirtió en algo más que un ejemplo de dócil sumisión a la voluntad divina. En los sermones del teólogo de Tübingen Gabriel Biel (fallecido en 1495), la Virgen aparecía como la corredentora de la humanidad. En las oraciones, grabados e imágenes piadosas, María protegía a la humanidad pecadora de los rigores de la justicia divina. Desiderio Erasmo (*c.* 1467-1536) señalaba que tan universal era el culto de Nuestra Señora, que los votos que se le hacían se consideraban inválidos si no se especificaba a qué manifestación en concreto de la Bienaventurada Virgen y a la de qué santuario iban dirigidas las intenciones del que realizaba los votos. Imaginaba asimismo que la Virgen estaba harta de las infinitas peticiones de los mortales: los fieles suponían que el poder de su Divina Madre sobre el Niño Jesús era tanto que «si éste niega algo a quien se lo pide, yo no le ofreceré mi pecho cuando tenga hambre».

Aunque la Virgen María estaba por encima de todos los santos, el deber de intercesión y patrocinio les pertenecía en cierta medida a todos, y las cosas seguirían siendo así en la Europa católica durante todo este siglo. Los santos y su culto marcaban la segunda mitad del año litúrgico, rompiendo la monotonía religiosa del «tiempo ordinario» de verano y otoño con las fiestas patronales. Conferían su identidad y su protección a las comunidades que albergaban sus reliquias o que simplemente les agradecían haberlas librado en el pasado de la sequía, las inundaciones, la peste u otras desgracias. Se concedía un gran prestigio a la colección y exhibición de reliquias. En ciertos bastiones de la cultura gótica tardía como Alemania, no es de extrañar que un príncipe convencionalmente piadoso como Federico III de Sajonia reuniera una numerosa y exótica colección de reliquias de santos.

Pero incluso el sarcástico y cínico papa renacentista Pío II (fallecido en 1464), autor de uno de los análisis más invariablemente profanos de la corte papal que se han escrito, sintió un ingenuo placer en el traslado de la cabeza de san Andrés desde Patras hasta Roma en abril de 1462.

Hay una cuestión teológica seria que se oculta tras los esfuerzos en ocasiones frenéticos de los hombres y mujeres de la alta Edad Media por asociar a su propia persona y a sus seres queridos con todas las manifestaciones de lo sagrado. El ser humano no tenía capacidad de salvar su propia alma. La Iglesia medieval no llegó nunca a afirmar de hecho, ni siquiera aquellas que destacaban la importancia de realizar buenas obras, que los cristianos «ganaban» la salvación por derecho propio. Los santos necesitaban la ayuda divina, como cualquier otro individuo. Esa ayuda llegaba, por lo general, por medio de un sistema de purificaciones penitenciales. Desde 1215, los cristianos de Occidente habían tenido la obligación legal de hacer al menos una vez al año (normalmente durante la Cuaresma) una confesión privada de sus pecados ante su párroco o ante el ayudante o sustituto de éste, y de cumplir una obra de satisfacción o «penitencia» que era asignada a su antojo por el confesor. Este sistema se había desarrollado y evolucionado hasta sobrepasar la capacidad de acción de muchos párrocos. Confesores especializados (a menudo frailes), incluso particulares, guiaban a sus penitentes a través del laberinto de actos moralmente buenos y malos descritos en los complejos y voluminosos manuales del confesor, como los *Angelica* o los *Sylvestrina*. Terriblemente judicial a primera vista, este sistema combinaba en realidad un legalismo ético con un aspecto terapéutico, casi médico. Los que consideraban demasiado grandes los rigores de la penitencia, a menudo podían conmutar la «obra de satisfacción» que les era impuesta por otro acto más cómodo o más acorde con su temperamento. La peregrinación a ciertos santuarios o incluso la devota contemplación de una imagen permitían al individuo ganar «indulgencias» con las que borrar parte de la penitencia que debía pagar en este mundo o en el otro. Cuando los papas proclamaban un jubileo concedían otras indulgencias especiales, se proporcionaba un alivio todavía más cómodo por una cantidad de dinero fijada con arreglo a los medios de cada uno. Cuando Martín Lutero (1483-1546) puso en tela de juicio las indulgencias en 1517, empezó planteando una cuestión absolutamente convencional en la Edad Media: ¿era buena idea que los pecadores vieran aliviadas sus cargas penitenciales de aquella manera espuria? ¿Acaso no era (literalmente) mejor para el alma cumplir la penitencia impuesta a cada uno?

El «movimiento de Lutero»

Una cosa está clara a propósito de la Reforma del siglo XVI. No la provocó un solo personaje en concreto ni una sola ambición ni un solo objetivo específico ni un solo movimiento social, político o religioso. Sus resultados fueron consecuencia de una pluralidad de interacciones enormemente complejas e imprevisibles entre personalidades, acontecimientos, creencias y actitudes. No obstante, resulta imposible separar la historia primitiva de la Reforma de la personalidad de Martín Lutero. En su calidad de eremita agustino adscrito al ala observante de su orden, Lutero fue fruto del resurgimiento de la piedad ascética tradicional característica de las postrimerías de la Edad Media. Como nominalista en el terreno filosófico, se combinaban en él una actitud rigurosamente crítica ante el lenguaje teológico y la convicción de que un Dios trascendente habría hecho las cosas de manera muy distinta. Como producto del Renacimiento del norte de Europa, sabía que la literatura clásica y sobre todo las lenguas clásicas tenían muchas cosas importantes que decir a los hombres de su tiempo. Cayó fácilmente en el lenguaje del nacionalismo eclesiástico alemán, sobre todo cuando se reunió con los representantes de la frágil teología de la curia papal. Pero Lutero era algo más que la suma de todas estas facetas. Era bastante insólito que un profesor universitario de teología se convirtiera en un brillante publicista y autor de panfletos. Y era bastante anómalo que un estudioso del Renacimiento creyera que las doctrinas religiosas deben (a) ser discernidas con una claridad crítica absoluta y (b) ser puestas al alcance incluso de las gentes más sencillas. Resulta casi un caso único que un personaje con tantas capacidades y de tan gran estatura moral e intelectual pusiera su conciencia y sus ideas en contra de la opinión común de la cristiandad occidental, mostrándose dispuesto a sacrificar su vida en aras de sus principios.

La controversia inicial en torno a las indulgencias sólo tendría que ver tangencialmente con las cuestiones teológicas que caracterizaron a la Reforma madura. Los enormes gastos acarreados por la confirmación del arzobispo-elector de Maguncia, Albrecht von Hohenzollern, en su sede episcopal habían obligado a anunciar una nueva venta de las indulgencias destinadas originalmente a la reedificación de la basílica de San Pedro en Roma, que permitiera al prelado resarcirse de las pérdidas. Este tipo de indulgencias ya habían suscitado cierto escepticismo religioso en determinados ambientes y habían provocado algún resentimiento de raíz económica en otros. Pero la respuesta de Lutero vino dictada por preocupaciones de índole pastoral. ¿Resultaba realmente beneficioso para el cristiano sincero saltarse las oraciones y ofrendas penitenciales, aunque las indulgencias las hicieran innecesarias? En un principio, Lutero intentó presentar una protesta discreta y respetuosa ante el arzobispo, e invitar al mismo tiempo a la academia de teólogos a discutir el asunto. Sólo cuando vio que no recibía ninguna respuesta constructiva de Maguncia decidió poner en circulación sus *Noventa y cinco tesis*. Sin embargo, envueltas en los tecnicismos del latín académico, sus tesis daban cabida a interpretaciones hipotéticas de lo que podía pensar el vulgo escéptico. «¿Por qué el papa no vacía el purgatorio por amor a las benditas ánimas y no por dinero?» «¿Por qué siguen diciéndose misas por las almas de los que supuestamente han sido ya liberados del Purgatorio?» «¿Por qué las indulgencias conmutan la penitencia con arreglo a una "tarifa" en desuso desde hace tantísimo tiempo?» Lutero no era el que planteaba esas preguntas, sino que imaginaba que eran otros los que las formulaban. Las tesis contenían la semilla de una campaña publicitaria y así lo vieron los impresores que las difundieron sin su permiso en forma de invectiva pública.

La «disputa de las indulgencias» desembocó en una gran crisis debido a los reiterados errores y abusos que se cometieron. Algunos miembros de la orden de los dominicos tomaron las críticas del teólogo agustino como un ultraje. Los teólogos pontificios consideraron intolerable la ofensa que se infligía implícitamente al poder espiritual del papa. Lutero se sintió cada vez más desilusionado a medida que los emisarios de Roma, entre ellos el cardenal Caetani, uno de los mayores teólogos dominicos de la época, se mostraron uno tras otro patéticamente incapaces de replicar a sus argumentos. La jerarquía romana se metió en un callejón sin salida al alinearse junto a los elementos más desacreditados y exclusivistas de la cultura religiosa. Cuando Lutero fue excomulgado en 1520, sólo los defensores más resueltos de la corte papal —de los cuales había muy pocos en Alemania— siguieron mostrándose hostiles a la causa del agustino. Cuando se enfrentó al emperador en Worms en 1521, Lutero se había convertido en todo un héroe alemán. Es dudoso que el joven emperador Carlos V se hubiera atrevido a entregarlo a las autoridades pontificias aunque no le hubiera prometido un salvoconducto.

Mientras tanto Lutero había ido evolucionando y se había metido por caminos muy alejados de la cuestión de las indulgencias. Desde que empezara a dar clases sobre las Sagradas Escrituras en Wittenberg allá por 1513, se había enfrentado una y otra vez a la interpretación teológica del modo en que las almas se salvaban del pecado. Como otros miembros de su misma orden, llegó con bastante rapidez a la convicción de que la «justificación», el proceso que hace al individuo justo y por lo tanto aceptable a los ojos de Dios, venía como un don del propio Dios, no como consecuencia de la actitud del hombre. Si el pensamiento de Lutero se hubiera quedado ahí, no habría hecho falta la Reforma, pues semejante creencia entraba perfectamente en el espectro de opiniones católicas aceptables. La verdadera dificultad estribaba en una cuestión más bien técnica, pero podemos expresarla en los siguientes términos. ¿Entraba Dios en el alma de la persona y la hacía más santa, para luego aceptarla? ¿O decidía arbitrariamente y consideraba a los individuos «resguardados» por los méritos de Jesucristo y «extrínsecamente» libres de pecado, al margen de su verdadera condición espiritual? En 1515-1517 planteó a sus alumnos estas dos opciones, en forma confusa e intercambiable. En 1518-1519 su pensamiento había ido todavía más lejos, no a consecuencia de una repentina epifanía, sino más bien de la adopción gradual de una sola interpretación con exclusión de todas las demás. La decisión de Dios de salvar, de «justificar», redimía a las almas «intrínsecamente indignas» pero no por una cualidad propia de ellas. La «benevolencia de Dios» dada gratuitamente a los creyentes suponía por parte de la divinidad un perdón arbitrario del pecador antes del juicio.

En 1520 esta idea implicaba a todas luces no sólo una postura teológica radical. Su lógica interna exigía además un concepto completamente distinto de lo que eran el culto y la Iglesia cristiana. Si Dios establecía que los seres humanos se salvaran mediante la predicación de un evangelio radical de perdón y no mediante la administración de sacramentos de purificación, ¿qué falta hacía un clero ritual y jurídicamente distinto del resto de la sociedad encargado de la realización del sacrificio? ¿Qué sentido tenía una élite de curas, frailes y monjas que hacían voto de celibato y mortificaban su carne en la vana creencia de que de ese modo se hacían más santos? Cuando escribió su mordaz invectiva contra la idea tradicional de los sacramentos en *La cautividad de Babilonia* (1520), el propio Lutero se había dado cuenta de lo que comportaba. Tan arraigadas estaban las ideas perversas acerca de la finalidad del culto cristiano que para corregirlas

Sería necesario abolir casi todos los libros actualmente en boga, y modificar casi por completo la forma externa de las iglesias, e introducir, o mejor dicho reintroducir un tipo absolutamente distinto de ceremonias. Pero mi Cristo vive y debemos estar bien atentos y prestar oídos más a la palabra de Dios que a todos los pensamientos de los hombres y los ángeles.

Con esta última frase Lutero remetía a Dios todas las consecuencias políticas de su movimiento. Predicaría y enseñaría la verdad, y dejaría que los acontecimientos siguieran su curso. Aquella actitud era típica de él, pero nunca había llegado tan lejos. En su territorio de Wittenberg vería las cosas de muy distinta manera. Lutero pasó el invierno de 1521-1522 en Warburg bajo la protección y la custodia de su príncipe. En aquel apartado castillo escribió enfebrecidamente y comenzó su traducción al alemán del Nuevo Testamento, destinada a marcar toda una época. En su ausencia, algunos amigos y colegas empezaron a poner en práctica sus ideas: cambiaron el orden de la misa, ofrecieron el cáliz con el vino a los fieles y no sólo a los clérigos, vaciaron los monasterios y destruyeron las imágenes y los altares «idólatras». Lutero se dio cuenta de que corría el riesgo de cambiar una religión fetichista por otra no menos fetichista. Regresó a Wittenberg en marzo de 1522 y dijo a sus seguidores que pararan un momento, reflexionaran y se dedicaran a la enseñanza. Si no había enseñanza y comprensión, cambiar una conducta religiosa externa por otra no habría conducido a nada. Durante el resto de su vida se aferraría a esta necesidad de instrucción religiosa de las masas, a pesar de las dificultades prácticas que planteaba. Wittenberg llegó al culto reformado en el furgón de cola, no en la locomotora de la Reforma.

Reformas de las comunidades y de las ciudades en el mundo germánico

Lutero se convirtió enseguida en un personaje público, un icono ensalzado en grabados y *Flugschriften* dentro y fuera de Alemania. Diversos grupos de personas vieron su movimiento como algo propio. Algunos críticos del alto clero y de los obispos, como, por ejemplo, ciertos miembros de la pequeña nobleza, entre otros Franz von Sickingen o Hartmuth von Cronberg, acogieron con entusiasmo sus diatribas contra la arrogancia y los privilegios de los eclesiásticos. Los hombres de letras del Renacimiento apreciaron la campaña de Lutero en pro de sustituir a Aristóteles y Pedro Lombardo por la Biblia en griego y hebreo y los Padres de la Iglesia. Pero acaso fuera en el ambiente de las ciudades independientes en el que se formara la alianza más natural —aunque efímera— entre el mensaje teológico de Lutero y las tendencias contemporáneas en el ámbito del pensamiento social y político.

Las ciudades del Imperio a finales de la Edad Media eran comunidades aparte. Como las ciudades de cualquier otro lugar, eran entidades jurídicas, gobernadas por sus propias corporaciones y definidas por el recinto de sus murallas. Y lo que es más, las ciudades del Sacro Imperio Romano Germánico y de la Confederación Helvética eran de hecho estados soberanos. Muchas de ellas estaban al frente de un pequeño *hinterland*. Formaban alianzas, contrataban soldados mercenarios, participaban en actividades de control y en pequeñas guerras. Tenían ante todo muchas cuestiones que resolver con la Iglesia. Algunas habían llegado a ser «ciudades libres» tras expulsar, siglos atrás, a los príncipes-obispos diocesanos que nominalmente las regían. Con un fuerte sentido de lo que es la responsabilidad colectiva y la ayuda mutua, veían con malos ojos los privilegios fiscales y jurídicos del clero. Varias décadas antes de la Reforma, ciudades como Nuremberg y Estrasburgo habían intentado dispensar su patrocinio a las principales iglesias municipales, o acorralar al clero para que renunciara voluntariamente a las inmunidades de que gozaba a cambio del *Schirm*, una modalidad de garantía de protección cívica que se concedía a todos los ciudadanos de pleno derecho. Muchas ciudades contrataban a un predicador municipal estipendiario al margen del sistema normal de beneficios: Zúrich reclutó así a Ulrico Zuinglio (Huldrych Zwingli, *c*. 1484-1531) como *Leutpriester* o sacerdote estipendiario antes de que abrazara la causa de la Reforma. Las ciudades medievales se veían a sí mismas como una sola comunidad sometida a Dios, no como dos comunidades distintas, la de los laicos y la de los clérigos. De manera fortuita, pero trascendental para la historia, se produjo un solapamiento entre sus aspiraciones y el nuevo concepto de Iglesia y de ministerio desarrollado por Lutero.

Entre 1521 y 1525 las ciudades grandes y medianas del Imperio fueron testigos de un experimento casi único en el terreno del debate religioso público. Una clave de este fenómeno fue el desarrollo de una imprenta relativamente libre y enormemente prolífica. La tecnología de la imprenta tenía ya unos sesenta años de antigüedad en 1520. Durante esas primeras décadas, los libros impresos habían sido, en general, como los manuscritos, pero producidos por otros medios: había habido relativamente pocas innovaciones en los formatos. Con la llegada de Lutero, los impresores-editores descubrieron enseguida que una o dos hojas de papel plegadas en cuatro proporcionaban material suficiente para publicar un panfleto de unas dieciséis páginas o más. El panfleto o tratado breve rellenaba el espacio existente entre el tomo erudito y el folleto de invectiva impreso en una sola hoja, que hasta entonces había sido el formato favorito para publicar los documentos impresos baratos y populares. Las primeras obras de Lutero, especialmente sus sermones, se adaptaban perfectamente a este formato. Sus controversias no tardaron en aparecer también en formato cuartilla, mucho más manejable. Otros autores de obras de carácter religioso, como Erasmo, publicaron también sus escritos en un formato similar; enseguida se les unió todo un ejército de polemistas, entre ellos laicos como Hans Sachs, e incluso mujeres como Argula von Grumbach o Katharina Zell. Lutero escribió, publicó y vendió muchísimo más que cualquier otro autor durante aquellos años de fermento intelectual. Pero casi tanta importancia como esta faceta tuvo su capacidad de crear un espacio en el que plantear nuevas cuestiones. ¿Podía salvarse una persona sin indulgencias? ¿Tenía una comunidad cristiana derecho a nombrar y destituir a sus ministros?

La mayor parte de la población, incluso en las ciudades más sofisticadas, era analfabeta. Pero los panfletos no surtían efecto por sí solos, sino en concomitancia con ruidosos sermones ante una nutrida audiencia. Los sermones eran accesibles a todos los habitantes de las ciudades y de las zonas rurales aledañas, que acudían a escucharlos. La predicación no era una prerrogativa de los espíritus reformistas: los tradicionalistas respondieron con la misma medicina. A comienzos de la década de 1520 muchas ciudades consideraron que sus predicadores, de uno y otro lado del debate reformista, eran tan impetuosos y exaltados que intentaron apaciguarlos apelando a la autoridad municipal. Al menos en 17 ciudades de Alemania y de la Confederación Helvética se ordenó a los predicadores que se limitaran a exponer las Sagradas Escrituras y que evitaran los comentarios violentos contra sus rivales. Las advertencias no surtieron efecto, como suele ocurrir. Y lo que es más importante, estos edictos dieron a las autoridades municipales la responsabilidad de intervenir e imponer su propia interpretación de las «Escrituras». Coincidieron el sentido de deber cívico de las autoridades municipales y el fomento de la autoestima de los laicos apoyado por los predicadores reformistas. En Zúrich, Ulrico Zuinglio rebatió en enero de 1523 al vicario general del obispo de Constanza cuando este último afirmó que no debía permitirse que los debates teológicos tuvieran lugar en presencia de profanos. Zuinglio replicó:

En esta sala tenemos congregada una asamblea cristiana... Por consiguiente, como en esta nuestra asamblea hay gran número de verdaderos creyentes de nuestro distrito y de otros muchos lugares, y son exactamente iguales que muchos piadosos y eruditos obispos... no veo razón alguna para que no podamos contradecir lícitamente la opinión del vicario aquí y ahora.

El proceso tardó varios años al menos en surtir efecto y llegar a su conclusión. Fortalecidas por la convicción confirmada una y otra vez de que sus actos eran piadosos y no sacrílegos, las comunidades urbanas se hicieron con el control de sus instituciones eclesiásticas y de los diversos hospitales, hospicios y demás estructuras de beneficencia que llevaban aparejadas. Los sacerdotes se convirtieron en ministros al servicio de la sociedad, se casaron y se integraron en la ciudadanía. La misa fue sustituida por un tipo de servicio reformado. Tarde o temprano todas las casas de las órdenes religiosas fueron clausuradas y sus bienes confiscados. El confuso esquema de beneficencia particular y colectiva fue reemplazado, en teoría, por el socorro sistemático y racional de los pobres y la educación pública. El proceso político desarrollado en las ciudades grandes y pequeñas fue muy variado. La Reforma se abrió paso unas veces en medio de las luchas políticas (en las ciudades del Báltico), otras en medio de las vacilaciones compulsivas de los magistrados (en Augsburgo), o incluso tras una votación del conjunto de los ciudadanos (en Ulm, Constanza, Memmingen y otros lugares). Ningún análisis concreto es válido para todos los casos: el único rasgo común fue el apasionado interés por la religión de los ciudadanos.

En los primeros momentos de la Reforma empezó a abrirse un abismo que resultaría históricamente fatídico entre las ciudades del norte y del sur del Imperio. Esa divisoria no tendría un carácter claramente político ni decididamente teológico. Tendría que ver más bien con los métodos empleados en la implantación de la Reforma. En el norte de Alemania, Lutero y en mayor medida aún su amigo Johannes Bugenhagen (1485-1558) fomentaron un movimiento reformador bastante conservador desde el punto de vista litúrgico. Dicho movimiento favoreció las formas tradicionales susceptibles de ser conservadas, fomentó los cambios graduales y prohibió la destrucción total de las imágenes. Después de varios siglos de luteranismo, algunas iglesias del norte de Alemania siguen conservando en la actualidad sus retablos de finales de la Edad Media. En el sur, Ulrico Zuinglio en Zúrich y Martin Bucer (1491-1551) en Estrasburgo exhortaron a llevar a cabo una «limpieza» más a fondo del ordenamiento medieval. Fueron eliminadas las imágenes y la liturgia fue purificada progresivamente de los elementos no acordes con las Sagradas Escrituras. Lutero llegó a ver el estilo de Reforma propio de Suiza y del sur de Alemania como una amenaza: la postura de aquellas gentes reflejaba una preocupación excesiva por los cambios drásticos y repentinos, confiaba demasiado en el poder de la razón humana, y se mostraba demasiado arrogante al poner en entredicho las paradojas teológicas de la presencia de Dios en la eucaristía. Lutero no era un arquitecto de instituciones y nunca habría considerado que la unificación de la «comunión reformada» constituyera una necesidad prioritaria. Sin embargo, las fisuras y malentendidos de finales de la década de 1520 fueron el comienzo del proceso de división de Europa en dos bloques protestantes potencialmente antagónicos.

La Reforma en las ciudades constituyó un fenómeno cultural fascinante, pero fuera de la Confederación Helvética no podría ser defendido militarmente. Las ciudades del sur de Alemania, que solían apoyarse en el emperador para defenderse de los príncipes territoriales, recurrieron a las ligas formadas a partir de 1531 precisamente por sus antiguos enemigos, los príncipes. Cuando el emperador arremetió contra ellos en la década de 1540, los príncipes abandonaron a su suerte a las ciudades libres. Éstas perderían sus formas de culto y sus modalidades teológicas características; algunas perderían también su libertad.

Campesinos, príncipes y monarcas

El fuerte sentido de comunidad y de responsabilidad mutua no era una prerrogativa de las ciudades autónomas. En la enfebrecida atmósfera de comienzos de la década de 1520 las comunidades rurales de toda la Alemania central y meridional empezaron a ver sus aspiraciones sociales y culturales bajo un prisma condicionado por el contexto de la Reforma. Si Dios había confiado los medios de alcanzar la salvación a una comunidad, que elegía y nombraba a su propio pastor, ¿no debía poseer dicha comunidad el derecho de usar sus tierras, bosques, ríos y demás recursos naturales? ¿No debían demostrar los señores y los caballeros que sus presuntos derechos territoriales se basaban en el consentimiento previo de la comunidad? Mezclados con este pensamiento pragmático de las comunidades rurales iban otros elementos más radicales, tomados de las visiones milenaristas y de las profecías de un nuevo orden cristiano. Las aguas se salieron de su cauce en la primavera de 1525, tras varios meses de disturbios en Suabia. En el sur de Alemania, bandas de «campesinos» (en realidad labradores, aldeanos y algunos habitantes de las ciudades) se alzaron en armas para protestar contra la apurada situación en la que se encontraban, concentrándose en la ciudad de Memmingen y sus alrededores. Más al norte, en Turingia, se reunieron en Frankenhausen varios grupos de gentes sencillas, algunos acaudillados o inspirados por el visionario apocalíptico Thomas Müntzer. Los manifiestos de los campesinos de Suabia circularon por toda Alemania en forma de panfleto impreso en tamaño cuartilla, inspirando a numerosos imitadores.

La «guerra de los Campesinos» de 1525 es un nombre doblemente inadecuado. Ni se limitó a los «campesinos» ni fue una verdadera guerra. Los campesinos de Suabia se dispersaron después de que se entablaran conversaciones, y los de Turingia fueron exterminados por soldados bien entrenados a las afueras de Frankenhausen. Sin embargo, la «guerra» tuvo unas consecuencias dramáticas sobre las actitudes de la nobleza y las élites principescas de Alemania. Durante los primeros años de la década de 1520, las aristocracias de Alemania se habían mantenido en general al margen del debate religioso. Los que, como hiciera el duque Jorge de Sajonia, intentaron confiscar las Biblias traducidas al alemán, fueron objeto de las mordaces burlas de Lutero. Los acontecimientos de 1525 vinieron a demostrar que la negligencia benévola ya no era la política adecuada. Aunque siguieron apareciendo expresiones espontáneas de compromiso con la Reforma, especialmente en contextos urbanos, Alemania ofrecería a partir de 1525 un panorama más jerárquico y más controlado. Había llegado el momento de una mayor reafirmación del control aristocrático. Ya había precedentes de control de las iglesias locales por parte de los príncipes, del mismo modo que había también precedentes del control de las iglesias de las ciudades por parte de los magistrados municipales. Algunos príncipes-obispos se habían convertido en vasallos de otros príncipes por mor de ciertas posesiones seculares, y algunos grandes príncipes habían obtenido el patrocinio de la Iglesia exactamente igual que las demás testas coronadas de Europa. Especialmente en el norte y en el este de Alemania, los príncipes sintieron una innegable atracción por acabar de perfilar las fronteras de sus grandes principados absorbiendo enclaves pertenecientes a la Iglesia.

Sin embargo, la «Reforma de los príncipes» avanzó lentamente y fue menos fértil en nuevos conceptos religiosos que la «Reforma de las ciudades». En el Electorado de Sajonia, tierra natal de Lutero, gobernado por la rama «ernestina» de la dinastía de los Wettin, la Iglesia regional se había organizado a través de un proceso de visitas subvencionadas por el estado (1528) que desembocó en las nuevas ordenanzas de la década de 1530. El precoz intento llevado a cabo en 1526 por Felipe de Hesse de organizar su iglesia en el Sínodo de Homburg no llegó a cuajar. Con el tiempo, las iglesias regionales se fusionaron bajo las «Ordenanzas Eclesiásticas» patrocinadas por el régimen de los príncipes: un ejemplo particularmente detallado lo tenemos en las ordenanzas de Nuremberg-Brandenburgo-Ansbach de 1533. A comienzos de la década de 1540 la red de principados luteranos de Alemania había quedado ya tejida casi por completo. Había tardado tanto tiempo en ser elaborada debido a las estrategias políticas y a las rivalidades dinásticas. Muchas familias principescas del *Reich* se habían dividido en ramas rivales, cada una de las cuales gobernaba su propio pequeño territorio: cuando una rama se hacía reformista, la otra solía retrasar la Reforma al menos hasta que subía al trono un nuevo gobernante.

La aportación más importante de la Reforma de los príncipes a la reserva de ideas reformistas se sitúa en el ámbito del pensamiento político. Durante las postrimerías de la Edad Media, el problema por excelencia del Sacro Imperio Romano Germánico había sido la ley y el orden. A falta de una autoridad central eficaz, la opción estaba entre un reforzamiento del poder de los príncipes o la creación de una red de ligas y confederaciones de poderes menores con responsabilidades políticas. Cuando los príncipes se dieron cuenta de que su patrocinio de la Reforma ponía en peligro su propia supervivencia, reaccionaron al modo tradicional alineándose en el bando de los que compartían sus ideas. A finales de la década de 1520 las ciudades y los príncipes manifestaron su solidaridad con la Reforma en la «protesta» presentada en la Dieta de Spira de 1529; un año después suscribieron la Confesión de Augsburgo luterana definitiva, y las conversaciones de última hora destinadas a reintegrar a las distintas iglesias del Imperio quedaron en agua de borrajas. A comienzos de la nueva década se formó una alianza defensiva de protestantes, en la que se integraron los estados partidarios de Lutero y del sur de Alemania, llamada la Liga de Esmalcalda. Mientras existió, esta organización asumió ciertos atributos embrionarios de lo que sería un estado, celebrando asambleas, recaudando dinero y reclutando tropas, y enviando embajadas a las potencias extranjeras. Pero planteaba un problema teórico a los teólogos reformados. La opinión inicial de Lutero había ido más bien a favor de considerar el *Reich* un solo reino bajo la autoridad del emperador. Todo aquel que se opusiera por la fuerza al emperador, ya fuera campesino, caballero o príncipe, quebrantaba un mandamiento divino. En 1530 Lutero y sus colegas se habían visto obligados a admitir que, al menos según la ley de los hombres, la constitución del Imperio Germánico era un poco más compleja. Alemania era un estado en el que los príncipes tenían legítimamente derecho a defenderse a sí mismos y a sus súbditos frente a cualquier acto injusto por parte del emperador o de cualquier agresor externo. Hacia el final de su vida, Lutero echaría su propia maldición apocalíptica sobre este corpus de pensamiento: el papa era un monstruo de depravación de cuento de hadas al que debía oponer resistencia toda la comunidad, y cualquier gobernante que se pusiera de su lado carecía de legitimidad.

La teoría de la resistencia era una cosa; su práctica, otra muy distinta. En 1546 Carlos V había neutralizado la liga protestante chantajeando a Felipe de Hesse y seduciendo al duque Mauricio de Sajonia, de la Rama Albertina de los Wettin, para que abandonara la alianza. Tuvo así las manos libres para atacar a las tropas de los electorados de Sajonia y Hesse. Tras derrotarlas en el campo de batalla en 1547, Carlos demostró que era absolutamente incapaz de conseguir la paz a través de su concepto de religión moderada, en parte reformada, pero en cualquier caso todavía católica. Los luteranos y los católicos del Imperio estaban demasiado lejos unos de otros para obligarlos a aceptar un matrimonio a punta de pistola que adulteraba los principios de unos y otros. A comienzos de la década de 1550, Carlos V sufrió una crisis de agotamiento psicológico y confió a su hermano Fernando la tarea de negociar un sistema de convivencia entre los católicos y los luteranos del Imperio. En 1555 se llegó a un acuerdo sustancial en este sentido y la solución fue adoptada formalmente en virtud de la paz de Augsburgo de 1555. La sutil diversidad del contexto religioso alemán existente antes de 1546 fue sustituida por una neta opción entre el luteranismo doctrinario y el catolicismo jerárquico.

Mientras tanto, algunos soberanos de Europa se habían comprometido con el luteranismo, con resultados muy diversos. Las consecuencias más claras se vieron en Escandinavia. En el reino de Dinamarca (del que formaban parte también Noruega, el extremo meridional de la actual Suecia, Islandia y Schleswig-Holstein), la sucesión de conflictos civiles y golpes de estado culminó en 1536 con el establecimiento de una iglesia luterana presidida por Cristián III (1534-1559). En Suecia, independiente de la corona danesa desde comienzos de la década de 1520, el autoritario y a veces caprichoso Gustavo I Vasa (1523-1560) fue instituyendo gradualmente una iglesia estatal de rasgos luteranos a partir de 1527, aunque evitó deliberadamente poner en manos de su clero una autoridad demasiado independiente. En Francia, el pródigo y a menudo imprevisible monarca renacentista que fue Francisco I jugó con ciertos aspectos de las ideas reformadoras cuando la facultad de teología de la universidad de París, de tendencia ultracatólica, amenazó la supremacía ideológica del rey. Tanto él como su hijo Enrique II hicieron repetidos guiños a los príncipes luteranos y establecieron alianzas de conveniencia con ellos, con el fin de apaciguar su constante obsesión de resistir al poderío militar de la dinastía austro-hispánica de los Habsburgo. Sin embargo, sus reinados se vieron marcados también por períodos intermitentes de feroz persecución de los protestantes. En Inglaterra, Enrique VIII (1509-1547) se enfrentó al papado debido a sus problemas matrimoniales. Sus ministros y él mantuvieron durante casi toda la década de 1530 un diálogo intermitente con los líderes políticos y religiosos del luteranismo. El monarca inglés permitió incluso que se presentaran una serie de artículos de doctrina supuestamente semiluterana en la convocatoria del clero anglicano de 1536. Sin embargo, mostró un afán inquebrantable de establecer alianzas con las potencias europeas de primera división, y no con las de segunda, y no pudo resistir a la tentación de jugar también él con la teología, para exasperación del arzobispo Cranmer y de Philipp Melanchthon. La perspectiva de una Inglaterra luterana no fue una de sus opciones personales.

El paradigma de los refugiados

Durante la segunda mitad del siglo XVI la geografía y los posicionamientos religiosos de Europa sufrieron una transformación debido a la aparición de una nueva ruta hacia la Reforma. Juan Calvino (1509-1564) no emprendió la tarea de fundar un nuevo tipo de Reforma religiosa; a decir verdad, semejante idea probablemente lo hubiera horrorizado. Este francés serio, hombre de grandes dotes, inteligente e increíblemente laborioso, había abrazado el mensaje reformista en 1533, en un proceso de conversión sobre el que (a diferencia de Lutero) raramente meditó. Tras un breve período de aprendizaje en Basilea, publicó la primera edición de su manual de teología reformada, la *Institutio*, más o menos similar a los *Lugares Comunes* de Melanchthon, cuyo temperamento era bastante parecido al suyo. A partir de 1536 Calvino se vio arrastrado, casi a la fuerza, a la desagradable tarea de ayudar a pilotar la Reforma de la ciudad libre y ex sede episcopal de Ginebra, de lengua francesa, bajo la protección del cantón suizo de Berna. Su decisión y sus extraordinarias dotes como escritor, maestro y predicador, hicieron que llegara a tener un ascendiente singular sobre los reformadores de la pequeña ciudad. Su estatura de gran hombre creció hasta rivalizar primero con la de su colega Heinrich Bullinger de Zúrich, al que llegaría a sobrepasar. Con la homogeneización bajo el luteranismo de las iglesias reformadas de Alemania, las ciudades suizas quedaron hacia 1550 como las únicas representantes de la tradición «reformada» no luterana. Entre ellas, sólo Ginebra y Zúrich tenían una importancia internacional: y la ulterior expansión de Zúrich se vio frenada debido a que sus fronteras fueron cerradas en 1531, rodeada como estaba de vecinos católicos.

Calvino supo organizar, exponer y sistematizar brillantemente la teología reformada, y fue un genio de la diplomacia religiosa, convirtiéndose en el gran mentor del mundo reformado. Pero nunca se imaginó el papel que llegaría a representar Ginebra en la Reforma: eso fue un producto de las circunstancias. A mediados de la década de 1550, Ginebra, como Estrasburgo, Frankfurt del Meno y otras ciudades de la Europa central, se convirtió en meta de los refugiados religiosos de Francia, los Países Bajos, Italia e Inglaterra. Por esa misma época, Calvino había llegado a tener el grado de ascendiente moral sobre la ciudad por el cual había luchado hasta entonces en vano. Alcanzó su objetivo de imponer la disciplina moral a través de la excomunión con notable independencia de los magistrados, algo que no se intentó hacer nunca en Zúrich. Una serie de reveses políticos obligaron a Ginebra a establecer en 1559 su propia Academia, formada por una escuela y un seminario.

De ese modo, los refugiados que llegaban a Ginebra se encontraban con una ciudad organizada como un centro modélico de la Reforma absolutamente incomparable. Una vez allí, podían recibir instrucción para convertirse en ministros de la fe y exportar a otros rincones de Europa todo lo que habían aprendido. En la década de 1540, Calvino había visto a sus compatriotas franceses vacilar y permanecer al margen de la Reforma, viviendo lánguidamente como católicos de pacotilla, a la espera de tiempos mejores según el principio llamado «nicodemismo». Consideraba semejante actitud un peligroso acto de deshonestidad, comparable con el hecho de compartir mesa con el diablo a cambio de una supuesta seguridad. El exilio era sin duda alguna una alternativa mejor. Potencialmente era mejor aún instaurar un culto reformado dentro incluso de un estado hostil, al principio al menos en secreto para ver luego cuánta gente se unía bajo su bandera. Calvino se diferenciaba diametralmente en esto de Lutero. Éste había desaconsejado activamente las iniciativas de fundar iglesias clandestinas por parte de los particulares; Calvino, en cambio, las apoyó. El planteamiento de Calvino era congruente en regiones de la Europa occidental que eran más homogéneas desde el punto de vista político que Alemania: Francia, los Países Bajos (territorio de los Habsburgo españoles desde 1548), y las islas británicas. Sus ideas resultaron también atractivas en algunos lugares de la Europa del este, donde los reformadores eslavos intentaron crear algo distinto del luteranismo de sus vecinos germánicos.

El paradigma reformador llamado posteriormente «calvinismo» supuso una inversión del orden cronológico de los primeros tiempos de la Reforma. En las décadas de 1520-1530, la decisión de abrazar el mensaje de la Reforma que pudiera tomar una determinada comunidad constituía el primer paso; los detalles de liturgia, confesión y estructura eclesiástica eran elaborados «después» de que se tomara la decisión de principio. Con el calvinismo, en cambio, se disponía ya de un tipo ideal o modelo de cristianismo reformado como aquel que dice en serie al que se podía echar mano «antes» de que la comunidad o el estado tomaran ninguna decisión. Eso no significaba que el calvinismo fuera asociado invariablemente con la «Reforma desde abajo» o, por así decir, con una revolución religiosa. En Escocia, un grupo de nobles y autoridades eclesiásticas organizó un golpe de estado aristocrático en 1560 contra la regente y reina madre, francesa de nacimiento, con la ayuda, aunque tardía y a regañadientes, de Isabel I de Inglaterra. La Iglesia nacional nacida de este modo vino a fortalecer, y desde luego no debilitó en absoluto, la integridad del reino, aunque no siempre en consonancia con el parecer de la soberana. En Inglaterra, los espíritus protestantes del clero y la nobleza ya habían abrazado el protestantismo reformado no luterano durante el reinado de Eduardo VI. La media hermana de este último, Isabel, descubrió, al suceder a la católica María I en 1558, que debía trabajar en el seno de una Iglesia nacional que conservaba sus estructuras medievales. Lo más sorprendente de todo fue la alianza forjada a partir de 1560 aproximadamente entre los principios calvinistas y el autoritarismo de los príncipes en ciertas regiones de Alemania. Encabezados por los Electores Palatinos de Heidelberg, numerosos príncipes alemanes intentaron, con éxito variable, imponer a sus súbditos, hasta aquel momento luteranos, las formas de culto ginebrinas, más austeras, racionales y cerebrales.

Sin embargo, el modelo «reformado» de construcción de la Iglesia protestante se vio enfrentado a la monarquía de los Valois en Francia y al régimen de los Habsburgo en los Países Bajos. Al comienzo del proceso, una pequeña iglesia minoritaria de los Alpes se erigió en conmovedor ejemplo de resistencia religiosa. A partir de 1555 Ginebra había inundado de ministros reformados los valles alpinos del Piamonte occidental, habitados por los «herejes» valdenses. De repente, la disidencia clandestina se convirtió en un culto público. El duque de Saboya amenazó primero a toda aquella población y luego arremetió contra ella empleando la fuerza. Aprovechando las dificultades del terreno, los protestantes valdenses se defendieron con tanta eficacia que el duque firmó la paz con ellos en 1561 y accedió a que permanecieran en su enclave reformado. Esta victoria insignificante desde el punto de vista estadístico de una «Reforma desde abajo» tuvo unas repercusiones psicológicas enormes. Se habló de ella por toda Europa en panfletos y martirologios justo cuando los protestantes franceses y flamencos iniciaban la lucha en pro de su reconocimiento. En Francia, la lucha por el establecimiento de una Iglesia protestante estuvo relacionada a todas luces a partir de 1562 con el grado de privilegios y la distribución que debía tener la Iglesia reformada minoritaria. Tal era la inestabilidad de la monarquía y la sociedad que no se alcanzó un compromiso aceptable en este terreno hasta 1598, cuando, al cabo de treinta años de luchas intermitentes y de derramamiento de sangre, subió al trono Enrique IV, en un primer momento de religión protestante. En los Países Bajos la lucha en defensa del protestantismo se mezcló con las quejas de la nobleza flamenca contra los gobernadores nombrados por los Habsburgo, las aspiraciones de los artesanos de Flandes y Brabante por vivir y trabajar libres de la dominación de los Austrias, y las ambiciones políticas de la aristocrática familia de Orange-Nassau. Aunque los partidarios de la Reforma eran una minoría, como ocurría en Francia, dicha minoría se convirtió en Holanda en portavoz de un incipiente sentimiento «nacional» neerlandés y de la clase dirigente autóctona, al menos en las provincias del norte, donde se hizo fuerte la rebelión desde mediados de la década de 1580.

La modalidad calvinista de la Reforma resultó también muy atractiva en algunas regiones de Europa oriental. Las comunidades alemanas del este, desde las costas del Báltico hasta los *Siebenbürgen* de Transilvania, habían abrazado el luteranismo en fecha muy temprana y en ocasiones con gran determinación. Algunos sectores de la nobleza eslava y magiar consideraron conveniente adoptar una modalidad de protestantismo distinta de la de sus vecinos teutónicos: así, nobles polacos como los Leszczyński y los Tarnowski defendieron su derecho político a sostener el calvinismo en sus ámbitos de influencia, y los líderes calvinistas húngaros, entre otros Martin Santa Kálmáncsehi y Péter Méliusz Juhasz, organizaron una estructura sinodal calvinista opuesta a la luterana. Lo mismo que en Alemania, fueron fundamentalmente los nobles y las ciudades los que gozaron de algo parecido a la libre elección de confesión religiosa. Por otra parte, las raíces del protestantismo reformado resultaron en algunas regiones relativamente poco profundas. Los que, como los Radziwiłł en Polonia, abrazaron el calvinismo, se mostraron igualmente dispuestos a abrazar otras herejías más exóticas, como, por ejemplo, las primeras manifestaciones de antitirinitarismo o socinianismo (*vid. infra*, «Confesiones marginales»).

A pesar de las enormes discrepancias geopolíticas entre las diversas regiones del mundo calvinista, todas ellas compartieron ciertas actitudes ante la Iglesia Cristiana. Los reformados creían que su Reforma era completa, frente a la luterana, que no lo era. Se jactaban de rechazar todos los elementos del culto tradicional que sonaran mínimamente a «idolatría». Aspiraban a una vigorosa disciplina eclesiástica y la alcanzaron en distinto grado. Solían ser internacionalistas: donde los luteranos pensaban en términos de intereses nacionales o provinciales, los reformados pensaban en términos de una gran «causa» más abstracta. El siglo siguiente vería las fatales consecuencias de estas visiones incompatibles de la política protestante.

El catolicismo escoge su propia vía

No estaba dicho de antemano que surgiera una «Iglesia católica Romana» como rival antagónico y contrapeso ideológico de las iglesias reformadas. En varios momentos antes de *c.* 1550 dio la impresión de que era posible vislumbrar una reintegración de las posturas escindidas del cristianismo europeo en una sola institución. A partir de 1520 el cristianismo católico se estructuró a través de varias opciones políticas e ideológicas. Actualmente está claro que la imagen tradicional de la Iglesia renacentista como una institución caracterizada de manera uniforme por la decadencia, la lujuria y la indisciplina, que avanzaba despreocupadamente hacia el precipicio de la Reforma, ya no se tiene en pie. Entre el clero secular y el regular, y también entre muchos laicos, se llevaron a cabo campañas destinadas a fomentar la vida de devoción y la piedad ascética. En el curso de esas campañas, algunos reformadores religiosos escribieron obras denunciando la laxitud de las órdenes no reformadas, el bajo nivel de muchos miembros del clero secular o la prodigalidad con la que era administrada la Iglesia. Justas o injustas, esas quejas dan testimonio del vigor del sentimiento reformador más que de su ausencia. Menos claro está, sin embargo, si esas oleadas de edificación moral y de denuncia de los vicios deberían ser calificadas de movimiento de «prerreforma», como una fase especial de la historia del catolicismo. Cabría decir más bien que esas críticas constituyeron una especie de hilo conductor que recorrió toda la Edad Media.

Una característica del catolicismo en torno al año 1500 —que no sería vista como una lacra o un vicio hasta más tarde— era una cierta apertura en materia de doctrina. En muchas cuestiones de orden teológico, empezando por la doctrina de la justificación, la Iglesia todavía no había adoptado una postura teológica definitiva. Durante las primeras tres décadas del siglo XVI algunas de las mentes más preclaras de Italia desde el punto de vista espiritual e intelectual, muchos de ellos amigos del noble veneciano y posteriormente cardenal Gasparo Contarini, elaboraron creencias acerca de la justificación que, al menos verbalmente, eran muy próximas a las de los reformadores. No extrajeron las mismas conclusiones acerca del culto y la Iglesia que los protestantes, por lo menos no en un principio; de hecho, su piedad teológica, caracterizada a menudo por el ensimismamiento y la introversión, encajaba mejor con los salones religiosos y los grupos de polemistas que con la prédica o la confección de panfletos. Hasta la década de 1540 los que tenían una actitud más liberal en materia de doctrina probablemente tuvieran un ascendente notable, desde el punto de vista numérico y moral, sobre los órganos conciliares de mayor rango de la Iglesia. Frente a ellos se situaba un puñado de rigoristas, cuyo máximo exponente sería Giovanni Pietro Caraffa, el futuro papa Paulo IV, que consideraba la herejía, entendiendo por tal cualquier dogma peligroso para la ortodoxia más intransigente, una grave falta de disciplina más, lo mismo que la simonía o la depravación moral. La facción espiritualista y la rigorista probablemente estuvieran de acuerdo en la necesidad de regeneración moral, pero seguramente no lo estarían en el tipo de respuesta ante el reto de la Reforma que debía comportar dicha regeneración.

El debate estuvo abierto durante casi todo el período comprendido entre 1520 y 1540. La curia romana no fue capaz de dar una respuesta unitaria a la Reforma durante casi veinte años tras el recrudecimiento de las guerras de Italia en 1522. Al no haber paz entre Austria y Francia, el concilio general prometido no se reunió y fue imposible contar con el importantísimo apoyo de los monarcas católicos. A comienzos de los años cuarenta varios factores vinieron a cambiar el panorama. En Alemania, los representantes más conspicuos del pensamiento liberal católico intentaron por todos los medios alcanzar un acuerdo con los luteranos moderados en varias conferencias celebradas en Hagenau, Worms y Ratisbona en 1540-1541, pero fracasaron. En Italia, la facción espiritualista sirvió en bandeja una victoria política a los rigoristas cuando dos de sus principales representantes se pasaron al protestantismo en 1542; ese mismo año se produjo por primera vez en Italia el establecimiento con carácter permanente de un Santo Oficio de la Inquisición. También en 1542, el papa Paulo III logró al fin organizar la convocatoria del concilio general que había sido prometido durante tanto tiempo y que había venido posponiéndose una y otra vez, aunque las reuniones no dieron comienzo en Trento hasta 1545. Mientras tanto, el emperador iba poniendo en marcha la maquinaria militar para atacar a la Liga Luterana en Alemania.

Así, pues, las decisiones tomadas en el concilio de Trento, cuyas sesiones se celebraron en 1545-1547, 1551-1552 y 1562-1563, deberían interpretarse en este marco de decadencia de los sentimientos de reconciliación. En su cuarta sesión, celebrada el 8 de abril de 1546, Trento prejuzgó todas las demás discusiones en materia de doctrina al declarar que profesaba «el mismo afecto de piedad y respeto» por las Sagradas Escrituras que por las tradiciones históricas de la Iglesia: la doctrina y la práctica debían ser continuas a lo largo de la historia, no discontinuas. La traducción de la Biblia al latín elaborada en el siglo IV, la Vulgata, atribuida a Jerónimo y fuente de muchas de las formulaciones en las que se había basado la teología medieval, fue declarada auténtica (concediéndosele así implícitamente una superioridad sobre los originales griego y hebreo). El escaso margen de maniobra que quedaba se vio limitado todavía más por un decreto hábilmente redactado en torno al tema de la justificación. Este interesante documento venía a sancionar de hecho la interpretación de santo Tomás de Aquino y de los neotomistas, para consternación de los que favorecían los planteamientos nominalistas de finales de la Edad Media y de los que en el fondo favorecían una postura más próxima a las ideas de la Reforma (como el presidente de la sesión, el inglés Reginald Pole). Los restantes decretos venían a reforzar la continuidad de las prácticas sacramentales y disciplinarias tradicionales: los estudios de teología estaban obligados a apoyar las costumbres establecidas, no a ponerlas en entredicho.

A pesar de todo, Trento cambió el catolicismo. Paralelamente a la consolidación de la doctrina tradicional se elaboró un programa destinado a hacer más efectivo el control pastoral de las diócesis. Se exigió a los obispos la obligación de residir en sus diócesis, y de predicar y supervisar a los fieles. Ninguna de estas ideas era nueva, ni mucho menos. Los concilios medievales habían tomado las mismas decisiones, y algunos obispos habían intentado ponerlas en práctica. Lo nuevo era el grado de autoridad concedido a los obispos para saltarse a la torera, en caso de necesidad, las exenciones y privilegios que tenían numerosos organismos de la propia Iglesia. Los obispos obtuvieron poder para actuar en sus diócesis sin el cúmulo de restricciones e impedimentos que a finales de la Edad Media habían hecho insoportable para muchos la residencia en ellas. Los sínodos y visitas pastorales de carácter reformista, que esporádicamente se habían intentado llevar a cabo en el pasado, fueron normalizados y se convirtieron en práctica habitual. Pero no todo fueron ganancias. El prelado reformista por excelencia, Carlos Borromeo, arzobispo de Milán, suscitó una significativa hostilidad debido a su incesante apoyo a las reformas. Otros prelados consideraron más eficaz desde el punto de vista pastoral reconciliarse con los no reformados, en vez de provocarlos. También se ha afirmado que la promoción del modelo de párroco más instruido y culturalmente más alejado de sus feligreses, que escuchaba anónimamente las confesiones de éstos encerrado en su confesionario, es decir el modelo popularizado por el arzobispo Borromeo, quizá contribuyera a ahondar más el abismo que separaba a los curas del pueblo.

La historia del catolicismo en el siglo XVI no debe escribirse sólo en términos de la respuesta dada a los retos doctrinales o disciplinarios que se le presentaron. En algunas regiones importantes de Europa, sobre todo en la península Ibérica, la vida religiosa continuó basándose en los principios establecidos en la Edad Media. Allí el «bien de las almas» significaba la continuación y el desarrollo de unos principios espirituales y ascéticos instituidos mucho tiempo atrás. Este ambiente favoreció la aparición de movimientos de renovación monástica y de observancia de las reglas, y las importantes tradiciones místicas y visionarias representadas por personajes como Teresa de Jesús y Juan de la Cruz. Permitió asimismo el desarrollo continuado e ininterrumpido de la teología neotomista basada en modelos medievales. Fue también ése el ambiente en el que nació la Compañía de Jesús. Ignacio de Loyola surgió de una España tardomedieval que seguía viéndose a sí misma como frontera de la cristiandad, un país en el que cabía la fusión de los valores caballerescos y católicos dentro de las órdenes militares. La sociedad de curas regulares que lo hicieron famoso a él y a sus compañeros obtuvo la ratificación del papa en 1540 y se dedicó a la labor de consuelo pastoral a través de la educación y la confesión, así como a las misiones entre la población no cristiana. Debemos subrayar que nada de esto tuvo en sus orígenes nada que ver con la lucha contra el protestantismo.

Sin embargo, a los pocos años de su creación la Compañía de Jesús se vio profundamente comprometida con la cuestión de la instrucción religiosa y la educación en general. Ignacio reconocía que una parte esencial de la educación consistía en imbuir las doctrinas «correctas» de la Iglesia de forma clara y concisa incluso a los discípulos más jóvenes. El concilio de Trento, mientras tanto, había asumido la necesidad de que todos los individuos destinados al sacerdocio se educaran en seminarios vocacionales. Consecuencia de esas ambiciones paralelas fue la participación de los jesuitas en las tareas de instrucción del clero de la Contrarreforma. Sus seminarios vinieron a rellenar una laguna que habría resultado inevitable si la Iglesia hubiera dependido sólo de la iniciativa de los obispos. Sus misioneros emprendieron labores heroicas, a veces suicidas, en diversas regiones de América y Asia con el fin de ganar para la fe a la población no cristiana; emprendieron también misiones (a veces igualmente suicidas) dentro de la propia Europa, destinadas a convertir a los no católicos o a fortalecer a las minorías católicas en su resistencia. Durante el siglo siguiente, los jesuitas desempeñarían un papel decisivo en la política religiosa de Europa. Establecieron líneas de comunicación con los príncipes católicos más celosos, entre ellos algunos ex discípulos suyos, como Maximiliano, duque de Baviera, o el emperador Fernando II. Contribuyeron a forjar una alianza entre la doctrina católica y el poder del estado que determinaría la imagen del catolicismo durante el siglo XVII.

Confesiones marginales

La inmensa mayoría de la población europea pertenecía a una u otra de las dos grandes iglesias confesionales. Sin embargo, surgieron otros movimientos religiosos en los que algunas comunidades de devotos se separaron por propia decisión de la sociedad en general y formaron iglesias completamente aparte. En este sentido fueron más lejos que la mayoría de los herejes medievales, que por lo general conservaron alguna práctica residual de los cultos tradicionales. Esas «iglesias congregadas» de carácter voluntario han despertado gran interés entre los estudiosos, pues parece que fueron precursoras de la sociedad moderna: su religión era voluntaria y fruto de una decisión propia, como la nuestra. Sin embargo, esas analogías a veces inducen a error. Excluirse a sí mismo de la comunidad en general y reunir una congregación de elegidos requería en el siglo XVI o una seguridad espiritual enorme y la esperanza de un final inminente de la historia, o una clara voluntad de abandonar la vida personal en aras de las propias creencias. La pesada atmósfera del anabaptismo del siglo XVI se parece muy poco al frío relativismo de las iglesias liberales posteriores a la Ilustración.

Lo que se llamó «anabaptismo» fue fruto, en parte, del fermento de ideas y experimentos religiosos de comienzos de la década de 1520. Algunos pensadores religiosos del norte de Suiza y del sur de Alemania decidieron redefinir y repensar por completo la comunidad cristiana. Rechazaban dos importantes matices que compartían todos los reformadores de la corriente general. En primer lugar, no reconocían que los salvados, los elegidos, fueran también pecadores necesitados de disciplina social que el ojo humano no podía distinguir de los demás. En segundo lugar, no admitían que la reforma fuera una experiencia accesible a todas las comunidades, sino sólo a la de los salvados. Por consiguiente, deseaban crear de inmediato una comunidad totalmente reformada, compuesta sólo por aquellos que habían sido regenerados por completo. Gradualmente, pero no de manera inmediata, esos grupos se definirían a sí mismos a través del bautismo ritual de los creyentes. Los primeros líderes de la comunidad «anabaptista» primitiva fueron expulsados de Zúrich a comienzos de la década de 1520 y reunieron algunos partidarios en el *hinterland* de esta ciudad. Entablaron contacto con otros individuos de ideas parecidas a las suyas que surgieron en el sur y el oeste de Alemania. Actualmente se considera que el «anabaptismo» es un conjunto de varios movimientos paralelos, que se conocían unos a otros, pero que no necesariamente nacieron todos de la misma fuente.

Para la mayoría de los europeos del siglo XVI, el anabaptismo se asoció con un ejemplo espectacular y extraordinariamente atípico. El hecho de rebautizar a una persona se hizo de repente popularísimo en la provincia de Holanda a comienzos de la década de 1530. Debido a la persecución de las autoridades de los Habsburgo, muchos seguidores de esta corriente huyeron y se refugiaron en la ciudad episcopal de Münster, en Westfalia, a la sazón en poder de una junta municipal partidaria de una reforma relativamente convencional. Los anabaptistas de Münster cayeron bajo la influencia de un visionario apocalíptico llamado Melchior Hoffman, encarcelado por entonces en Estrasburgo. Asediados por el príncipe-obispo, la dirección del grupo pasó a manos de un dictador brutal y excéntrico llamado Jan Beukelszoon de Leiden, cuyo gobierno arbitrario y sangriento hizo de Münster el paradigma de la violencia hasta que fue derrotado y ejecutado en 1535.

Antes incluso del episodio de Münster, algunas fuerzas existentes dentro del propio anabaptismo se esforzaron en elaborar un enfoque de la supervivencia de la comunidad que no tuviera como condición ineludible el segundo advenimiento de Cristo y el fin de la historia. A mediados del siglo XVI, dos modalidades de comunidad anabaptista demostraron su viabilidad a pesar incluso de la hostilidad general. La primera fue el movimiento de los seguidores de Menno Simons, llamados «mennonitas», que formaron comunidades quietistas, pacifistas y partidarias del recogimiento, en las provincias más aisladas de los Países Bajos. La segunda fue el movimiento «hutterita», así llamado (como suele ocurrir) no por el nombre de su primitivo fundador, sino por el de Jakob Hutter, que se puso al frente de las comunidades anabaptistas de las aldeas de Moravia. Los hutteritas fueron los pioneros de un experimento de vida en común basado en la comunidad de todas las propiedades. Ninguna de estas modalidades de disidencia religiosa fue totalmente estable, ni desde el punto de vista social ni desde el ideológico. En una comunidad que aspiraba a una verdadera regeneración, las disputas, las desavenencias y los escándalos, que se producían bastante a menudo, podían provocar verdaderas crisis. Ambos movimientos se fragmentaron y se disgregaron en un momento u otro. Los miembros de estas sectas corrían verdadero peligro de afrontar el martirio en caso de ser capturados; algunos se preparaban activamente para esta eventualidad e incluso esperaban que se produjera.

A menudo se incluye en la llamada «ala radical de la Reforma» a otro espécimen totalmente distinto. Los reformadores de la corriente principal habían seguido fieles a muchos elementos del legado del catolicismo occidental tradicional recibido de la Antigüedad tardía, manifestado en las fórmulas latinas de los tres credos tradicionales, la doctrina trinitaria de Nicea y la cristología de Calcedonia. No se trataba de un tradicionalismo irreflexivo: tanto Lutero como Calvino justificaron con elocuencia en sus escritos por qué es cierta la visión de la Trinidad y de Cristo heredada de Occidente. Otros no fueron tan ortodoxos. Entre los que abrazaron las tesis de la Reforma en Italia, una parte significativa —aunque no todos, como solía afirmarse en otro tiempo— fue más allá del protestantismo y derivó por otros derroteros más exóticos. Muchos de esos italianos, los más famosos de los cuales quizá sean Lelio y Fausto Sozzini, huyeron de Italia y buscaron refugio en el mundo religioso casi completamente desorganizado de la Europa del este. Allí entraron en relación con algunos pensadores reformistas autóctonos que habían sometido la teología a las revisiones más radicales, y dejaron sentir su influencia sobre ellos. En la década de 1560 formaron en Polonia lo que pasaría a llamarse la iglesia «menor» o antitrinitaria, que no tardó en constituir una comunidad cerca de Raków, en la finca de un aristócrata seguidor del movimiento. En Transilvania, protectorado otomano en los borrosos confines de la Europa de los Habsburgo y la de los turcos, la deriva hacia el «unitarismo», sistema de creencias que rechazaba que Jesucristo fuera una persona de la Trinidad, se hizo explícita y fue tolerada formalmente por las autoridades locales. En el siglo XVIII, los supervivientes y los descendientes de esos movimientos ejercerían una influencia notable en la Europa y la América de la Ilustración. En el siglo XVI, dicha influencia no existía; bastaba con tener garantizada la supervivencia y evitar los cismas destructivos.

Conclusión

En términos religiosos, las postrimerías del siglo XVI y los comienzos del XVII a menudo parecen una edad de hierro. Donde la Reforma había venido a abrir interrogantes, la época de la ortodoxia confesional, tanto en los países protestantes como en los católicos, los cerró de nuevo. Pero los intentos de trazar una distinción neta entre la «época de la Reforma» y la «época confesional» a menudo han resultado improductivos. La razón es la siguiente: los comentaristas modernos suelen sentirse atraídos por los inicios de la Reforma, debido a su carácter difuso y abierto y a sus posibilidades. Sin embargo, nunca se pretendió que ese carácter difuso fuera permanente: fue una consecuencia secundaria de la búsqueda de una verdad superior, no una finalidad en sí misma. Los religiosos del siglo XVI creían que podía extraerse la verdad absoluta de los textos de las Sagradas Escrituras, y que una vez extraída dicha verdad, debía ser proclamada y defendida de modo absoluto. La rigidez y la militancia de la «época confesional» fue una consecuencia lógica de la Reforma, no una traición a sus ideales. La tragedia del siglo XVII fue que todo el mundo tardó demasiado tiempo en darse cuenta de que un conjunto de dogmas nunca podría —ni debería— tener un predominio absoluto.

6

Europa y el mundo en expansión

D. A. Brading

La expansión de los territorios durante el siglo XVI

En *La riqueza de las naciones* (1776), Adam Smith afirmaba que «el descubrimiento de América y del paso hacia las Indias Orientales a través del cabo de Buena Esperanza son los acontecimientos más grandes y más importantes que recuerda la historia de la humanidad». Añadía que, aunque todos los beneficios y desgracias acarreados por dichos descubrimientos estaban todavía por verse, era ya evidente que algunos países habían encontrado en ultramar mercados amplios y en rápida expansión para sus productos manufacturados. Al mismo tiempo, Smith reconocía sin ambages que «para los nativos de las Indias Orientales y Occidentales todos los beneficios comerciales que puedan haber resultado de esos acontecimientos se han visto disminuidos y malogrados debido a las terribles desgracias que, al parecer, les han ocasionado».

Pero la idea de Smith de que la colonización de Asia y América había equivalido a la aparición de nuevos mercados para los productos manufacturados europeos apenas tiene aplicación para el siglo XVI, pues lo que animó a los exploradores y conquistadores originarios de la península Ibérica fue la búsqueda de especias y de metales preciosos, por no hablar de almas. Por aquel entonces las industrias europeas producían pocos bienes que pudieran ser vendidos en Asia, o que hubieran podido encontrar compradores en América. Además, el carácter y las consecuencias de la colonización ibérica fueron radicalmente distintos en el Viejo Mundo y en el Nuevo. En las Américas, españoles y portugueses conquistaron y colonizaron grandes franjas de tierras y enseguida establecieron en ellas formas de producción europeas y acabaron creando así prósperas industrias exportadoras de azúcar y plata. En cambio, los portugueses entraron en Asia como intérlopes con afán predatorio y establecieron un imperio comercial marítimo basado en la superioridad de su poderío marítimo y sostenido por el suministro de metales preciosos a cambio de pimienta y otras especias.

En efecto, si no tuviéramos en cuenta las Américas, habrían sido los tres «imperios islámicos de la pólvora», a saber los turcos otomanos, los safávidas de Irán y los mogoles de la India, las potencias del siglo XVI que de forma más evidente habrían estado dedicadas a la expansión territorial. Fue en aquella época cuando los otomanos sometieron al mundo árabe, es decir Siria, Egipto y Mesopotamia, y más tarde, en 1529, pondrían sitio a Viena y se anexionarían rápidamente el reino de Hungría. En la India, la dinastía mogol, cuya lengua cortesana era el persa, utilizó mercenarios iraníes y turcos para conquistar el norte del país. En 1565, los tres sultanes musulmanes del Decán derrotaron y destruyeron el último gran reino hindú, Vijayanagra, cuya capital tenía, según ha llegado a calcularse, medio millón de habitantes. Asimismo, fue también durante el siglo XVI y las primeras décadas del XVII cuando el islam consolidó su conquista religiosa de Sumatra y Java, por no hablar de las islas menores del archipiélago de Indonesia. En efecto, el gobierno del sur y del sureste de Asia cayó en manos de una cultura islámica común, árabe e iraní.

Fue sólo en los confines de ese mundo islámico en expansión donde las potencias cristianas lograron arrebatar a los musulmanes el control de unas cuantas provincias. En 1492, los Reyes Católicos de España, Isabel de Castilla y Fernando de Aragón, acabaron la reconquista del populoso emirato de Granada, utilizando cañones para destruir la cadena de fortalezas diseminadas por las montañas que hasta ese momento se habían mostrado inexpugnables. Pero aunque tanto ellos como su heredero, el emperador Carlos V (1517-1554), enviaron varias expediciones al norte de África, no fueron capaces de hacerse con una cabeza de puente firme en ese continente. Además, si bien el rey Juan I de Portugal, fundador de la dinastía de Avís, logró conquistar y retener en 1415 el puerto marroquí de Ceuta, la mayoría de las expediciones realizadas posteriormente por los portugueses al norte de África no lograron cosechar ningún éxito importante o duradero. En efecto, en 1578, el último vástago de la dinastía, el joven rey don Sebastián, sufrió una trágica derrota en la que perecieron prematuramente él mismo y miles de súbditos suyos. Curiosamente, fue en el extremo opuesto de la cristiandad donde Iván el Terrible (1533-1584) se proclamó zar de la tercera Roma, obtuvo el nombramiento del primer patriarca ortodoxo de Moscú, conquistó los canatos tártaros meridionales de Kazán y Astracán en la década de 1550, y llegó a amenazar Crimea, a la sazón en poder de un gobernador musulmán, súbdito de los otomanos. Fueron, pues, estas dos grandes regiones, Rusia y la península Ibérica, otrora devastadas por las invasiones musulmanas, las que en el siglo XVI mostraron una mayor animosidad hacia el mundo islámico. Y de ese modo, los temperamentos teocráticos de Iván el Terrible y de Felipe II de España (1554-1598) encontraron una expresión monumental en la construcción de unos edificios incomparables, el Kremlin y El Escorial.

Las potencias ibéricas y las primeras exploraciones oceánicas

Si las potencias ibéricas dominaron las exploraciones y las conquistas oceánicas, fue sobre todo gracias al príncipe Enrique el Navegante, hijo menor de Juan I de Portugal, que utilizó su herencia y los recursos de la orden militar de Cristo, de la cual era maestre, para colonizar las islas del Atlántico y enviar una serie de expediciones navales con el fin de reconocer y cartografiar la costa occidental de África. En 1425, introdujo colonos en las islas hasta entonces deshabitadas de Madeira y Porto Santo, arrendando tierras a subconcesionarios encargados de su desarrollo. En 1439 organizó la ocupación de las Azores y luego del archipiélago de Cabo Verde, cuando sus navíos llegaron hasta Gambia y Senegal. En 1444 don Enrique «el Navegante» inauguró el tráfico de esclavos del Atlántico, enviando barcos con el cometido de apoderarse de los nativos a los que pillaran desprevenidos. Una década más tarde, sin embargo, sus agentes en Senegal compraban esclavos a cambio de caballos a razón de siete africanos por animal. Cuando murió don Enrique en 1460 habían sido reconocidas ya más de 2.500 millas de costa. En lo que falló fue en su intento de conquistar las islas Canarias, tarea que asumieron enérgicamente hacia 1485 otros agentes con licencia de los Reyes Católicos. Fue en tiempos de Juan II de Portugal (1481-1495) cuando los portugueses establecieron una «factoría» fortificada en la isla de São Jorge da Minha, frente a las costas de Guinea, desde la que continuaron avanzando hacia el sur bordeando la costa hasta la actual Angola. Todo este ciclo de paciente exploración bordeando la costa, que se desarrolló a lo largo de cincuenta años, culminó con el viaje de Bartolomé Dias, quien en 1487-1488 costeó pacientemente el continente africano hasta la bahía de Walvis, en la actual Namibia, desde la cual los vientos lo obligaron a salir a mar abierto; tardó trece días en avistar tierra de nuevo y llegar a la costa oriental de Sudáfrica, lo que supuso la apertura de la ruta hacia la India.

Cuando los ibéricos llegaron a la India y a las Américas, lo hicieron a bordo de unas embarcaciones, en su mayoría carabelas, que en términos de construcción naval representaban la fusión de la galera mediterránea, estrecha y provista de vela latina, y los barcos «redondos» de vela cuadrada propios del litoral atlántico. Apareció así el típico navío del siglo XVI, de tres o cuatro palos, de los cuales el de trinquete y el mayor llevaban velas cuadradas y el de mesana velas latinas, y provisto de «castillos» en uno o en ambos extremos. Pero la navegación oceánica dependía del empleo sistemático de la brújula, de la observación de la Estrella del Sur con el cuadrante y el astrolabio, del cálculo diario del avance realizado y evidentemente de la difusión de las cartas de marear y de los cálculos aritméticos. En efecto, a medida que los portugueses fueron avanzando hacia el sur, se creó un corpus acumulativo y colectivo de conocimientos empíricos, conservados en mapas divididos por líneas de longitud y latitud y complementados por la experiencia práctica de las corrientes y los vientos. El tercer elemento de todo este proceso fue la aplicación de la artillería a las embarcaciones, que irían provistas de cañones de medio calibre colocados debajo del puente en el combés, con portañolas que podían cerrarse cuando arreciaban las olas. Cuando Francis Bacon declaraba en su *Novum Organum* (1620) que la imprenta, el uso de la pólvora y la brújula habían cambiado «la apariencia y la condición de las cosas en todo el globo», implícitamente estaba reconociendo el papel desempeñado por las «fortalezas flotantes» europeas en Asia y América. Además, gracias a la «revolución de la imprenta» del siglo XV, la noticia de los descubrimientos y conquistas ultramarinas de las potencias ibéricas llegaría fácilmente a todos los rincones de Europa.

Las grandes hazañas de la navegación a través del Atlántico y del océano Índico no habrían cambiado, a pesar de su audacia, la historia del mundo si los monarcas ibéricos no hubieran actuado con rapidez y no hubieran convertido sus «descubrimientos» en un imperio mediante el envío de sucesivas expediciones armadas para defender y ampliar sus nuevas posesiones. Tanto en Portugal como en Castilla la corona atrajo los servicios de la nobleza, formada por aristócratas al frente de una multitud de caballeros empobrecidos, y por pequeños hidalgos dispuestos a viajar a las Indias en busca de fortuna. Aquellos hombres podían labrarse una fortuna personal y al mismo tiempo servir a los intereses del rey, pero de una u otra forma contribuyeron en todo momento a desarrollar la economía colonial. Simultáneamente, la producción y el comercio ultramarino fueron financiados a menudo por el sistema comercial y bancario europeo, actuando como intermediarios los mercaderes genoveses establecidos en Lisboa y Sevilla. Las primeras llegadas de oro de la Española y de pimienta de la India fueron inmediatamente objeto de comentarios en los círculos financieros de Flandes, el sur de Alemania y las repúblicas italianas: de ese modo se tendieron líneas de crédito que iban de un lado a otro de los océanos. De hecho, la capacidad de los monarcas ibéricos de mantener sus imperios ultramarinos dependió en parte de los préstamos y de los créditos del sistema bancario internacional, especialmente en el caso de España que, con Carlos V, se convirtió en el centro de la principal monarquía europea.

Cuando Cristóbal Colón, marino genovés con una larga experiencia en el comercio portugués de África, se aventuró a cruzar el Atlántico en 1492 con tres carabelas y noventa hombres, a través de unas aguas desconocidas, sin pisar tierra durante treinta días, contaba con llegar a la costa occidental de Asia. Una vez allí, escribía, esperaba convertir al cristianismo al gran khan del Catay y luego formar una gran alianza contra el islam con el fin de liberar Jerusalén del poder de los musulmanes. Cuando llegó al Caribe, tomó posesión de la Española y de otras islas en nombre de sus patronos, los Reyes Católicos de España. A su regreso, éstos obtuvieron de Alejandro VI una bula papal (1493) que concedía a los soberanos de Castilla el dominio de las islas y la tierra firme de la mar océana, aunque con la condición de fomentar la conversión de los habitantes de sus nuevos dominios. Al año siguiente, con aprobación del Sumo Pontífice, los Reyes Católicos firmaron con Juan II de Portugal el tratado de Tordesillas, en virtud del cual las dos potencias ibéricas se repartían las posesiones de ultramar fijando los límites de cada una con arreglo a una serie de líneas longitudinales burdamente trazadas. A este tratado se debió el hecho de que cuando en 1500 Pedro Alvares Cabral, de viaje a la India, fue alejado por los vientos de su rumbo y descubrió Brasil, tomara posesión inmediatamente de aquellas tierras en nombre del rey de Portugal. Pero los límites entre las dos potencias ibéricas en Asia no se fijarían hasta 1519-1523, cuando Fernando de Magallanes, marino portugués que había navegado en aguas de la India, intentara dar la vuelta al mundo en nombre de Carlos V. Magallanes entró en el Pacífico por el estrecho que aún lleva su nombre, pero cayó víctima de un ataque de los nativos de las Filipinas, y dejó a Juan Sebastián Elcano la tarea de completar el viaje de regreso, que duraría casi otros tres años.

Aunque la noticia de los descubrimientos de Colón se difundió rápidamente por toda Europa, sería un aventurero florentino, Amerigo Vespucci, que participó en una expedición portuguesa a Brasil, el encargado de definir su verdadera importancia en su *Novus Mundus* (*c.* 1503), breve relato escrito en el elegante latín del Renacimiento. Efectivamente, en él se celebraba la existencia de un nuevo continente, lleno de árboles enormes y espesos bosques, poblado por incontables especies de aves y otros animales desconocidos por los naturalistas antiguos, en el que hasta los cielos mostraban unas constelaciones distintas. Además, los nativos de aquellas tierras iban desnudos, convivían en libertad unos con otros, poseían todas las cosas en común sin las trabas impuestas por la ley, la religión o la propiedad privada, y sin la molestia de tener que obedecer a ningún rey o señor. Las relaciones sexuales estaban gobernadas por una libertad análoga: la promiscuidad era la norma y el matrimonio era desconocido. Aunque Vespucci admitía en sus *Cartas*, de fecha posterior, que los nativos estaban enzarzados en luchas continuas y se comían gustosamente la carne de sus cautivos, esa primera imagen suya de paraíso tropical en el que el hombre vivía una vida natural hechizaría la mente de los europeos. Como tributo a la exuberante descripción de Vespucci, cuando Martin Waldseemüller recibió en 1507 el encargo de elaborar un mapa del mundo, el cartógrafo alemán tuvo la osadía de llamar «América» al continente recién descubierto, aunque reservando este nombre únicamente a las masas continentales del sur.

Pese a ser nombrado almirante y virrey por los Reyes Católicos, Colón demostró que no estaba capacitado para gobernar a los indómitos aventureros castellanos que llegaron al Nuevo Mundo, de modo que Nicolás de Ovando, noble caballero de la orden militar de Alcántara, fue nombrado gobernador de la Española (1502-1509), a la que llegó con treinta navíos y 2.500 hombres. Al cabo de poco tiempo, la isla fue dotada de una tesorería real, una audiencia y un obispado. Pero para explotar sus recursos, Ovando introdujo la institución de la «encomienda», sistema en virtud del cual se confiaba a un colono español un determinado número de indios, con la obligación de trabajar gratuitamente para él y de pagarle tributos en especie, a cambio de protección y de instrucción en la fe de Cristo. En la práctica, este reparto de la población nativa suponía de hecho el refrendo de su esclavización y tan onerosas serían las obligaciones impuestas que muchos perecieron prematuramente, pues no estaban acostumbrados al trabajo diario y debían complementar su dieta a base de cazabe, hecho de mandioca, con alguna pieza de caza. Cuando el suministro de mano de obra existente se redujo, los españoles atacaron las islas menores de las Antillas y esclavizaron a sus habitantes con el pretexto de que eran caníbales. Pese a todo, los beneficios de la extracción de oro en los lavaderos de la Española fueron suficientes para que los castellanos emprendieran entre 1508 y 1511 expediciones destinadas a la conquista y colonización de Puerto Rico, Jamaica y Cuba. Hasta 1513 la corona de Castilla no envió una nueva expedición al mando de Pedrarias Dávila, con unos 2.000 hombres, muchos de ellos veteranos de las guerras de Italia, para que tomaran posesión de Darién, en el Panamá actual. Para explotar los yacimientos de oro encontrados en este territorio, los conquistadores esclavizaron a los nativos de la región y utilizaron mastines de caza para asesinar a los que se resistían a sus demandas. Tales fueron los estragos causados por los españoles en el Caribe, por no hablar del impacto de las enfermedades epidémicas, que en la década de 1520, cuando se establecieron plantaciones de caña de azúcar en la Española, fue preciso importar esclavos de África. En esta última fase, fueron introducidas en el Nuevo Mundo las técnicas de producción desarrolladas por los portugueses en las islas de Madeira y São Tomé.

Las conquistas de México y Perú

El carácter y la escala de la colonización española sufrieron una drástica transformación en 1519-1521, cuando Hernán Cortés, un «encomendero» de Cuba, logró someter al imperio azteca. Los primeros conquistadores de México-Tenochtitlán no olvidarían nunca la grandeza de aquella ciudad-isla de 150.000 habitantes, dominada por el gran templo en forma de pirámide escalonada en el que se celebraban regularmente sacrificios humanos. La cuenca central de México albergaba, según se ha calculado, a casi un millón de habitantes, mantenidos gracias a un sistema de agricultura intensiva a base de terrazas de regadío e islas artificiales de exuberante vegetación, que producía dos cosechas al año. En efecto, los españoles se encontraron con una civilización avanzada, completamen-

te autóctona, cuya sociedad estaba dividida en un campesinado sedentario, una serie de centros urbanos en los que vivían los artesanos, una
nobleza guerrera y un clero claramente distinguido del resto de la población, por no hablar de los templos piramidales, los palacios y las dinastías imperiales. Pero era también una civilización que, a pesar de sus
grandes dotes para la agricultura, dependía de la fuerza humana para las
labores de transporte y tracción, y que todavía no utilizaba herramientas
ni armas de metal, ni siquiera conocía la rueda. Los mexicas eran una tri-
bu guerrera, relativamente recién llegada al Valle Central, cuyo imperio
era el último vástago político de una civilización que se había desarrollado de manera irregular a lo largo de dos mil años. Aunque Cortés escribió lleno de entusiasmo a Carlos V: «Vuestra Alteza... se puede intitular
de nuevo emperador de ella, y con título y no menos mérito que el de Alemania, que por gracia de Dios vuestra sacra majestad posee», México no
ofreció a los conquistadores unos tesoros inmediatos, pues el tributo imperial recaudado por los aztecas consistía en un gran número de arcas
cargadas de maíz y haces de telas de algodón, sobre los cuales se disponían
las pieles de jaguar y las plumas de águila que lucían los guerreros.

España apenas había tenido tiempo de digerir las emocionantes noticias llegadas de México, cuando en 1532-1535 Francisco Pizarro, un antiguo encomendero de Darién, se puso al frente de una pequeña expedición a la zona montuosa de los Andes y se hizo con el control del imperio
inca. Y allí los conquistadores obtuvieron de los nativos una enorme cantidad de oro y plata, como rescate por su emperador Atahualpa, al que habían capturado y al que luego ejecutarían. Además, mientras que los mexicas habían establecido un dominio rapaz basado en el terror, los incas
exigían de los pueblos a los que habían conquistado grandes contingentes
de mano de obra, utilizada no sólo para edificar fortalezas y templos, sino
también para construir terrazas y canales de riego que permitieron un incremento enorme de la producción agrícola. Además, distribuían rebaños
de llamas por todo su imperio, que se extendía desde el Ecuador hasta el
norte de Chile. Para mantener a su ejército operativo, los incas edificaron
una enorme serie de almacenes repletos de armas, productos textiles y alimenticios, y construyeron dos caminos, uno a lo largo de la costa y otro a
través de las montañas, que conectaban los confines más remotos del imperio con la capital, Cuzco. Hasta hoy día, la maestría y la sólida presencia de sus construcciones de piedra impresionan a los visitantes de Machu
Picchu y Cuzco. Pero, al igual que los mexicas, los incas carecían de herramientas y armas de metal, y desconocían la rueda. Con la violenta irrup-

ción de los españoles, su dominio se vino abajo y los pueblos a los que habían conquistado dejaron de serles leales.

El sometimiento de estos grandes imperios fue llevado a cabo por un número relativamente pequeño de conquistadores —Cortés entró en México con 500 hombres, y Pizarro estaba al mando de 169— armados de espadas de acero, ballestas, arcabuces, un número relativamente pequeño de jinetes y una cantidad de cañones todavía más pequeña. Los conquistadores se denominaban a sí mismos «compañeros», no soldados, y sus contemporáneos los calificaban de «hombres de bien, que nacieron pobres e obligados a seguir el hábito militar, que es una regla harto más estrecha que la de Cartujo e de mayor peligro». Cuando hacían una «entrada», esto es una expedición, formaban una «compaña», es decir una compañía libre, que recordaba a las que habían combatido en Francia durante la guerra de los Cien Años, unidas por la esperanza de obtener botín por medio del saqueo, pero sometidas a la autoridad de su capitán o «caudillo», que mantenía una disciplina relajada, pero sumarísima. En efecto, la conquista y la colonización supusieron todo un derroche de energía, sostenida por el creciente número de aventureros que acudían como moscas al Nuevo Mundo, en su mayoría para morir de forma prematura, aunque dejando tras de sí una audaz casta de hombres de frontera capaces tanto de soportar los rigores del clima y las privaciones, como de responder a las exigencias de la guerra. En todo esto proceso, el papel de la corona de España se limitó a conceder a los caudillos que capitaneaban las empresas una «capitulación» o licencia para someter y administrar un determinado territorio, aunque con la obligación de enviar al rey una quinta parte, la «quinta real», de todos los metales preciosos obtenidos.

No eran, sin embargo, los beneficios fortuitos de la conquista lo que tenían por objetivo los conquistadores de México y Perú, sino la pacificación y el reparto de la población nativa en las «encomiendas». Además, a diferencia de lo ocurrido en el Caribe, las encomiendas de Mesoamérica y de la zona andina se llevaron a cabo a partir de comunidades étnicas y señoríos comarcales, de modo que la movilización de la mano de obra y la recaudación de los tributos pudieran ser delegadas en la nobleza nativa. Consecuencia de todo ello fue que las encomiendas distribuidas por Cortés y Pizarro fueran muy grandes, pues en México comprendían por regla general al menos a 5.000 tributarios, indios varones de entre 18 y 55 años, y en Perú podían alcanzar incluso los 10.000. Los encomenderos de la primera generación tenían la obligación de establecer su residencia en una ciudad española próxima a sus encomiendas, donde generalmente desempeñaban la función de concejales y magistrados, de modo que aunque la encomienda no concediera a su titular ninguna jurisdicción civil o penal, el papel de los encomenderos como concejales y magistrados urbanos les permitía asignar las tierras vacantes, ocupadas en otro tiempo por templos o por la dinastía imperial, y regular la afluencia de mano de obra nativa siempre que fuera necesario. En efecto, los encomenderos constituirían una nobleza colonial abierta al ingreso de nuevos miembros, y cada uno de ellos, al menos en Perú, daba sustento a casi otros diez españoles, a los que utilizaba para diversos fines.

La importancia fundamental de las encomiendas para los primeros conquistadores puede demostrarse examinando la variedad de sus empresas. En la Nueva España, como fue rebautizada Anáhuac, Hernán Cortés estableció su capital y construyó su palacio entre las ruinas de México-Tenochtitlán, deseoso de heredar el prestigio cosmológico de la ciudad azteca. A la hora de distribuir las encomiendas, se premió a sí mismo con 23.000 tributarios nativos y, con esa mano de obra gratuita, explotó las minas de plata de Tasco, estableció lavaderos de oro en Oaxaca, puso plantaciones de caña de azúcar a lo largo del golfo de México, construyó naves en Tehuantepec para comerciar con América Central y con Perú, roturó campos para dedicarlos al cultivo de trigo e importó reses de ganado vacuno, caballos y ovejas para su cría y explotación. En Perú, Francisco Pizarro desoyó las reclamaciones de la Cuzco imperial y erigió una nueva capital en Lima, situada cerca de la costa del Pacífico, en las inmediaciones de Callao. Se asignó 25.000 tributarios en régimen de encomienda y utilizó sus servicios para plantar coca a lo largo de la ladera oeste de los Andes, trigo y maíz en los valles de montaña y caña de azúcar en la costa. Además, se dedicó al flete de barcos en la costa del Pacífico con destino a Panamá y abrió almacenes para el comercio en Lima y en otros lugares. Su hermano, Hernando, que recibió 6.250 tributarios indios, se dedicó al cultivo de coca y envió grandes contingentes de mano de obra a trabajar en las minas de plata de Potosí. Se calcula que la «empresa» o conjunto de empresas de los hermanos Pizarro llegó a dar empleo a más de 400 españoles, encargados de la gestión de sus múltiples intereses, con líneas de crédito que se extendían desde Sevilla hasta Cuzco. De hecho, los encomenderos se movieron con gran rapidez y pusieron los cimientos de la economía europea en el Nuevo Mundo, con la ventaja de emplear mano de obra gratuita, reclutada a la fuerza.

La Iglesia en la Nueva España: respuestas éticas a la conquista

En 1524, Hernán Cortés se hincó de rodillas en presencia de la nobleza española e india, congregada en Ciudad de México, y besó la mano de fray Martín de Valencia, el ascético líder de un grupo de doce misioneros franciscanos que habían venido caminando descalzos desde Veracruz. A aquellos frailes mendicantes, a los que no tardarían en sumarse otros de la orden de los dominicos o los agustinos, se confió la tarea de convertir a la población nativa. Al final, los frailes arrasarían los templos paganos, destruirían sus ídolos, quemarían los códices, considerados signos de nigromancia, y prohibirían toda celebración de los ritos paganos. Cualquier cacique o sacerdote que intentara preservar la antigua religión del país podía ser azotado, encarcelado, desterrado o incluso, en alguna ocasión, quemado en la hoguera. En sustitución de la antigua religión indígena, los frailes aprovecharon todos los recursos de la liturgia católica y el esplendor de sus nuevas iglesias para atraer a los indios, celebrando con gran pompa las principales fiestas del calendario litúrgico. A finales de la década de 1540, se confió a estos frailes mendicantes la gran tarea de reasentar a las comunidades indias, concentrando los poblados aislados, diseminados aquí y allá, en ciudades diseñadas todas ellas según el sistema ortogonal, a partir de una plaza central cuadrada, dominada por la iglesia parroquial y las instituciones conciliares de la nobleza nativa.

Los franciscanos de México actuaron animados por el deseo de volver a la sencillez primitiva de los primeros tiempos de la Iglesia e interpretaron la conversión de los indios de la Nueva España como una recompensa divina por la herejía protestante que se había adueñado del norte de Europa. Desde el principio, invitaron a los hijos de la nobleza indígena a vivir en sus conventos y posteriormente utilizaron como intérpretes a sus jóvenes discípulos. Dedicaron grandes esfuerzos a aprender las lenguas indígenas y, con la ayuda de sus discípulos nativos, elaboraron catecismo, himnos y sermones en las principales lenguas. Más tarde publicaron gramáticas y vocabularios y llevaron a cabo estudios exhaustivos de la religión, la cultura y la historia de los indígenas. Emplearon en sus iglesias a pintores nativos, instruidos por ellos mismos, y formaron coros y pequeñas orquestas para la liturgia. El primer libro editado en el Nuevo Mundo fue publicado en México en 1539 por Juan de Zumárraga, el primer obispo de la ciudad, y era un resumen de la doctrina cristiana «en lengua mejicana y en castellano».

Aunque las conquistas de México y Perú causaron a todas luces una gran pérdida de vidas humanas y supusieron la quiebra del orden social, se evitaron en buena parte los peores excesos cometidos en el Caribe, sobre todo porque tanto los encomenderos como los frailes se apoyaron en la nobleza nativa para movilizar a la mano de obra india. La situación sufrió una gran transformación debido a la llegada de enfermedades epidémicas, cuyas consecuencias se agravaron a causa del aislamiento del hemisferio americano, y que acabaron con la inmunidad o resistencia de la población nativa a dolencias como la viruela, el sarampión, el tifus, la peste bubónica o la fiebre amarilla. Durante el asedio de México-Tenochtitlán, los habitantes de la ciudad perecieron de viruela, enfermedad que se contagió a Perú antes incluso de que los españoles llegaran al país. Todo esto dio lugar a una verdadera catástrofe demográfica. En la Nueva España la población descendió de los diez millones que se calcula que había en 1519 a menos de un millón de almas en 1600. La tendencia fue más o menos la misma en la zona andina, más pronunciada en la costa, y menos rápida en los valles de alta montaña, aunque al final adquiriera más o menos la misma magnitud. En algunos lugares, la dieta pobre que tenían los campesinos indígenas antes de la conquista, la posterior destrucción de la economía de mando en la producción agrícola y la introducción de ganado europeo contribuyeron a magnificar el desastre.

Fueron los horrores de la explotación española en el Caribe y la rápida desaparición de la población nativa lo que impulsó a fray Bartolomé de las Casas (1483-1566), dominico y antiguo encomendero, a emprender durante el resto de su vida una campaña de defensa de los derechos de los indios y de condena de los abusos de los conquistadores. Gracias a su virulento tratado, posteriormente publicado con el título de *Brevísima relación de la destrucción de las Indias* (1522), Carlos V promulgó en 1542 las Nuevas Leyes de Indias, que emancipaban a todos los esclavos indígenas y abolían el derecho que tenían los encomenderos a exigir la prestación de servicios gratuitos de trabajo a los indios, quienes en adelante sólo tendrían que pagar tributos en metálico o en especie. Igualmente importante era la provisión que afirmaba que cualquier trabajo realizado por los indios para los españoles debía ser pagado a jornal. Pese a las airadas protestas de los colonos, las medidas acabaron por ponerse en vigor. Pero tal fue el revuelo provocado por las acusaciones del padre De las Casas, que en 1551-1552 el emperador convocó un «debate» entre el dominico y Juan

Ginés de Sepúlveda, clérigo humanista, acerca de la justicia de la conquista española. Lo que hizo tan fascinante la discusión fue que los argumentos se centraron en la naturaleza de los indios, es decir en si eran «serviles» y verdaderamente incapaces de gobernarse a sí mismos o no, y en si el gobierno de los incas y los mexicas era «tiránico» o benigno. Para sustentar su defensa, fray Bartolomé de las Casas se vio obligado a reunir una gran cantidad de información acerca de los regímenes existentes antes de la conquista, de los que decía que eran iguales en justicia y civilización a los del mundo clásico de Roma y Grecia.

Mientras que el primer virrey de la Nueva España, Antonio de Mendoza (1535-1551), aplicó las Nuevas Leyes de Indias con gran prudencia, en Perú el nuevo virrey intentaría arrebatar sus concesiones a los grandes encomenderos y provocó una rebelión encabezada por Gonzalo Pizarro, que llegó a suponer una amenaza para el dominio real. A Felipe II (1554-1598) le tocó la tarea de convertir aquellos reinos ultramarinos en posesiones rentables. Tras la cuidadosa visita llevada a cabo por ciertos juristas de su confianza, nombró a dos nobles gentilhombres del rey, Francisco de Toledo (1569-1581) y Martín Enríquez (1568-1580), virreyes de Perú y México respectivamente. Ambos lograron aumentar la afluencia de rentas a España y fortalecer la autoridad real mediante el nombramiento de corregidores y alcaldes mayores, magistrados locales que, en adelante, serían responsables de la recaudación del tributo de los indios, reduciendo así a los encomenderos a la condición de pensionistas de la corona. Al mismo tiempo se incrementó el número de tesorerías reales y de audiencias. Fue en ese mismo período en el que se estableció la Inquisición en ambos países.

El establecimiento de una sociedad hispánica en el Nuevo Mundo

El logro más sorprendente de esta época se produjo en Perú, donde el virrey Francisco de Toledo llevó a cabo una investigación a fondo de los principios y la práctica del gobierno de los incas; llegó a la conclusión de que sus príncipes habían comprendido que «la inclinación y naturaleza de los indios eran la ociosidad y la indolencia», de modo que era preciso recurrir a la coerción si se quería movilizar al campesinado para que prestara servicios de trabajo. El primer resultado de sus indagaciones fue un programa de reasentamiento masivo en virtud del cual los indios fueron concentrados en pueblos dominados por la iglesia parroquial. Al mismo tiempo, fue reforzada la autoridad de los *kurakas*, los caciques indios, y se aseguró su lealtad mediante el pago de un salario que era deducido de los tributos reales. Se cortó de raíz cualquier nostalgia del pasado inca mediante el asesinato legal de Tupac Amaru, el último soberano de un pequeño principado de la cordillera. Y lo que es más importante, Toledo actuó resueltamente con el fin de revigorizar la industria minera de Potosí, cuyos depósitos más ricos habían ido agotados por los encomenderos y los *kurakas*. Llevó a cabo experimentos con el fin de demostrar que los minerales de baja calidad podían ser refinados si se mezclaban con mercurio y otras sustancias, y de ese modo transformó la industria, pues los empresarios españoles sustituyeron los sencillos hornos de barro de los indios por plantas de refinado mucho mayores provistas de patios, albercas y norias. Localizó asimismo abundantes depósitos de mercurio en Huancavelica, en el centro de Perú, y arrendó su producción a mineros independientes.

Por último, invocando un precedente inca, Toledo no dudó en resucitar la *mita*, una requisa obligatoria de servicios de trabajo que afectaba a la séptima parte de los varones adultos, reclutados en catorce provincias, a lo largo de una zona que se extendía desde Potosí casi hasta Cuzco, lo que le permitió disponer de 13.500 hombres para que trabajaran en Potosí. Por aquel entonces las minas daban empleo a un gran número de trabajadores cualificados, atraídos por los elevados salarios, de modo que la función de la *mita* consistió en suministrar grandes cantidades de mano de obra barata que cobraba menos de la mitad de lo que se pagaba a los trabajadores fijos. Pero el resultado de la innovación tecnológica, de la inversión de capital y de la movilización de la mano de obra fue un drástico aumento de la producción, hasta tal punto que, si la quinta real había caído por debajo de los 200.000 pesos anuales en 1569, diez años más tarde había subido a más del millón de pesos. Fue la afluencia de plata procedente sobre todo de Potosí durante la década de 1580 lo que salvó a Felipe II de la bancarrota y lo que le permitió llevar a cabo sus aventuras militares en Europa. De hecho, el trabajo del campesinado andino financió la hegemonía de la monarquía española y, como veremos, permitió a Europa mantener su balanza comercial en Asia.

En la Nueva España, la catástrofe demográfica, todavía más evidente tras el recrudecimiento de la peste en 1576, obligó a los encomenderos y a otros colonos españoles a obtener de los virreyes concesiones de tierras en las regiones del centro y del sur, y de ese modo fueron creando poco a poco grandes haciendas, algunas utilizadas como simples granjas ovinas, otras dedicadas al cultivo del trigo y del maíz, y unas pocas, en la zona semitropical de Morelos, a la caña de azúcar. Obtenían mano de obra mediante el sistema de «repartimientos», en virtud del cual los magistrados locales repartían el 10 por 100 de la población de varones indios disponibles, aunque sólo a una distancia moderada. Las minas de plata del centro de México, como las de Tasco, Pachuca, y Real del Monte, se beneficiaron de este reclutamiento forzoso de mano de obra. Sin embargo, el descubrimiento en 1546 de grandes depósitos de plata en Zacatecas, seguido de la localización de otros yacimientos más pequeños, situados todos en los territorios del norte, lejos de los confines del campesinado sedentario de Mesoamérica, dio lugar a la aparición de una forma distinta de reclutamiento de mano de obra. Como entre los mexicas no existían precedentes de alistamiento forzoso de trabajadores procedente de lugares alejados, los mineros de Zacatecas se vieron obligados a atraer a trabajadores indios libres, procedentes de la zona central de México, mediante la oferta de salarios altos; los emigrantes llegaron en grupos y se establecieron con sus compatriotas en diversas aldeas situadas alrededor de la ciudad. Por su parte, los mineros vascos que dominaban la industria se convirtieron en gobernadores reales de esos territorios del norte, obtuvieron la concesión de grandes extensiones de tierra y desarrollaron enormes granjas de ganado ovino. De hecho, la conquista de Nuevo México en la década de 1590 fue financiada en su totalidad por los hijos de esos mineros vascos.

Si el envío de la quinta real permitió a Felipe II ampliar su crédito con los banqueros alemanes, por ejemplo con los Fugger, el producto de las minas de plata de América fue el que sostuvo el comercio transatlántico. Más del 80 por 100 de las exportaciones procedentes de México y Perú consistía en metales preciosos, en su mayoría plata, a los que habría que añadir tintes y maderas finas. A cambio, las colonias importaban sobre todo tejidos lujosos, que suponían al menos el 75 por 100 del valor total de las importaciones, además de vino, papel y productos de hierro. Debido a los ataques de los corsarios franceses, a partir de 1564 el comercio atlántico se realizaría en dos convoyes anuales, uno con destino a Veracruz, y otro con destino a Nombre de Dios, en Panamá, desde donde el cargamento era transportado a través del Istmo y luego embarcado de nuevo con destino a Lima. Tales eran los beneficios y la importancia de este

comercio que muchos mercaderes españoles establecieron permanente-
mente su residencia en México y en Lima, y a menudo poseían almacenes adicionales en las ciudades de provincia y en los principales centros
mineros. Los mercaderes más ricos sólo tuvieron que dar un pequeño
paso para empezar a conceder crédito a los empresarios de las minas de
plata y verse de ese modo implicados en la producción. La posición social de esos grandes mercaderes dedicados a la importación quedó reco-
nocida con la creación en 1592 de un gremio de comerciantes o consulado
en la ciudad de México, y se fundó otro en Lima en 1613. Estos organismos estarían dominados por inmigrantes españoles hasta la llegada de la
independencia. Los miembros más destacados de los consulados a menudo adquirían haciendas y por su riqueza llegarían a igualar o incluso
a sobrepasar a los grandes terratenientes y empresarios de las minas de
plata.

Hacia 1600 el imperio español en América comprendía los dos virrei-
natos de Nueva España y de Perú y once tribunales superiores o audiencias, situadas en Guadalajara, Ciudad de México, Guatemala, Panamá,
Santo Domingo, Santa Fe de Bogotá, Quito, Lima, Charcas (la actual Su-
cre), Santiago de Chile y Manila. Todas estas ciudades, excepto Guadalajara, estarían destinadas a convertirse en capitales de repúblicas independientes. En el ámbito espiritual, esos mismos territorios albergaban seis
arzobispados, treinta obispados y 906 canonjías catedralicias. En Nueva
España había 149 corregidores y en Perú unos 70. Había tesorerías reales en las capitales, los puertos y los campos de minas. Este majestuoso
edificio imperial fue levantado gracias al trabajo del campesinado indígena, con la ayuda en algunos lugares de los 75.000 esclavos africanos importados en el siglo XVI, pero también gracias al esfuerzo y la energía de
los 56.000 colonos españoles que tenemos registrados, una cuarta parte
de los cuales, en las cuatro últimas décadas del siglo, fueron mujeres. Evidentemente, puede que llegaran al Nuevo Mundo muchos más españoles
y algunos especialistas elevan sus cálculos hasta 250.000 individuos, aunque la mitad de esa cifra parece bastante más probable, pues en la década
de 1560 Nueva España sólo contaba con 10.000 «vecinos» españoles, la
mitad de los cuales residía en la capital. En esa misma década unos 6.000
españoles vivían en Perú, y sólo uno de cada ocho era de sexo femenino.
En los últimos años del siglo encontramos abundantes referencias al número cada vez mayor de «castas», es decir individuos de orígenes étnicos
mixtos, mestizos y mulatos, que formarían un grupo intermedio entre las
dos comunidades, las dos «repúblicas», la de los indios y la de los españoles.

En el año 1600 encontramos también testimonios de los primeros brotes de una conciencia criolla, es decir de los primeros memoriales escritos por españoles nacidos en América, descendientes de los conquistadores y encomenderos, que protestaban amargamente por la pérdida de su herencia y el enriquecimiento cada vez mayor de los mercaderes inmigrados. La llegada de los jesuitas en 1569-1571 a México y a Perú había dado lugar al establecimiento inmediato de una serie de colegios que proporcionaron una educación a los jóvenes criollos y que les permitieron más tarde acceder a las universidades fundadas en 1551 en México y Lima. Los titulados de estas instituciones, a menudo miembros de una élite empobrecida, pasaron a formar parte del clero o solicitaron cargos en la burocracia civil. Se trataba de hecho de toda una sociedad hispánica recreada en el Nuevo Mundo.

El imperio portugués

En julio de 1497, Vasco de Gama (1469-1524), noble portugués y caballero de la orden militar de Santiago, zarpó de Lisboa con tres pequeñas naves, un barco de provisiones y 190 hombres. Tras llegar a las islas de Cabo Verde, se adentró en el Atlántico y puso rumbo al sur; a continuación se dejó llevar por los vientos alisios hacia el este y pasó noventa días sin avistar tierra antes de llegar a Sudáfrica. Tras doblar el cabo de Buena Esperanza, se aventuró hacia el norte y pasó cuatro meses visitando los pequeños sultanatos musulmanes que salpicaban la costa africana desde Mozambique hasta Malindi. Allí contrató los servicios de un piloto de Gujarat, de religión musulmana, que guió a la expedición a través del océano Índico hasta alcanzar el puerto de Calicut, en la costa malabar, en mayo de 1498. El hecho de que transcurrieran nueve años entre el regreso de Bartolomé Dias y la partida de Vasco de Gama se debió en parte a una crisis sucesoria en el trono del país y en parte también al vuelco que supuso el descubrimiento de América. Al rey Manuel I (1495-1521), un monarca culto y visionario que soñaba con liberar Jerusalén formando una alianza con el Preste Juan, el legendario rey cristiano de la «India», le tocó reanudar la búsqueda de una ruta directa a esa tierra todavía misteriosa. Cuando Vasco de Gama regresó de la India —llegó a Lisboa en julio de 1499—, Manuel I asumió inmediatamente el pomposo título de «Señor de la Conquista, Navegación y Comercio de Etiopía, Arabia, Persia y la India», y comunicó la noticia de su «descubrimiento», término que Amerigo Vespucci habría de poner en entredicho, al papa y a los Reyes Católicos, Isabel y Fernando.

Si el empleo del término «descubrimiento» parecía inadecuado era porque Vasco de Gama y sus hombres se encontraron con que los puertos del océano Índico estaban llenos de mercaderes musulmanes con sus embarcaciones. En efecto, cuando uno de los miembros de la expedición bajó a tierra en Calicut, se encontró a «dos moros de Túnez que sabían hablar castellano y genovés», los cuales exclamaron al verlo: «¡Que se os lleve el diablo! ¿Qué os ha traído aquí?». El portugués respondió: «Venimos en busca de cristianos y de especias». En efecto, buena parte de la India era una extensión de Oriente Medio y estaba unida a esa región por siglos y siglos de comercio y de religión común. En realidad, los portugueses esperaban encontrar noticias del Preste Juan y cuando entraron por primera vez en los templos hinduistas de Calicut, identificaron su culto como una forma aberrante de cristianismo. Cualquier esperanza de alianza contra el islam que pudieran abrigar se vino abajo al ver la manera despectiva en que el príncipe hindú de Calicut, el Zamorín, rechazó los mezquinos regalos de Vasco de Gama por considerarlos indignos de un mercader, y más aún del enviado de un monarca.

Cuando Vasco de Gama regresó a la India en 1502, fue acompañado de trece navíos y mil hombres, y llevó consigo plata de Europa y oro en polvo obtenido en África oriental. Para vengar el ataque sufrido por una expedición portuguesa anterior, bombardeó Calicut, convencido ya de que el hinduismo no era más que una variedad de paganismo. Por eso atacó y hundió también un barco de peregrinos musulmanes que regresaban de La Meca, pese a las promesas de rescate en dinero que le hicieron sus ocupantes. En una palabra, extendió la guerra de los portugueses contra el islam hasta las riberas del océano Índico. Además, utilizó su plata y su oro para comprar un rico cargamento de pimienta y otras especias, y cuando regresó a Portugal, dejó cinco embarcaciones con sus respectivas tripulaciones para defender la «factoría» que había establecido en Cochín. En aquellos primeros años de «descubrimientos» (1501-1505), el rey don Manuel I despachó con destino a Asia ni más ni menos que 81 y 7.000 hombres.

A Alfonso de Albuquerque, virrey efectivo de 1509 a 1515, le tocó la tarea de poner los cimientos del imperio marítimo de Portugal en Asia. Por entonces, las expediciones habían surcado el océano Índico de un extremo a otro, atacando naves y puertos musulmanes, hasta tal punto de que los mamelucos que gobernaban Egipto decidieron enviar una gran flota para poner fin a sus incursiones. Pero aquella flota, compuesta por galeras, fue destruida por los portugueses en 1509. Y lo que es más importante, Albuquerque conquistó la ciudad insular de Goa en 1510 y al año siguiente asaltó Malacca (Merlaka), el populoso puerto que dominaba el estrecho que separa la moderna Malaya de Sumatra. Además, en 1515, como no pudo conquistar Adén, el puerto fortificado que protege la entrada al mar Rojo, tomó Ormuz, puerto insular situado en la entrada del golfo Pérsico. A partir de ese momento, los portugueses exigirían que todos los barcos que llegaran a esos puertos fueran provistos de un *cartaz* o licencia y pagaran derechos aduaneros a cambio de los cuales se les suministraba a veces una escolta. Además de esos puertos bien fortificados, los portugueses establecieron una serie de pequeñas «factorías» comerciales más pequeñas a lo largo del océano Índico y, en 1521, se hicieron con el control virtual de Ternate, en las Molucas, fuente de costosas especias. Si aquel «imperio» se estableció con tan pocos costes, se debió en gran medida a la superioridad de los barcos portugueses y a su artillería, que convertía a las veloces carabelas y a las pesadas carracas lusitanas en «fortalezas flotantes». Incluso cuando los otomanos conquistaron el mundo árabe y enviaron sucesivas flotas con el fin de desalojar a los portugueses, sufrieron rotundas derrotas primero en 1533 y luego de nuevo en 1554. Además, la monarquía portuguesa no sólo estableció un envío regular de barcos a Asia, sino que mantuvo una pequeña flota en el océano Índico y utilizó los recursos de Goa para construir barcos en la zona.

En su primera fase, la base económica de este vasto imperio fue el trueque de la plata, primero alemana y luego americana, por pimienta y otras especias, esto es un comercio entre Lisboa y Goa monopolizado por el rey de Portugal y transportado en barcos propiedad de la corona. Durante los primeros años, la pimienta procedente de la India supuso más del 90 por 100 de las exportaciones de Asia, que se complementaban con la canela de Ceilán y la nuez moscada, el clavo y la macis de las Molucas. Los beneficios eran muy considerables y la distribución de estas especias por Europa corría a cargo de una serie de sindicatos de mercaderes con sede en Amberes. Como cabría esperar, la corona fue endeudándose progresivamente, pues los sindicatos le prestaban dinero mucho antes de que llegaran a Lisboa los productos asiáticos. El monopolio real se diluyó enseguida a través del arrendamiento a particulares del espacio reservado al cargamento, y fue abolido definitivamente en 1570. Debemos subrayar que los portugueses no monopolizaron en ningún momento el comercio de las especias en su totalidad, pues la demanda en Asia y en Oriente Medio siguió siendo muy fuerte y hacia 1550 incluso el mercado europeo se abastecía en parte a través del mar Rojo. Además, durante el período 1580-1640, para el cual disponemos de cifras exactas, los convoyes que hacían el trayecto Goa y Lisboa transportaban fundamentalmente algodón y seda de Gujarat, lo que equivalía al 62 por 100 del valor de su cargamento, frente al 15 por 100 correspondiente a la pimienta y otras especias, y al 14 por 100 de los diamantes y otras piedras preciosas.

Se suponía que el imperio portugués en Asia tenía que bastarse a sí mismo y por lo tanto que el monopolio real no fuera más que una parte de su actividad comercial. Hubo muchas transacciones dentro de la propia Asia llevadas a cabo, como lo había sucedido con anterioridad, por mercaderes musulmanes e hindúes, además de los portugueses. De ese modo, se importaron caballos de Oriente Medio a través del golfo Pérsico y los tejidos de Gujarat encontraron mercados en Sumatra y Java, por no hablar del África oriental. Además, la explotación del comercio con el Lejano Oriente se dejó en manos de la empresa privada. A raíz del establecimiento de relaciones con Japón, se colonizó Macao en 1555-1557 y se instauró un comercio muy provechoso cuando se produjo el boom de la producción de plata japonesa, que podía comprarse vendiendo a los nipones sedas y porcelanas chinas, y que luego era cambiada por oro en China con grandes beneficios. Por otra parte, en 1567, una expedición española procedente de México ocupó las Filipinas y estableció su capital en Manila. Durante los años siguientes, se desarrolló un comercio muy sustancioso a través del Pacífico, consistente en el intercambio de tejidos indios y sedas y porcelana chinas por plata mejicana: un gran galeón hacía anualmente esta ruta a través del océano. El papel desempeñado en esta actividad por la nutrida colonia de mercaderes chinos que se estableció en Manila fue notable. A finales del siglo XVI, el sistema comercial portugués en Asia seguía siendo muy próspero y había atraído el capital y los esfuerzos de muchos cristianos nuevos, es decir, de familias de mercaderes judíos recién convertidos al cristianismo, muchos de los cuales tenían parientes establecidos en Amsterdam, la nueva capital financiera de Europa.

Aunque la corona portuguesa logró reclamar la posesión de Brasil en 1500, hasta 1533 no dividió Juan III la vasta zona costera de este territorio en quince capitanías entregadas a un número casi igual de donatarios, permitiendo así que algunos nobles emprendieran las labores de colonización a título individual. El cambio que supuso esta operación, sobre todo en el noreste, fue la introducción de plantaciones de caña de azúcar. En efecto, cuando en 1548 el monarca nombró al primer gobernador real de San Salvador de Bahía, le dio instrucciones para que estableciera un molino y una plantación de caña, propiedad de la corona. Para entonces, los portugueses ya habían desarrollado ese tipo de plantaciones en Madeira, donde eran trabajadas por mano de obra esclava importada de las islas Canarias, y en la isla de São Tomé, adonde se llevaron esclavos procedentes de África occidental. En Brasil, las plantaciones se concentraron sobre todo en Pernambuco y en la zona que rodea el gran golfo de Bahía. Hasta la década de 1570 la mano de obra la suministró sobre todo la población indígena local, unos en calidad de esclavos y otros procedentes de las aldeas libres administradas por los jesuitas, aunque todos caerían víctimas de las enfermedades europeas. La importación de esclavos africanos y la producción de azúcar aumentarían con rapidez sólo a partir de las dos últimas décadas del siglo XVI, hasta el punto de que el país se convertiría en la principal fuente del azúcar consumido en Europa, sobrepasando con creces la producción del Caribe español. La entrada en escena de Brasil fue, por tanto, esencialmente un fenómeno del siglo XVII, y se consumó en 1695 con el descubrimiento de grandes depósitos de oro en Minas Gerais, en el interior del país, a la altura de Río de Janeiro.

Como sus rivales castellanos, los monarcas portugueses poseían los derechos y las obligaciones del *padroado*, esto es el privilegio de efectuar los nombramientos eclesiásticos en sus territorios de ultramar. En 1534, Goa se convirtió en obispado y en 1577 en arzobispado, y se dotó de una magnífica catedral. Los jesuitas llegaron en 1542, abrieron un colegio y emprendieron su labor misionera. No tardaron en seguir sus pasos otras órdenes religiosas. La grey cristiana más numerosa era la de los portugueses que se casaron con las mujeres del país, dando origen así a una numerosa generación de mestizos en todas las ciudades importantes. Pero había también una comunidad de cristianos en el sur de la India, próxima a las 30.000 almas, que empleaban en su liturgia el siríaco y eran nestorianos. Aunque las relaciones entre estos cristianos de San Tomás y los portugueses fueron en un principio amistosas, no tardó en suscitarse el conflicto cuando los imperiosos prelados lusitanos intentaron obligarlos a abjurar de su fe nestoriana, e incluso a sustituir el siríaco por el latín, lo que provocó la separación de esta comunidad en dos comuniones distintas. El logro más sorprendente de los misioneros se produjo en 1535-1537, cuando los paravas, un pueblo de pescadores que vivía en la punta del subcontinente indio, se convirtieron en masa, en parte para evitar la dominación de los musulmanes. Los portugueses no lograron atraer a muchos conversos al cristianismo en Asia debido sobre todo al mayor encanto del islam y al poder de resistencia del hinduismo. El cristianismo sólo conoció avances en Filipinas y ello se debió a que, con la excepción de Mindanao, la población nativa de estas islas todavía no había sufrido la invasión del islam y no poseía ninguna modalidad avanzada de religión ni ninguna forma de estado. Además, los españoles se encastillarían en esta colonia durante cuatro siglos.

Otras potencias europeas

Aunque las potencias ibéricas dominaron la expansión europea durante el siglo XVI, su hegemonía fue desafiada por exploradores, corsarios y mercaderes franceses, ingleses y holandeses. Entre los años 1534 y 1542, Jacques Cartier realizó tres viajes remontando el curso del río San Lorenzo, a lo largo de más de 1.500 kilómetros hasta alcanzar el emplazamiento de las modernas Québec y Montreal, pero la explotación permanente de sus descubrimientos no se produciría hasta el siglo siguiente. Del mismo modo, unos piratas y mercaderes franceses se adentraron en el Caribe y en 1555 lanzaron un ataque contra La Habana. Comerciaron asimismo a lo largo de la costa de Brasil y en 1555-1560 una expedición de esa misma nacionalidad, capitaneada por el caballero de Villegaignon, ocupó una isla en la bahía de Río de Janeiro hasta que fue desalojada por los portugueses. El primer intento de colonizar Canadá no se realizó hasta 1603, con el viaje de Samuel de Champlain. Los ingleses tuvieron más suerte en sus actividades corsarias. A raíz del ataque a traición lanzado por los españoles en 1568 contra la flota inglesa que se había refugiado en el puerto de San Juan de Ulúa, sus capitanes, sir John Hawkins y Francis Drake, rompieron las hostilidades, y el segundo desembarcó en el puerto de Nombre de Dios y se apoderó de un convoy de plata procedente de Perú cuando atravesaba el istmo de Panamá. En 1577, Drake capitaneó una expedición de tres barcos y 160 hombres con los que dio la vuelta al mundo; cruzó el estrecho de Magallanes y realizó incursiones por toda la costa de Perú, y capturó un galeón cargado de plata. Después, continuó navegando hacia el norte, llegó a Vancouver y atracó en la bahía de San Francisco. Atravesó el Pacífico, compró especias en las Malucas y finalmente desembarcó del *Goleen Hind* en Plymouth después de viajar durante dos años y diez meses. Thomas Cavendish repitió la travesía y dio la vuelta al mundo en 1586-1588, y capturó el galeón español que viajaba anualmente de Acapulco a Manila. Otros piratas ingleses hicieron incursiones en las posesiones españolas del Caribe, perpetrando entre otros un ataque contra Santo Domingo en 1585 a las órdenes de sir Francis Drake; en esta ocasión los protestantes ingleses profanaron las iglesias y secuestraron a algunos ciudadanos para obtener rescate. Hawkins y Drake murieron en alta mar en 1595 en el curso de una infructuosa expedición organizada con la intención de conquistar Panamá. Hasta 1600 no se fundó la Compañía de las Indias Orientales y no se realizó el primer viaje comercial al océano Índico.

Los herederos de los portugueses en Asia fueron los holandeses. Tras la sublevación de los protestantes de las provincias del norte de los Países Bajos contra Felipe II en 1567, se desencadenaría una guerra abierta entre España y los holandeses destinada a durar varias décadas, aunque se vería mitigada por las necesidades del comercio. Pero cuando Felipe se convirtió también en rey de Portugal en 1580, los holandeses extendieron sus ataques a las factorías y al comercio portugués en Asia. La Compañía de las Indias Orientales Holandesas fue fundada en 1595 y ese mismo año fue enviada la primera flota a través del cabo de Buena de Esperanza con destino directamente a las islas de las Especias. Más tarde, los holandeses atacaron sistemáticamente las posesiones portuguesas y, aunque no consiguieron conquistar Goa y Macao, se hicieron de hecho con el control del comercio del archipiélago de Indonesia. Mucho más tarde, entre 1631 y 1652, la Compañía de las Indias Occidentales Holandesas ocuparía Pernambuco y explotaría sus plantaciones de caña de azúcar, para ser expulsada al fin por las milicias reclutadas directamente en Brasil, signo inequívoco de la creciente vitalidad de la sociedad criolla en este vasto territorio. De hecho, cuando los holandeses ocuparon Luanda, colonia portuguesa en la moderna Angola, que había sido fundada en 1576, sería una expedición lanzada desde Brasil la que se encargara de reconquistar la ciudad en 1648.

Los europeos en África

A todo esto, ¿qué decir de África? A lo largo de todo el siglo XVI los portugueses conservaron una cadena de puertos fortificados y de islas a ambos lados del continente. Pero mientras que en América las enfermedades epidémicas ayudaron a los ibéricos en su conquista, en África las fiebres endémicas a menudo impidieron la colonización europea. Además, África no tenía ningún gran producto atractivo, como la plata o las especias, que exigiera una explotación activa. En cualquier caso, los estados y tribus africanas contaban con armas de hierro y una tradición guerrera, de modo que su sometimiento no habría sido tarea fácil. En consecuencia, aparte de un poco de marfil y de oro en polvo, el principal producto de exportación africano fueron los esclavos. Cabe señalar que en la sociedad africana la principal manifestación de la riqueza de una persona no era la tierra, sino los esclavos, obtenidos en su mayoría a través de la guerra. Era de esperar, pues, que los príncipes africanos vendieran esclavos para obtener caballos, tejidos lujosos y objetos de hierro, tanto herramientas como armas. Pero mientras que antes de la década de 1520 la mayoría de los esclavos vendidos a los portugueses fueron enviados a Europa o empleados en las plantaciones de azúcar de Madeira, las islas Canarias o São Tomé, durante los años sucesivos cada vez fueron más los enviados a América. Se calcula que durante todo el período comprendido entre 1451 y 1600 salieron de África unos 254.000 esclavos, de los cuales 75.000 fueron a parar a la América española, 50.000 a Brasil, y la sorprendente cifra de 76.000 a São Tomé. El siglo XVI fue testigo, pues, del comienzo de la que durante los tres siglos siguientes se convertiría en la mayor migración forzosa de la historia de la humanidad. En todo este proceso los portugueses actuaron como instigadores, comprando sus cargamentos humanos en los puertos de África.

Debido al tráfico de esclavos y a las ambiciones de los misioneros, algunos portugueses viajaron de un extremo a otro del continente, aunque sin consecuencias duraderas. Así, por ejemplo, el rey del Congo, Alfonso I (1506-1543), se bautizó y reconoció el catolicismo como religión oficial de su estado, aunque siguió teniendo un gran número de esposas. A su muerte, sin embargo, el entusiasmo disminuyó y sólo sobrevivieron en la región las manifestaciones más rudimentarias del cristianismo. La intervención portuguesa más significativa se produjo en Etiopía, donde en 1541-1543, una expedición bien armada de 400 hombres al mando de Cristóbal de Gama, hijo del gran navegante, consiguió finalmente la liberación del país de la invasión que últimamente habían llevado a cabo los musulmanes. Durante doce años un líder musulmán, el imán Ahmed ibn Ibrahim al-Ghazi (1506-1543), apodado «Ahmed Gran», había asolado y conquistado Etiopía, destruyendo sus antiguas iglesias y monasterios, quemando sus valiosos manuscritos, esclavizando a muchos de sus nuevos súbditos y obligando a miles de ellos a convertirse al islam. De hecho, trató a los etíopes de la misma manera o peor que los españoles trataron a los mexicas y a los incas. Aunque el joven rey del país y la reina madre se pusieron al frente de una resistencia muy eficaz, fueron el armamento y los cañones de los portugueses los que desempeñaron el papel decisivo en salvar de la destrucción a aquella antigua monarquía y aquella modalidad de cristianismo africano, aunque el capitán de la expedición y la mayoría de sus hombres perecieran en la batalla.

La Compañía de Jesús en el mundo

Cuando las potencias de la península Ibérica cruzaban con audacia los océanos del mundo, a menudo se apoyaron en la ayuda suministrada por otros europeos y, de hecho, actuaron a modo de punta de flecha de la expansión económica del Viejo Continente. Pero la participación de otros europeos destacó sobre todo en el ámbito de las órdenes religiosas y en particular la de los jesuitas. Desde su fundación en 1540, la Compañía de Jesús aceptó el reto de predicar el evangelio cristiano a todas las naciones del mundo. Ya en 1542, el futuro santo Francisco Javier, de origen vasco, desembarcó en Goa y, después de trabajar durante algunos años en la India y las Malucas, se trasladó en 1549 a Japón, desde donde envió brillantes informes acerca de los habitantes del país. Desde el primer momento, intentó ganarse el favor de los señores feudales, que en aquella época se hallaban enzarzados en continuas luchas. Cuando la misión jesuita creció y consiguió la conversión de uno de esos *daimyo*, cuyo ejemplo siguieron otros muchos, se abrieron de par en par las puertas de los bautismos y la nueva Iglesia nipona llegó a tener 300.000 almas. Con la llegada de Alessandro Valignano como visitador de las misiones de los jesuitas en Asia, se lanzó una campaña concertada de aprendizaje del japonés, de publicación de traducciones del catecismo y de otras obras cristianas, de admisión de japoneses como candidatos al sacerdocio y a ingresar en la orden, y por último de respeto de las costumbres y vestimentas locales. De hecho, Valignano introdujo las perspectivas del humanismo italiano y rechazó las sospechas, innatas en los naturales de la península Ibérica, de la buena fe de todos los «cristianos nuevos», ya fueran antiguos judíos o antiguos budistas. Al mismo tiempo, los jesuitas no vacilaron en destruir los templos budistas y sintoístas de las zonas dominadas por ellos. Pero más tarde se produjo una reacción cultural, reflejo en parte del cambio político, y en 1587 los cristianos empezaron a ser perseguidos y sus sacerdotes a sufrir el martirio, de modo que sólo sobrevivieron unos pocos y además en la clandestinidad.

El intento más notable de penetrar en una cultura no cristiana y asumirla que llevaron a cabo los europeos tuvo lugar en China, donde llegó en 1583 Matteo Ricci (1552-1610), jesuita y erudito italiano, que logró no sólo dominar la lengua del país, sino también a los clásicos confucianos. Cuando llegó a Beijing en 1601, había escrito ya varios tratados en chino acerca de temas morales y tenía fama de ser un gran estudioso. Como otros jesuitas de la época, juzgó el budismo por sus templos e imágenes, y lo condenó como una manifestación más de paganismo. Pero consideraba el confucianismo una filosofía que había alcanzado el conocimiento de la existencia de un dios supremo del universo y que había adoptado una moralidad sometida a los principios de la ley natural. De hecho, llegó a expresar su esperanza confiada en que el propio Confucio hubiera alcanzado la salvación. En Beijing, los jesuitas impresionaron a los chinos por sus conocimientos de astronomía y geografía, por no hablar de su dominio de las matemáticas, y su labor misionera se prolongaría hasta el siglo XVIII.

El mundo en la literatura europea

Como cabría esperar, los cronistas españoles y portugueses celebraron los descubrimientos y conquistas de sus naciones con bastante exuberancia. En la epopeya nacional portuguesa, *Os Lusíadas* (1572), Camões, que había pasado algunos años en Asia, alababa las hazañas de sus compatriotas como si fueran héroes que habían sido capaces de dominar los elementos y de combatir a los infieles. Así también, Francisco López de Gómara, humanista y capellán de Cortés, compuso una *Historia general de las Indias* (1552), en la que declaraba con audacia: «La mayor cosa después de la creación del mundo, sacando la encarnación y muerte del que lo crió, es el descubrimiento de Indias; y así las llaman Nuevo Mundo». A continuación efectuaba un apasionado elogio de los españoles al afirmar que «Nunca jamás rey ni gente anduvo y sujetó tanto en tan breve tiempo como la nuestra, ni ha hecho ni merecido lo que ella, así en armas y navegación como en la predicación del santo Evangelio y conversión de idólatras; por lo cual son españoles dignísimos de alabanza en todas las partes del mundo». Es comprensible que, aun reconociendo la grandeza de México-Tenochtitlán, presentara a su sociedad dedicada a la adoración del diablo y a la práctica de incontables sacrificios humanos y del canibalismo.

La glorificación de los conquistadores, sin embargo, fue puesta en entredicho por fray Bartolomé de las Casas, que, al final de su larga vida, declaró que Cortés y Pizarro habrían debido ser ahorcados como vulgares delincuentes. Su *Brevísima relación* fue traducida a casi todas las lenguas europeas y fue citada a menudo por los protestantes, enemigos de España. Pero sus investigaciones sobre la religión, la cultura y el gobierno de los incas y los mexicas influyeron mucho en la historiografía posterior, a pesar de haberse conservado sólo en forma manuscrita. En su *Monarquía Indiana* (1615), Juan de Torquemada, un franciscano que había aprendido náhuatl de pequeño, utilizó una gran variedad de crónicas manuscritas, códices indígenas y los estudios del padre De las Casas para presentar el México prehispánico como una Babilonia deslumbrante, es decir, como una civilización avanzada con una moralidad muy estricta, pero irremediablemente corrompida por la idolatría. Celebró también la fundación de la Iglesia mejicana subrayando la dedicación de sus hermanos de la orden franciscana. Por todo ello, la consecuencia general de su obra fue la conservación del recuerdo del pasado mexica y tolteca y la fijación de la fecha de fundación de la ciudad de México no en 1521, sino en 1325. Nueva España era definida así como sucesora y heredera del imperio mexica, no como una entidad surgida *de novo* a partir de la conquista.

En Perú, «el Inca» Garcilaso de la Vega (1539-1616), hijo de una princesa inca y de un conquistador, utilizó sus conocimientos de la historiografía renacentista, adquiridos durante su estancia en España, para presentar a los antiguos monarcas de Perú como una casta de guardianes platónicos. En sus *Comentarios reales de los incas* (1609), afirmaba que los emperadores y sus *amautas* o sabios indígenas habían llegado al conocimiento del único dios verdadero, pero teniendo en cuenta las inclinaciones naturales de sus súbditos, habían fomentado el monoteísmo promoviendo el culto del Sol. Habían llevado a cabo sus conquistas de una manera benigna, buscando el bienestar de la población en general, y en todos los casos ateniéndose a los principios de la ley natural. En efecto, llevaron la civilización a los nativos de Perú. Fue ésta una versión de los hechos que inmediatamente tuvo muy buena acogida entre la élite nativa de Cuzco, educada por los jesuitas, y cuando en 1780 un lejano descendiente de los incas

levantó la bandera de la rebelión, apeló implícitamente a la historia patrió-
tica escrita por «el Inca» Garcilaso. Para entonces, numerosos intelectuales
criollos, en los Andes y en México, admitían que las civilizaciones prehis-
pánicas de sus países constituían el fundamento clásico de su historia. Así
en México al menos, cuando por fin se alcanzó la independencia en 1821,
ésta fue definida como la recuperación de la libertad por una nación ya
existente en 1519. En realidad, semejante afirmación era una ficción legal,
pero era además un mito histórico sumamente persuasivo.

Conclusión y comentarios

Euan Cameron

Los historiadores sitúan convencionalmente el siglo XVI en el marco de una fase más larga del desarrollo europeo llamada académicamente «primeros tiempos de la modernidad». Se trata de una expresión que resulta fácil ridiculizar diciendo que contiene una contradicción *in terminis* o que es un ejemplo de juicio retrospectivo. Pero a pesar de las objeciones más o menos sutiles que puedan aducirse al respecto, esta definición del período que nos ocupa sigue vigente. Y es así porque refleja una realidad percibida. Desde el siglo XVI hasta el XVIII, en su totalidad, puede apreciarse una trayectoria distintiva. Dicha trayectoria conduciría a Europa en último término a adoptar una economía de consumo global sumamente diversificada y en gran medida no reglamentada, un intercambio libre de ideas, la emancipación de las ciencias físicas respecto de las especulaciones metafísicas, la tolerancia religiosa y un sistema político basado tanto en el pragmatismo, la soberanía colectiva y las responsabilidades compartidas, como en los precedentes, los privilegios y las inmunidades de ciertos intereses especiales. Ninguna de esas tendencias había llegado al máximo de su desarrollo en el año 1800, y todavía menos en 1600. Durante la mayor parte de este período, fueron pocos los europeos, si es que hubo alguno, que considerara deseables o incluso posibles estas consecuencias. No se tomó ninguna decisión individual ni colectiva con la intención concreta de obtener tales resultados. Responden, si es que responden a algo, a lo que los historiadores de otros tiempos llamaban «la lógica de los acontecimientos».

La cuestión, por tanto, es si en 1600 pueden encontrarse signos de movimiento que indiquen adónde iba a conducir en último término esa lógica de los acontecimientos. En otras palabras, ¿cómo se continúa en el siglo XVII la historia descrita en los capítulos anteriores? ¿Puede demostrarse que los acontecimientos y movimientos perceptibles en el siglo sucesivo continúan unas tendencias visibles ya en el siglo XVI, de modo que éste pueda considerarse legítimamente parte de los «primeros tiempos de la modernidad»? ¿O acaso los procesos posteriores al año 1600 son más bien desarrollos independientes y distintivos, impulsados por su propia lógica interna? En la esfera económica, como cabría esperar, hay teorías para todos los gustos. Tom Scott ha demostrado que varias «tendencias» importantes atribuidas tradicionalmente a los comienzos de la época moderna en su totalidad, como el incremento del cercado de las tierras comunales en la agricultura inglesa (enclosure), la transformación radical en siervos de muchísimos campesinos de la Europa situada al este del Elba o el mercado creciente de artículos de consumo masivo especialmente en Inglaterra y los Países Bajos, fueron en realidad rasgos característicos del siglo XVII y no del XVI. Y lo que es aún más importante, Scott subraya que los rasgos más prominentes o distintivos de una fase determinada de la economía no tienen por qué ser también los indicadores más importantes de futuros desarrollos. Por ejemplo, ha habido la costumbre de considerar la agricultura «comercializada» y el sistema de putting-out de la producción textil como los impulsores del progreso económico de otras fases posteriores de los primeros tiempos de la modernidad, debido a su flexibilidad supuestamente mayor y a su capacidad de reacción a las fuerzas del mercado. Sin embargo, Scott sostiene que la agricultura protocapitalista y la manufactura protoindustrial (en la medida en que estas expresiones puedan ser apropiadas, en todo caso) no evolucionan y se convierten automáticamente en capitalismo o industrialización sin más. Por otra parte, en ciertas áreas de la economía, y sobre todo en el desarrollo de los instrumentos de crédito y el uso cada vez mayor de las sociedades anónimas para financiar el comercio internacional, existió realmente una relación entre los desarrollos tempranos y los de época posterior. Sólo en Inglaterra los primeros coletazos del capitalismo propio de las sociedades anónimas eran evidentes ya antes del año 1600; el éxito de las sociedades permanentes con capital financiero vino después. En cualquier caso, la tendencia ya se había puesto en marcha.

Una de las teorías más importantes en este campo es que los desarrollos que se producen en una esfera de la actividad humana a menudo influyen en los que se producen en otra. El origen del carácter distintivo de Inglaterra y de las Provincias Unidas de los Países Bajos en términos económicos está en una decisión política. En estos dos países los electores no permitieron a sus respectivos gobiernos fijar de forma arbitraria y permanente unos impuestos tan elevados que fuera posible emitir bonos con la garantía de los futuros ingresos tributarios; por esa razón, no hubo nada que disuadiera a la nobleza ni a la burguesía de invertir en el comercio. En otros países de Europa, y particularmente en España, Francia y los Estados Pontificios, esos bonos fueron emitidos en tan gran cantidad y a un interés tan elevado que atrajeron a gran parte del capital inversor, apartándolo del comercio y las manufacturas. En algunos países las restricciones legales impuestas a las actividades que podía emprender un noble sin perder sus privilegios fiscales agravaron esta tendencia, aunque también es posible que su impacto haya sido exagerado. En el caso de Francia, la increíble burbuja creada por el endeudamiento de la corona iría creciendo incesantemente hasta estallar por fin el año fatídico de 1789. En este caso, una realidad política —el hecho de que Inglaterra, por ejemplo, no tuviera hasta después de 1688 más que un sistema precario e irregular de impuestos directos— tuvo unas repercusiones socioeconómicas muy claras, y también unas consecuencias políticas sumamente importantes.

La política es tal vez el ámbito en el que resulta menos fructífero buscar modelos o líneas de desarrollo claras, al menos en el sentido de que la ascensión o la caída relativas de tal o cual dinastía o nación no son consecuencia de ninguna necesidad lógica evidente. No obstante, podemos encontrar ciertas tendencias en la teoría y en las reglas básicas de la política, por no hablar de las técnicas mediante las cuales una potencia intentaría ejercer presión sobre otra. Resulta, sin embargo, sumamente difícil decidir qué hacer con ese cliché de la literatura política del siglo XVI, la «razón de estado». Los hombres de la época mostraron una actitud ambigua ente ella, y cabe sospechar que no existía demasiada unanimidad acerca de su significado. En la medida en que implica que el gobierno arbitrario o las decisiones basadas en el oportunismo más burdo pueden justificarse en nombre del bien de la comunidad política, costaría bastante trabajo demostrar que la utilización de este concepto hiciera a los políticos de los siglos XVI y XVII más faltos de escrúpulos, más cínicos o más traicioneros que los de épocas anteriores. Sin embargo, la «razón de estado» puede encajar en la tendencia general que tiene el análisis intelectual de las actividades humanas a fragmentarse en disciplinas autónomas. La política ya no era una rama especializada de la ética religiosa. No obstante, las tendencias observables en el siglo XVII nos enviarían, una vez más, mensajes contradictorios. En ese siglo se publicarían y debatirían algunos de los análisis más descaradamente pragmáticos de la política. El *Leviatán* de Thomas Hobbes combinaba el absolutismo de un Bodin con la lógica deductiva de un Descartes. (Por otra parte, en 1680 Robert Filmer llegó todavía a elaborar una teoría política basada en la autoridad patriarcal supuestamente «natural» de Adán y sus descendientes.) Independientemente de cómo enfoquemos el problema, parece evidente que el siglo XVI había planteado ya la cuestión de qué era la «soberanía», y que el XVII gastó mucha energía en intentar responder a esa cuestión. Pero las diversas teorías pueden verse muy mal reflejadas en la práctica. Algunos de los gobernantes más descaradamente autoritarios del siglo XVII, personajes como el emperador Fernando II o más tarde Luis XIV, seguirían haciendo caso a los consejos de sus confesores y demás guías religiosos o espirituales. Los dos estaban perfectamente dispuestos (en 1629 y 1685 respectivamente) a tomar decisiones políticas que iban a todas luces en contra de sus intereses materiales y pragmáticos, debido a la influencia, según parece, de las consideraciones religiosas.

Por otra parte, los desarrollos militares del siglo XVII muestran secuelas evidentes del siglo XVI. Las dimensiones de los ejércitos y la consiguiente importancia atribuida a los suministros y a las líneas de aprovisionamiento aumentaron a lo largo del siglo XVII. Las batallas de infantería entre nutridas tropas de soldados armados de picas requerirían cada vez más a menudo un enfoque matemático, la utilización del cálculo y del adiestramiento en el modo de librar los combates. Cuando estaba en juego la posesión de una fortaleza importante (como ocurriría en las etapas finales de la guerra de independencia de los Países Bajos frente a España), los asedios se prolongarían muchísimo, pues las fortificaciones resultaban prácticamente inexpugnables con los medios de artillería disponibles. Algunas de las convenciones bélicas menos eficaces del siglo XVI fueron reformadas por Mauricio de Nassau y Gustavo Adolfo de Suecia. Los cañones fueron adaptados para ser utilizados en el campo de batalla, y no sólo en los asedios.

Acaso la tendencia más clara de todo el período inicial de la Edad Moderna sea que los europeos capaces de permitírselo empezaron a gastar cada vez más y más dinero en todo tipo de productos y todo tipo de actividades. Los gobiernos gastaban sus recursos en las cortes, los ejércitos, las construcciones, el personal administrativo y en un consumo ostentoso. Los individuos pertenecientes a una franja cada vez más ancha de la escala social gastarían su dinero en ropas, libros, casas y en mobiliario y equipamiento doméstico. La cantidad de recursos sobrantes y de mano de obra dedicada a la decoración de todos estos bienes de consumo se incrementó; las modas ornamentales evolucionaron y cambiaron con mayor rapidez. Suele exagerarse siempre la importancia cuantitativa de los artículos de lujo importados de los rincones más alejados del mundo (azúcar, especias, sedas), a menudo debido a las advertencias de los moralistas. Martín Lutero se quejaba en 1520 de que

Aunque el papa no hubiera saqueado Alemania con sus intolerables exacciones, tendríamos todavía las manos más que llenas con los saqueadores alemanes, con los mercaderes de sedas y terciopelos. En materia de vestidos, como podemos ver, todo el mundo desea ser igual a su vecino, y se suscitan y aumentan entre nosotros el orgullo y la envidia, y nos lo tenemos bien merecido. Toda esta miseria y mucha más podría evitarse si nuestra curiosidad nos permitiera ser agradecidos y contentarnos con los bienes que Dios nos ha dado.

No cabe duda, sin embargo, de que incluso esos artículos, procedentes del comercio a escala relativamente pequeña y orientado a la nobleza, aunque no por ello menos significativo, propio del siglo XVI, adquirieron una importancia cada vez mayor a medida que fue avanzando el siglo XVII.

En el ámbito de la «filosofía natural», lo que más tarde se llamaría «ciencia», la relación entre los siglos XVI y XVII y las derivaciones que van de uno a otro son complejas y problemáticas. En un momento dado, los especialistas en historia de la «ciencia», con una actitud infatigablemente teleológica, pudieron apuntar a la aparición de cosmologías mecánicas y matemáticas a finales del siglo XVI y comienzos del XVII, y sostener que la «filosofía mecánica» fue la única tendencia importante. En el extremo opuesto se situarían el ocultismo, el esoterismo y la búsqueda de la «teología antigua» a través de los textos herméticos y cabalísticos. Se ha comprobado que todos estos pseudo-temas no fueron para el conocimiento europeo más que otros tantos callejones sin salida. Más recientemente se ha desencadenado una reacción frente a este tipo de búsqueda de las causas a partir de las consecuencias. Los especialistas han hecho gala de un gran ingenio para demostrar (*i*) que muchas modalidades de pensamiento «oculto» contenían el germen del pensamiento empírico, especialmente en lo que más tarde se denominaría ciencias de la vida; y (*ii*) que muchos de los que abrazaron la «filosofía mecánica» y participaron en ella, desde Johannes Kepler hasta Isaac Newton, se sintieron intrigados asimismo por otros modos de pensamiento más esotéricos y especulativos. Algunos partidarios del relativismo cultural que subrayan la vitalidad continua de las tendencias especulativas del pensamiento del Renacimiento tardío se oponen a la prioridad histórica atribuida tradicionalmente por motivos ideológicos al pensamiento mecanicista: lo «científico» es «moderno» y por lo tanto hegemónico y antiliberal. En el peor de los casos, esta modalidad de pensamiento histórico puede caer en el posmodernismo hueco o en el exacerbamiento de las rivalidades.

Sin embargo, está en juego también una cuestión importante. Los pensadores de comienzos de la Edad Moderna no podían saber qué líneas de investigación iban a ser fructíferas, por lo tanto no tuvieron más remedio que explorar múltiples posibilidades que hoy día pueden parecernos curiosas. No había ninguna manera evidente de decidir si el magnetismo o la gravedad era el concepto que mejor explicaba las fuerzas que mantienen unido el universo. En segundo lugar, a partir del Renacimiento y la Reforma los pensadores se dedicaron a buscar una nueva epistemología. ¿Con qué criterios podía saberse que una cosa era «verdad»? En la Edad Media, la verdad venía definida fundamentalmente por la autoridad (especialmente la de las Sagradas Escrituras) y la «justa razón», lo que en la práctica equivalía a las leyes de la lógica académica, entre otras el principio de no contradicción. En el importantísimo alegato que hizo en Worms en 1521, Lutero insistió en que, para ser desautorizado, sus adversarios debían demostrar que estaba en un error aportando «el testimonio de las Escrituras o de la razón evidente». A medida que fue avanzando el siglo XVI, decayeron algunas formas de autoridad textual (por ejemplo, la de muchos teólogos y filósofos medievales), mientras que otras ascendieron, por ejemplo la de los textos de autores antiguos recuperados y restaurados. Sin embargo, en medio de toda esta situación tuvo que encontrarse algún lugar adecuado en la jerarquía del conocimiento para el dato registrado cuidadosamente o el experimento verificable y repetible. Charles Nauert cita al final de su capítulo las palabras con las que Francis Bacon rechazaba la filosofía griega, calificándola de «infancia del conocimiento... fértil en controversias, pero estéril en obras». Bacon manifestaba esta opinión a comienzos del siglo XVII, cuando arrancaba el proyecto de acumulación del saber descriptivo protocientífico, y fue uno de los propagandistas más eficaces de ese movimiento. Pero sus escritos propagandísticos son casi inconcebibles sin los éxitos cosechados por los botánicos, zoólogos y anatomistas descriptivos del siglo XVI, sin Fuchs, Gesner, o Vesalio. La descripción atenta y meticulosa de los datos descubiertos en un mundo estable y poblado de especies a todas luces distintas, caracterizó una de las iniciativas más importantes que el siglo XVI legara al XVII.

La transición de una centuria a otra resulta en cierto sentido más clara en el ámbito de la historia del cristianismo que en muchos otros campos. El período comprendido entre más o menos el año 1560 y la segunda mitad del siglo XVII se llama la «época confesional». Dependiendo de la perspectiva teológica o eclesiástica de cada uno, esa época puede parecer la culminación de la Reforma o la traición de la misma. Si la Reforma y/o la Contrarreforma «restauraron» la doctrina cristiana correcta, la época confesional vino a concretar esas doctrinas. Por otra parte, si la época de la Reforma tuvo que ver con la diversidad de ideas y creencias, con la libertad del individuo para pensar y escribir sus pensamientos según los dictados de su conciencia, la época confesional fue un desastre. La libertad y la mayoría de edad espiritual fueron concedidas al menos a una parte de la población europea para luego serle retiradas brutalmente de nuevo. Al mismo tiempo, los historiadores alemanes especialmente han definido la «confesionalización» como un programa de supervisión moral y dogmática de la población del estado territorial bajo la autoridad de un príncipe comprometido desde el punto de vista religioso, fenómeno que puede observarse tanto en los países protestantes como en los católicos. La libertad espiritual no fue la única víctima de la época confesional.

Esas representaciones antitéticas de una época son demasiado burdas. En primer lugar, como dijimos más arriba, no existe ninguna diferencia clara entre los objetivos y las intenciones de los primeros reformadores y los de las posteriores generaciones de teólogos confesionales volcados en la sistematización religiosa. Permanecer eternamente en el fascinante caos, tan fructífero como excitante, de comienzos de la década de 1520 nunca fue un plan ni una opción viable. Los líderes religiosos del siglo XVI estaban comprometidos ya con unos conceptos de «verdad» que no daban cabida al pluralismo. El hecho de que discreparan sobre lo que decía realmente esa única verdad no representaba su idea, sino que fue una desgracia para ellos. En segundo lugar, incluso en la «época confesional» era perfectamente posible que el fascinante caos de la década de 1520 volviera a estallar, si se daban las circunstancias adecuadas. En la Inglaterra de 1640 y 1650 la autoridad religiosa de la Iglesia nacional y el episcopado se vino abajo, lo mismo que ocurriera en Alemania entre 1521 y 1525. Y las consecuencias fueron exactamente las mismas: las imprentas publicaron a mansalva toda clase de escritos polémicos; aparecieron multitud de sectas de lo más exótico y variado; hombres y mujeres laicos se manifestaron de palabra y por escrito en toda clase de contextos hasta entonces considerados inadecuados. Además, hasta que acabara todo aquello, Inglaterra sería testigo en 1662 del mismo tipo de reacciones «disciplinarias» que conoció Alemania después de 1525. Por último, y lo que es más importante, la «ortodoxia confesional» nunca obtuvo nada más que una victoria parcial. Ninguna confesión logró borrar del mapa a sus rivales. Incluso los frutos más frágiles y aparentemente indefensos de esta situación, como los mennonitas o los hutteritas, se aferraron a la vida. Al final los príncipes abandonaron los intentos de obligar a sus súbditos a someterse a las opciones religiosas de sus gobernantes. Y mientras el Todopoderoso pareciera dispuesto a admitir la continuación o incluso la prosperidad de más de una modalidad incompatible de cristianismo, cada vez más sería posible pensar que, al fin y al cabo, quizá la verdadera religión no fuera una sola. En 1699 el pietista luterano Gottfried Arnold llegaría a escribir:

La Iglesia universal invisible... no está vinculada a ninguna sociedad específica visible, sino que más bien se halla diseminada y repartida por todo el mundo, entre todos los pueblos y congregaciones... Por lo tanto es muy difícil decir cuál de las congregaciones eclesiásticas externas debe ser considerada la verdadera Iglesia.

Los que a comienzos del siglo XXI mantienen páginas web teológicas dedicadas a ensalzar la pureza única del luteranismo ortodoxo, del calvinismo o del catolicismo tridentino deberían tomar buena nota.

El repaso que hace David Brading de la historia de los contactos de los europeos del siglo XVI con el resto del mundo resulta curiosamente premonitorio de otros desarrollos futuros. El siglo XVI no fue sólo una época de descubrimientos y de contactos con lo desconocido: fue un período de explotación comercial y de expansión imperial. Desde luego la primera fase de este fenómeno se caracterizó económicamente por una dosis considerable de ingenuidad. El afán por importar de las Américas «tesoros», es decir grandes cantidades de oro y plata, resultó económicamente absurdo a largo plazo, aun cuando a menudo se hayan exagerado las consecuencias inflacionistas derivadas de todo ello. Pero el imperio español no fue el único que se dejó llevar por esa locura: al ensalzar en el panfleto publicado en 1596 las virtudes de su «vasto, rico y hermoso imperio de Guayana», en gran medida imaginario, Walter Ralegh auguraba la creación de una «Casa de Contratación» inglesa, similar a la de Sevilla, encargada de llevar el registro de los cargamentos de tesoros llegados a Inglaterra de Sudamérica.

Sería un error comparar el siglo XVI, entendido como la época del saqueo de tesoros, con el siglo XVII, concebido como la época de las plantaciones y el comercio. Las flotas del tesoro españolas siguieron surcando el océano durante todo el siglo XVII, mientras que a partir de 1600 ingleses y holandeses se embarcaron en la misma combinación de empresas coloniales a las que se habían dedicado sus rivales hispanos durante el siglo anterior. Unos y otros hicieron una réplica de las comunidades europeas al otro lado del océano; se volcaron en el comercio de artículos de lujo con pueblos exóticos, y establecieron plantaciones cuya explotación se basaba en el empleo de mano de obra forzada o esclava cuya finalidad era abastecer de materias primas su mercado nacional. A todo esto las potencias europeas descubrieron que era muy singular eso de poseer colonias allende los mares. Podían enzarzarse en pequeñas guerras coloniales unas contra otras de una intensidad lo bastante baja como para no comprometer siempre las relaciones de sus respectivas metrópolis en Europa.

Todas las épocas, de una forma u otra, plantean cuestiones a las que tienen que intentar responder las posteriores. Pero este cliché es más aplicable de lo usual a las relaciones existentes entre el siglo XVI y el XVII. El siglo XVI fue, como dijimos anteriormente, una época de rápido y doloroso ajuste a unas incertidumbres y dilemas inconcebibles hasta entonces. Una expansión económica inexplicable y traumática puso a prueba la resistencia de las tradiciones de la vida agrícola y comercial. La «soberanía» política dejó de estar confinada a la convención medieval de las jerarquías paralelas del papado y el imperio. La síntesis escolástica de la metafísica y la filosofía natural la llevó a perder el derecho exclusivo que tenía a exigir la lealtad de los intelectuales tanto en el ámbito propiamente intelectual como en el religioso. Fue poniéndose progresivamente de manifiesto que en algunos campos del saber debe dejarse atrás la autoridad de los antiguos. Sobre todo, los europeos ya no podían estar seguros de los medios que tenían de acercarse al creador en el que parece que creía la inmensa mayoría de ellos. Dos sistemas opuestos y enfrentados, el de la purificación sacramental y el de la bondad supuesta a través de la fe, se incorporaron a las estructuras de la Iglesia y de la sociedad. Por último, los europeos tuvieron que hacer frente a la ocasión y al desafío que para ellos suponía todo un vastísimo mundo de continentes y pueblos desconocidos. Al parecer, la única forma de justificar la validez sin par de la perspectiva europea fue imponer dicha perspectiva como norma a todos los pueblos del mundo que los europeos llegaran a descubrir y a dominar. Así, pues, el siglo XVII tuvo que descubrir, como es natural, nuevas respuestas a esos desafíos. Era bastante previsible que algunas de esas respuestas consistieran en buscar la consecución de un control mayor, en intentar imponer una disciplina, regular, codificar y sistematizar esas respuestas. A su vez, y como por lo demás fue inevitable, esos intentos de controlar la indómita confusión de la vida humana supondrían nuevos retos y alterarían todavía más el concepto que tenían los pueblos de Europa de su lugar en el mundo. De esa lucha saldrían las tumultuosas e imprevisibles transformaciones del período llamado «primeros tiempos de la modernidad».

Bibliografía recomendada

1. La economía

La economía de la Europa del siglo XVI no puede ser estudiada de forma aislada como un tema aparte. Los profundos cambios ocurridos en la Alta Edad Media, considerada un poco a la ligera una época de crisis económica, influyeron en la economía del siglo XVI, que a su vez modelaría de manera decisiva la posterior evolución económica de los siglos venideros. En consecuencia, son pocas las obras que se centran exclusivamente en el siglo XVI.

Por encima de todos los estudios llevados a cabo recientemente destaca Robert S. DuPlessis, *Transitions to Capitalism in Early Modern Europe* (Cambridge, 1997), obra que, pese a su título, es perfectamente prudente a la hora de ver la mano del capitalismo a cada paso. Ofrece también una extensa bibliografía muy bien comentada. DuPlessis, suscitando controversias pero sin equivocarse, incluye además una serie de tablas, gráficos y cifras en marcado contraste con la hasta entonces máxima autoridad en la materia, Peter Kriedte, *Peasants, Landlords and Merchant Capitalists: Europe and the World Economy, 1500-1800*, trad. ing. de Volker R. Berghahn (Leamingston Spa, 1983), que está saturada de material estadístico, presentado a menudo de manera confusa y poco sistemática. El intento por parte de Kriedte de reconciliar los enfoques de la economía de comienzos de la Edad Moderna propios del marxismo con los que ofrecen los neoclásicos constituyó toda una innovación en su época, y las percepciones conceptuales de este autor siguen siendo estimables. La obra de Kriedte ha sido puesta en su contexto por el importante análisis historiográfico de William W. Hagen, «Capitalism and the Countryside in Early Modern Europe: Interpretations, Models, Debates», *Agricultural History*, n.º 62 (1988), pp. 13-47. Un intento reciente por reformular los argumentos fundamentales que subyacen en las obras marxistas y no marxistas, lo ofrece Peter Musgrave, *The Early Modern European Economy* (Houndmills y Nueva York, 1999). Concebida como una polémica vigorizante, esta obra adolece de falta de detalles, pese a su carácter reiterativo, y tiende a las exageraciones y a negarse a identificar con precisión a quién o qué interpretaciones pone en entredicho. La obra, publicada mucho antes, de Hermann Kellebenz, *The Rise of the European Economy: An Economic History of Continental Europe 1500-1750*, trad. ing. de Gerhard Benecke (Londres, 1976), ha sido siempre deficiente desde el punto de vista teórico, pero puede seguirse consultando para obtener información factual, especialmente en relación con los territorios alemanes. El lector también puede recurrir a los notables volúmenes que componen *The Cambridge Economic History of Europe*, aunque el volumen IV, *The Economy of Expanding Europe in the Sixteenth and Seventeenth Centuries*, editado por E. E. Rich y C. H. Wilson (Cambridge, 1967), y el volumen V, *The Economic Organization of Early Modern Europe*, editado por E. E. Rich y C. H. Wilson (Cambridge, 1977), hoy día necesitan ser objeto de importantes revisiones. Mucho más utilizado en la actualidad es el *Handbook of European History 1400-1600: Late Middle Ages, Reinassance and Reformation*, vol. I: *Structures and Assertions*, editado por Thomas A. Brady, Juan, Heiko A. Oberman y James D. Tracy (Leiden, 1994), sobre todo las aportaciones de Bartolomé Yun, John H. Munro, James D. Tracy y Jan de Vries.

Para la aparición de una «economía mundial» a partir del siglo XVI, véanse Immanuel Wallerstein, *The Modern World-System*, vol. I: *Capitalist Agriculture and the Origins of the European World-Economy in the Sixteenth Century* (Nueva York, 1974), y *The Modern World-System*, vol. II: *Mercantilism and the Consolidation of the European World-Economy, 1600-1750* (Nueva York, 1980), una obra víctima de su propia elaboración de pautas. Aunque contiene una serie de percepciones que resultan útiles, su análisis adolece de los conocimientos apropiados de la Europa oriental y del centro del este europeo. En esencia, representa la proyección en un panorama global del famoso estudio acerca del mundo mediterráneo en el siglo XVI llevado a cabo por Fernand Braudel, *The Mediterranean and the Mediterranean World in the Age of Philip II*, 2 vols., trad. ing. de Siân Reynolds (Londres, 1972-1973). Esta obra, cuyos críticos son considerados hasta blasfemos en ciertos ambientes, consigue sus objetivos de manera sorprendentemente desigual. Torpe y prolija, se apoya en el modo de percibir la geografía económica e histórica que caracterizó a todos los miembros de la escuela de los *Annales*, pero está anclada en la opinión de que el Nuevo Mundo tuvo un significativo impacto económico en la Europa continental a lo largo del siglo XVI. Otra obra de Braudel, *Capitalism and Material Life, 1400-1800*, trad. ing. de Miriam Kochan (Londres, 1973), ofrece un débil análisis teórico de la economía capitalista y adolece de detalles empíricos. Ha sido publicada de nuevo en un traducción revisada y bajo otro título, *The Structures of Everyday Life: The Limits of the Possible*, como el volumen I de *Civilization and Capitalism*, 3 vols., trad. ing. de Siân Reynolds (Londres y Nueva York, 1982). En conjunto, estos tres volúmenes presentan los mismos puntos fuertes y carencias que el estudio elaborado por Braudel acerca del mundo mediterráneo. La obra clásica sobre la supremacía económica del noroeste de Europa de Ralph Davis, *The Rise of the Atlantic Economies* (Londres, 1973), sigue siendo apasionante, aun cuando su planteamiento ha sido puesto en entredicho, sobre todo por la brillante manera de demoler el excepcionalismo europeo (aunque principalmente se ocupe del período anterior al siglo XVI) de Kenneth Pomeranz, *The Great Divergence: China, Europe, and the Making of Modern World Economy* (Princeton y Oxford, 2000).

En estas páginas no tiene cabida una lista detallada de obras sobre la llamada crisis económica de finales de la Edad Media, aunque dicha crisis constituye el eje central en torno al cual gira el debate acerca de la transformación capitalista iniciado por Robert Brenner. Las aportaciones a la célebre discusión aparecen reunidas en T. H. Aston y C. H. E. Philpin, eds., *The Brenner Debate: Agrarian Class Structure and Economic Development in Pre-Industrial Europe* (Cambridge, 1985). En las últimas décadas este debate ha ido languideciendo, pero últimamente se ha visto reiniciado en una importante colección de ensayos sobre la economía de los Países Bajos, obra de Peter Hoppenbrouwers y Jan Luiten van Zanden, eds., *Peasants into Farmers? The Transformation of Rural Economy and Society in the Low Countries (Middle Age-19th Century) in Light of the Brenner Debate* (Turnhout, 2001). Diversos colaboradores combinan densos detalles empíricos con una ambiciosa reflexión teórica; el extenso ensayo final de Robert Brenner supone un cambio palpable de sus primeras teorías presentadas en 1975. Otras cuatro grandes colecciones de ensayos sobre aspectos específicos de la economía europea son: Maarten Prak, ed., *Early Modern Capitalism. Economic and Social Change in Europe, 1400-1800* (Londres, 2001); S. R. Epstein, ed., *Town and Country in Europe, 1300-1800* (Cambridge, 2001); Tom Scott, ed., *The Peasantries of Europe from the Fourteenth to the Eighteenth Centuries* (Londres y Nueva York, 1998); y Sheilagh Ogilvie y Markus Cerman, eds., *European Proto-Industrialization* (Cambridge, 1996). A esta última cabría añadir el útil análisis realizado por Myron Gutmann, *Towards the Modern Economy: Early Industry in Europe, 1500-1800* (Filadelfia, 1988). Para el tema de la urbanización, véase Jan de Vries, *European Urbanization 1500-1800* (Londres, 1984), donde se hace uso de un sofisticado análisis econométrico. En cambio, el reciente estudio de David Nicholas, *Urban Europe, 1100-1700* (Houndmills y Nueva York, 2003), no necesita ser objeto de discernimiento. Para el tema de los mercados y el marco institucional del desarrollo económico, véase

S. R. Epstein, *Freedom and Growth: The Rise of States and Markets in Europe, 1300-1750* (Londres y Nueva York, 2000), cuya lectura invita a una profunda reflexión.

Los precios, los salarios y los ciclos económicos seculares aparecen tratados en dos obras fundamentales: B. H. Slicher van Bath, *The Agrarian History of Western Europe A. D. 500-1850*, trad. ing. de Olive Ordish (Londres, 1963), y Wilhelm Abel, *Agricultural Fluctuations in Europe from the Thirteenth to the Twentieth Centuries*, trad. ing. de Olive Ordish de la 3ª ed. en alemán de 1978 (Londres, 1980). No obstante, ambas obras resultan algo caducas en la actualidad y deben complementarse con dos artículos recientes de Robert C. Allen, «The Great Divergence in European Wages and Prices from the Middle Ages to the First World War», *Explorations in Economic History*, n.º 38 (2001), pp. 411-447; y «Economic Structure and Agricultural Productivity in Europe, 1300-1800», *European Review of Economic History*, n.º 4 (2000), pp. 1-25. Para los cambios climáticos, véanse el revelador estudio de Christian Pfister, «The Little Ice Age: Thermal and Wetness Indices for Central Europe», *Journal of Interdisciplinary History*, n.º 10 (1980), pp. 665-696, y el análisis más general de J. M. Grove, *The Little Ice Age* (Londres, 1988).

Para Europa oriental, véase Daniel Chirot, ed., *The Origins of Backwardness in Eastern Europe: Economics and Politics from the Middle Ages until the Early Twentieth Century* (Berkeley, California, 1989), de calidad desigual, pero con notables ensayos de Robert Brenner y Jacek Kochanowicz. Esta obra viene a complementar la anterior colección de Antoni Mączak, Henryk Samsonowicz y Peter Burke, eds., *East-Central Europe in Transition from the Fourteenth to the Seventeenth Century* (Cambridge y París, 1985), en la que destacan los ensayos de Leonid Żytkowicz, Marian Małowist y Jerzy Topolski (aunque los datos estadísticos deben ser tratados con cautela). Las espinosas cuestiones en torno a la aparición de la llamada «segunda esclavitud» al este del Elba no son fácilmente accesibles al lector que no domine la lengua alemana o la polaca, pero aparece un estudio sobre este tema en Tom Scott, *Society and Economy in Germany, 1300-1600* (Houndmills y Nueva York, 2002), cap. 6, y en William W. Hagen, *Ordinary Prussians: Brandenburg Junkers and Villagers, 1500-1840* (Cambridge, 2002). Para Polonia, el análisis neomarxista de Witold Kula, *An Economic Theory of the Feudal System: Towards a Model of the Polish Economy 1500-1800*, trad. ing. de Lawrence Garner (Londres, 1976), es sumamente denso e insiste con un ahínco excesivo en la importancia original de los mercados de exportación.

Para Alemania occidental, véanse Scott, *Society and Economy in Germany, 1300-1600* (indicado más arriba), y los ensayos que aparecen en Bob Scribner, ed., *Germany: A New Social and Economic History*, vol. I: *1450-1630* (Londres, 1996). Entre los escasos estudios territoriales en lengua inglesa, véanse, para Hohenlohe, la fantástica monografía de Thomas Robisheaux, *Rural Society and the Search for Order in Early Modern Germany* (Cambridge, 1989); para Baviera, el importante estudio revisionista de Govind P. Sreenivasan, *The Peasants of Ottobeuren, 1487-1726: A Rural Society in Early Modern Europe* (Cambridge, 2004); y para el Alto Rin, Tom Scott, *Freiburg and the Breisgau: Town-Country Relations in the Age of Reformation and Peasants' War* (Oxford, 1986) y su *Regional Identity and Economic Change: The Upper Rhine, 1450-1600* (Oxford, 1997). William J. Wright, *Capitalism, the State and the Lutheran Reformation: Sixteenth-Century Hesse* (Athens, Ohio, 1988) es una obra en cierto sentido excéntrica que resulta poco convincente. Para los Fugger, véase Richard Ehrenberg, *Capital and Finance in the Age of the Reinassance: A Study of the Fuggers and their Connections*, trad. ing. de H. M. Lucas (Nueva York, 1963), ¡la última reedición de una obra que se publicó por primera vez en inglés en 1896! Para Augsburgo, véase Martha White Paas, *Population Change, Labor Supply, and Agriculture in Augsburg, 1480-1618: A Study of Early Demographic-Economic Interactions* (Nueva York, 1981), cuyo argumento acerca de la partición de las explotaciones agrícolas de los campesinos del este de Suabia sigue resultando sumamente controvertido. Para Núremberg, véase Wolfgang von Stromer, «Commercial Policy and Economic Conjuncture in Nuremberg at the Close of the Middle Ages: A Model of Economic Policy», *Journal of European Economic History*, n.º 10 (1980), pp. 119-129. El mejor estudio sobre la Liga de la Hansa sigue siendo Philippe Dollinger, *The German Hansa*, trad. ing. de D. S. Ault y S. H. Steinberg (Londres, 1970), que ha sido reeditado con una introducción de Mark Casson (Londres y Nueva York, 1999). Encontramos también un análisis sobre Alemania oriental profusamente ilustrado en Johannes Schildhauer, *The Hansa: History and Culture*, trad. ing. de Katherine Vanovitch (Leipzig, 1985).

Sobre los Países Bajos existe una abundante historiografía, aunque hasta la aparición de Hoppenbrouwers y Van Zanden, *Peasants into Farmers?* (como se ha indicado más arriba), los historiadores belgas tendieron, comprensiblemente, a concentrarse en la eflorescencia de Flandes y Brabante en época medieval, y los holandeses en la emergente supremacía mercantil del norte de los Países Bajos a comienzos de la Edad Moderna. Para el sur de la región, véanse los importantes ensayos incluidos en John H. Munro,

Textiles, Towns and Trade: Essays in the Economic History of Late-Medieval England and the Low Countries (Aldershot, 1984), y la comparación que se establece entre Flandes y el norte de Italia en Herman van der Wee, eds., *The Rise and Decline of Urban Industries in Italy and the Low Countries: Late Middle Ages - Early Modern Times* (Leuven, 1988). Para la industria textil en general, véase Marc Boone y Walter Prevenier, eds., *Drapery Production in the Late Medieval Low Countries: Markets and Strategies for Survival (14th-16th Centuries)* (Louvain y Apeldoorn, 1993). Para las «nuevas pañerías», véase el sobresaliente ensayo de Robert S. Du-Plessis, «One Theory, Two Draperies, Three Provinces, and a Multitude of Fabrics: The New Drapery of French Flanders, Hainaut, and the Tournaisis, *ca.* 1500 - *ca.* 1800», en N. B. Harte, ed., *The New Draperies in the Low Countries and England, 1300-1800* (Oxford, 1997), pp. 129-172. Para Amberes el estudio clásico sigue siendo Herman van der Wee, *The Growth of the Antwerp Market and the European Economy, Fourteenth-Sixteenth Centuries*, 3 vols. (La Haya [impresión en Louvain], 1963). El estudio más reciente relacionado con el norte es la obra de Jan de Vries y Adrian van der Woude, *The First Modern Economy: Success, Failure, and Perseverance of the Dutch Economy, 1500-1815* (Cambridge, 1997). Véase asimismo Karel Davids y Leo Noordegraaf, eds., *The Dutch Economy in the Golden Age: Nine Studies* (Amsterdam, 1993). Para la economía rural en el norte, véase Jan de Vries, *The Dutch Rural Economy in the Golden Age 1500-1700* (New Haven y Londres, 1974), una obra brillante que ha sido cuestionada, pero nunca refutada (véase más arriba De Vries en Hoppenbrouwers y Van Zanden, *Peasants into Farmers?*), que sigue siendo un manual de referencia, al igual que lo es Violet Barbour, *Capitalism in Amsterdam in the Seventeenth Century* (Baltimore, Maryland, 1950) después de más de cincuenta años. Entre los estudios sobre el capitalismo holandés más recientes, cabe destacar Jan Luiten van Zanden, *The Rise and Decline of Holland's Economy: merchant Capitalism and the Labour Market* (Manchester, 1993), los ensayos que aparecen en Maurice Aymard, ed., *Dutch Capitalism and World Capitalism* (Cambridge y París, 1982), y, entre sus numerosas y notables monografías, Jonathan Israel, *Dutch Primacy in World Trade, 1585-1740* (Oxford, 1989). Para los créditos, véase el revelador estudio de James D. Tracy, *A Financial Revolution in the Habsburg Netherlands: «Renten» and «Renteniers» in the County of Holland, 1515-1565* (Berkeley y Los Ángeles, 1985), así como la obra más especializada de Marjolein 't Hart, *The Making of a Bourgeois State: War, Politics and Finance during the Dutch Revolt* (Manchester, 1993).

Existen numerosas obras acerca de la economía francesa después de 1600, pero el siglo XVI sigue siendo en gran medida territorio desconocido a no ser que se tengan buenos conocimientos de francés. Para el campesinado y la economía rural, véanse Emmanuel Le Roy Ladurie, *The French Peasantry 1450-1660*, trad. ing. de Alan Sheridan (Aldershot, 1987), y el reciente y notable estudio de Philip T. Hoffman, *Growth in a Traditional Society: The French Countryside 1450-1815* (Princeton, 1996). A estas obras cabría sumar el exhaustivo estudio a escala local de Jonathan Dewald, *Pont-St-Pierre 1398-1789: Lordship, Community and Capitalism in Early Modern France* (Berkeley, California, 1987). El estudio de Guy Bois acerca de la Normandía de finales de la Edad Media, *The Crisis of Feudalism: Economy and Society in Eastern Normandy* c. *1300-1550*, trad. ing. anónima (Cambridge y París, 1984), escrito desde una perspectiva marxista poco ortodoxa, es otro trabajo exhaustivo de investigación en el ámbito territorial con una gran variedad de reflexiones teóricas. Por desgracia, sus observaciones acerca del siglo XVI son totalmente erradas, y de hecho prácticamente se aparta de ellas en su reciente estudio sobre la materia (en francés) *La Grande Dépression médiévale: XIVe et Xve siècles. Le Précédent d'une crise systémique* (París, 2000). En cuanto a la industria urbana y rural, apenas existen obras especializadas, aparte de Gaston Zeller, «Industry in France before Colbert», en Rondo Cameron, ed., *Essays in French Economic History* (Homewood, Illinois, 1970), y el ya muy viejo estudio comparativo de John U. Nef, *Industry and Government in France and England, 1540-1640* (Filadelfia, 1940), que no deja de ser un ensayo ampliado.

La historia de la economía española de la época está mejor documentada, pero principalmente más a través de monografías que de estudios generales. Un punto de partida excelente es Teófilo F. Ruiz, *Crisis and Continuity: Land and Town in Late Medieval Castile* (Filadelfia, 1994), que prepara el terreno para el debate acerca de la grandeza y el declive de Castilla en los siglos XVI y XVII. En el otro extremo del espectro, la colección de I. A. A. Thompson y Bartolomé Yun Casalilla, eds., *The Castilian Crisis of the Seventeenth Century: New Perspectives on the Economic and Social History of Seventeenth-Century Spain* (Cambridge, 1994), arroja mucha luz sobre el siglo XVI; también realiza ciertas correcciones al notable estudio de David Vassberg, *Land and Society in Golden Age Castile* (Cambridge, 1984). Para la Mesta y el comercio de la lana, véase Carla Rahn Phillips y William Phillips, *Spain's Golden Fleece: Wool Production and the Wool Trade from the Middle Ages to the Nineteenth Century* (Baltimore y Londres, 1997). Para las relaciones entre el campo y la ciudad, véase la obra especializada de David Reher, *Town and Country in Pre-Industrial Spain: Cuenca, 1550-1870* (Cambridge, 1990). Encontramos también un estudio pormenorizado sobre el auge de Madrid en David R. Ringrose, *Madrid and the Spanish Econmy (1560-1860)* (Berkeley, California, 1983). El manual de Antonio Domínguez Ortiz, *The Golden Age of Spain 1516-1659*, trad. ing. de James Casey (Londres, 1971), contiene más información relacionada con la economía de la habitual en este tipo de obras.

En cuanto a Italia, es especialmente necesario tener suficientes conocimientos de los avances experimentados a finales de la Edad Media para una buena comprensión de la economía del siglo XVI. La monografía de Stephan R. Epstein, *An Island for Itself: Economic Development and Social Change in Late Medieval Sicily* (Cambridge, 1992), abarca mucho más que lo que su título indica, pone en tela de juicio el concepto global del «atraso» del sur de Italia e incluye diversas reflexiones a propósito del siglo XVI. Esta obra puede complementarse con el importante artículo del mismo autor, «Cities, Regions and the Late Medieval Crisis: Sicily and Tuscany Compared», *Past and Present*, n.° 130 (1991), pp. 3-50. Un estudio de casos especializado sobre la Toscana rural es Frank McArdle, *Altopascio: A Study in Tuscan Rural Society, 1587-1784* (Cambridge, 1978). Véase asimismo en este contexto John A. Marino, *Pastoral Economics in the Kingdom of Naples* (Baltimore y Londres, 1988), que habla sobre la Dogana. Para la manufacturación rural, véase Carlo Marco Belfanti, «Rural Manufactures and Rural Proto-Industries in the 'Italy of Cities' from the Sixteenth through the Eighteenth Century», *Continuity and Change*, n.° 8 (1993), pp. 253-280. Para una industria en concreto, véase Maureen Mazzaoui, *The Italian Cotton Industry in the Late Middle Ages, 1100-1600* (Cambridge, 1981). Para la vida en las ciudades, véase Richard Mackenney, *Tradesmen and Traders: The World of the Guilds in Venice and Europe, c.1250-c.1650* (Londres, 1987), y para Venecia, véase Brian Pullan, ed., *Crisis and Change in the Venetian Economy in the Sixteenth and Seventeenth Centuries* (Londres, 1968). Encontramos diversos estudios acerca de los créditos y los bancos en Raymond De Roover y Julius Kirshner, ed., *Business, Banking and Economic Thought in Late Medieval and Early Modern Europe: Selected Studies of Raymond De Roover* (Chicago y Londres, 1974).

Existe abundante bibliografía acerca de la Inglaterra de comienzos de la Edad Moderna, pero en estas páginas sólo podemos dar cabida a una pequeña selección de títulos y debemos excluir prácticamente todos los estudios a nivel regional o provincial. La obra más conveniente relacionada con los avances en el ámbito de la agricultura sigue siendo Joan Thirsk, ed., *The Agrarian History of England and Wales*, vol. IV: *1500-1640* (Londres, 1967). Existe también otra obra más reciente, el ambicioso estudio de Mark Overton, *Agricultural Revolution in England: The Transformation of the Agrarian Economy 1500-1850* (Cambridge, 1996). Para los enclosures, véase, desde una perspectiva distinta, el análisis revisionista de Robert C. Allen, *Enclosure and the Yeoman: The Agricultural Development of the South Midlands 1450-1850* (Oxford, 1992), y el tradicionalista de James A. Yelling, *Common Field and Enclosure in England, 1450-1850* (Londres, 1977). Para los problemas agrarios en general, recomendamos las opiniones no exentas de controversia de Eric Kerridge, *Agrarian Problems in the Sixteenth Century and After* (Londres, 1969), que hace hincapié en los cambios tecnológicos. Para el desarrollo de la agricultura capitalista, véase Richard W. Hoyle, «Tenure and the Land Market in Early Modern England: or a Late Contribution to the Brenner Debate», *Economic History Review*, II época, n.º 43 (1990), pp. 1-20, y el importantísimo estudio sobre East Anglia de Jane Whittle, *The Development of Agrarian Capitalism: Land and Labour in Norfolk, 1440-1580* (Oxford, 2000). En cuanto a la *gentry*, recomendamos G. E. Chambers, *The Gentry: The Rise and Fall of a Ruling Class* (Londres, 1976), así como el estudio sobre sus orígenes de finales de la Edad Media en Peter Coss, *The Origins of the English Gentry* (Cambridge, 2003). Entre los diversos trabajos relacionados con la industria, cabe destacar D. C. Coleman, *Industry in Tudor and Stuart England* (Londres, 1975), y G. D. Ramsay, *The English Woollen Industry, 1500-1750* (Londres, 1982). A este último cabría añadir en la actualidad los estudios de ámbito regional de Michael Zell, *Industry in the Countryside: Wealden Society in the Sixteenth Century* (Cambridge, 1994), y David Rollison, *The Local Origins of Modern Society: Gloucestershire 1500-1800* (Londres, 1992). Para las industrias rurales, desde un punto de vista más general, recomendamos el clásico artículo de Joan Thirsk, «Industries in the Countryside», en F. J. Fisher, ed., *Essays in the Economic and Social History of Tudor and Stuart England* (Cambridge, 1961), pp. 70-88. Para determinadas industrias, véase, en el caso de la del carbón, John Hatcher, *The History of the British Coal Industry, vol. I: Before 1700: Towards the Age of Coal* (Oxford, 1993); en el caso de la del estaño, su *English Tin Production and Trade before 1550* (Oxford, 1973); y en el caso de la del vidrio, Eleanor Godfrey, *The Development of English Glassmaking 1560-1640* (Chapel Hill, Carolina del Norte, 1975). Para la aparición de las industrias al servicio de una sociedad consumista, véase Joan Thirsk, *Economic Policy and Projects: The Develop-*

ment of a Consumer Society in Early Modern England (Oxford, 1978). Para las acuñaciones de monedas, véase J. D. Gould, *The Great Debasement: Currency and the Economy in Mid-Tudor England* (Oxford, 1970), y para la inflación el panfleto de R. B. Outhwaite, *Inflation in Tudor and Early Stuart England* (Londres, 1982[2]).

Por último, en el marco de un panorama europeo, hay diversos estudios sobre determinados sectores en concreto de la economía. Para el comercio de ganado, véase el exhaustivo trabajo de revisión llevado a cabo por Ian Blanchard, «The Continental European Cattle Trade, 1400-1600», *Economic History Review*, II época, n.° 39 (1986), pp. 427-460. Sobre la industria minera hay lamentablemente muy pocos estudios en lengua inglesa, con la excepción de Ian Blanchard, *International Lead Production and Trade in the «Age of the Saigerprozess» 1450-1560* (*Zeitschrift für Unternehmensgeschichte*, supl. 85; Stuttgart, 1995), que contiene además una información primordial acerca de la producción argentífera. Para el hierro, véanse en Hermann Kellenbenz, ed., *Schwerpunkte der Eisengewinnung und Eisenverarbeitung in Europa 1500-1650* (Colonia y Viena, 1974), los ensayos en Inglés de D. W. Crossley, «The English Iron Industry 1500-1650: The Problem of New Techniques», pp. 17-34, y Domenico Sella, «The Iron Industry in Italy, 1500-1650», pp. 91-105; a éstos cabría añadir Milan Myška, «Pre-Industrial Iron-Making in the Czech Lands: The Labour Force and Production Relations *circa* 1350 - *circa* 1840», *Past and Present*, n.° 82 (1979), pp. 44-72. Las dificultades que atravesó la economía y la sociedad europeas a finales del siglo XVI aparecen comentadas en Peter Clark, ed., *The European Crisis of the 1590s: Essays in Comparative History* (Londres, 1985).

2. Política y guerra

El capítulo 2 presupone una serie de conocimientos básicos de los acontecimientos políticos de Europa en el siglo XVI. Sin embargo, las historias políticas generales de Europa se han visto eclipsadas en la historiografía anglosajona durantes varias décadas, de modo que hay relativamente poco material de este último decenio que pueda resultarnos útil en el tema que nos interesa. Richard Bonney, *The European Dynastic States, 1494-1660* (Oxford, 1991), es la obra moderna más reciente y accesible, aunque abarca un período más extenso que el estudiado en este capítulo. En la página 572 de su bibliografía hace referencia a otras obras en inglés anteriores a su publicación.

Para cada una de las principales entidades políticas europeas, el número de historias sinópticas disponibles, con buenas exposiciones de los desarrollos políticos, es relativamente elevado. Para el imperio español, siguen siendo útiles dos textos clásicos, aparecidos simultáneamente hace unos cuarenta años: J. H. Elliott, *Imperial Spain, 1469-1716* (Londres, 1963), y Henry Kamen, *Spain, 1469-1714: A Society of Conflict* (Londres, 1983). Para este capítulo, la obra de Henry Kamen *Spain's Road to Empire: How Spain Became a World Power, 1492-1763* (Londres, 2002) resulta, sin embargo, más pertinente y reveladora. Para la Francia de los Valois, R. J. Knecht, *The Rise and Fall of Reinassance France, 1483-1610* (Oxford, 2001²), realiza numerosas reflexiones, especialmente sobre los vínculos existentes entre el desarrollo político y el cultural. J. H. M. Salmon, *Society in Crisis: France in the Sixteenth Century* (Londres, 1975), subraya que la crisis política que sufrió Francia a finales del siglo XVI tuvo unas raíces históricas y políticas mucho más profundas en su forma de gobierno. Michael Hughes, *Early-Modern Germany 1477-1806* (Londres y Basingstoke, 1992) ofrece una visión general de los territorios alemanes en la que queda incluido el siglo XVI, pero Peter F. Wilson, *The Holy Roman Empire, 1495-1800* (Nueva York, 1999), resulta más útil para los desarrollos institucionales y políticos. Norman Davies, *God's Playground: A History of Poland*, 2 vols. (Oxford, 1984), es la historia política habitual del bloque territorial polaco-lituano, aunque Daniel Stone, *The Polish-Lithuanian State, 1386-1795* (Seattle, 2001), es una obra más reciente y aporta mayor información. Para el papado como organización política, John A. F. Thomson, *Popes and Princes, 1416-1517* (Londres y Boston, 1980), resulta útil para enmarcar los acontecimientos, y Paulo Prodi, *The Papal Prince: One Body and Two Souls* (Cambridge, 1987), examina las ambigüedades del vicario de Cristo en su calidad de monarca electo de un principado secular. Para Inglaterra, Perry Williams, *The Tudor Régime* (Oxford, 1979), ofrece un análisis político, sólidamente basado en sus instituciones. Para Escocia, Jenny Wormald, *Court, Kirk and Community: Scotland, 1470-1625* (Londres, 1981), es una excelente obra que abarca numerosas cuestiones políticas.

Para las entidades de Europa más fragmentadas desde el punto de vista político, el material existente en lengua inglesa no es tan abundante. Anton Schindling y Walter Ziegler, eds., *Die Territorien des Reichs im Zeitalter der Reformation und Konfessionalisierung: Land und Konfession, 1500-1650*, 7 vols. (Münster, 1989-1997), es un ejemplo de lo que actualmente no está disponible en lengua inglesa, y su contenido difícilmente queda reflejado en la obra anterior de F. L. Carsten, *Princes and Parliaments in Germany, from the Fifteenth to the Eighteenth Century* (Oxford, 1959). Para la península italiana, Eric Cochrane, *Italy, 1530-1630* (Nueva York y Londres, 1988), ofrece una serie de exposiciones sinópticas bastante útiles de determinadas formas de gobierno con abundante bibliografía. Helmut G. Koenigsberger, *The Government of Sicily under Philip II of Spain: A Study in the Practice of Empire* (Londres, 1951), sigue siendo un trabajo bien pormenorizado acerca del tutelaje imperial no oficial. Richard Mackenney, *The City State, 1500-1700: Republican Liberty in an Age of Princely Power* (Londres, 1989), es un útil estudio comparativo de ciudades estado que resulta particularmente acertado en su exposición de los desarrollos vividos en el siglo XVI. James D. Tracy, *Holland under Habsburg Rule: The Formation of a Body Politic* (Berkeley, California, 1990), ofrece una visión general muy necesaria del desarrollo político en los Países Bajos durante la primera mitad del siglo XVI. Para Hungría, Istvan G. Tóth, *History of Hungary* (Budapest, 2005), recientemente traducida al inglés, reúne a varios historiadores para comparar su desarrollo político con el de otras regiones de Europa central.

Para las instituciones políticas y las élites, deberíamos empezar por las cortes principescas de Europa, sobre las que puede efectuarse una buena lectura comparativa. A. G. Dickens, ed., *The Courts of Europe: Politics, Patronage and Royalty, 1400-1800* (Londres, 1977), constituye un excelente punto de partida. Ronald G. Asch y A. M. Birke, eds., *Princes, Patronage and the Nobility: The Court at the Beginning of the Modern Age* (Londres y Oxford, 1991), es un revelador conjunto de ensayos con una magnífica introducción. Gianvittorio Signoroto y Maria Antonietta Visceglia, eds., *Court and Politics in Papal Rome, 1492-1700* (Cambridge, 2002), ofrece unas perspectivas fascinantes de una corte europea muy particular. Para la aparición de los favoritos de la corte, personajes que ya se prefiguraron en el siglo XVI, véanse los diversos ensayos de J. H. Elliott y Lawrence W. B. Brockliss, eds., *The World of the Favourite* (New Haven y Londres, 1999). Para el impacto político del mecenazgo y el clientelismo, existe una abundante bibliografía reciente que ha suscitado diversos debates, concentrada principalmente en la experiencia francesa. Véase Sharon Kettering, «Clientage during the French Wars of Religion», *Sixteenth Century Journal*, n.º 20 (1989), pp. 68-87, para obtener una visión general, y Mark Greengrass, «Functions and Limits of Political Clientelism in France before Cardinal Richelieu», en Neithard Bulst, Robert Descimon y Alain Guerreau, eds., *L'État ou le Roi: fondations de la modernité monarchique* (*xive-xviiie siècles*) (París, 1996), pp. 69-82, para el debate. También para la Inglaterra del siglo XVI se ha suscitado un debate acerca de la relación existente entre el cambio institucional formal y los canales no oficiales del poder político. Geoffrey Elton, *The Tudor Revolution in Government* (Cambridge, 1953), representa un acérrimo defensor de la importancia del primero. C. Coleman y David Starkey, eds., *Revolution Reassessed: Revisions in the History of Tudor Government and Administration* (Oxford, 1986), hace hincapié en los segundos. En cuanto a las instituciones y élites de una manera más generalizada, resultan particularmente útiles dos volúmenes colectivos del proyecto de la European Science Foundation sobre los orígenes del estado moderno en Europa («The Origins of the Modern State in Europe»): Wolfgang Reinhard, ed., *Power Elites and State Building* (Oxford, 1998), y Antonio Padoa-Schioppa, ed., *Legislation and Justice* (Oxford, 1997). Las biografías que aparecen en estas dos obras suponen un excelente punto de partida actual para explorar las ricas venas de la investigación tanto en inglés como en otras lenguas. Para las cuestiones más generales relacionadas con la base social del poder político, sólo tenemos espacio para citar en esta selectiva bibliografía unos cuantos trabajos que las plantean: Dennis Romano, *Patricians and Popolani: The Social Foundations of the Venetian Renaissance State* (Baltimore y Londres, 1987), estudia el caso de Venecia; G. R. Elton, «Tudor Government: The Points of Contact», incluido también en sus *Studies in Tudor and Stuart Politics and Government*, vol. III (Cambridge, 1983) hace lo propio con Inglaterra.

La política europea del siglo XVI debe ser contemplada también en el contexto de una literatura más amplia sobre el desarrollo del estado europeo. Charles Tilly, «Reflection on the History of European State-Making», en Tilly, ed., *The Formation of National States in Western Europe* (Princeton, 1975), pp. 3-83, es una de esas exposiciones, basada en las técnicas de contrucción de modelos propias de los científicos sociales. Wim Blockmans y Jean-Philippe Genet, *Les origines de l'état moderne en Europe, xiiie-xviiie siècles* (París, 2000), invita a varios historiadores a examinar la cuestión. K. H. F. Dyson, *The State Tradition in Western Europe: A Study of an Idea and Institution* (Oxford, 1980), ofrece la perspectiva de un teórico político.

En cuanto a los grandes momentos y movimientos políticos del siglo XVI, Mark Hansen, *The Royal Facts of Life: Biology and Politics in Sixteenth Century Europe* (Metuchen, NJ, y Londres, 1980), examina las realidades dinásticas en las que hace hincapié en su correspondiente capítulo.

En muchos aspectos, los grandes movimientos políticos de Europa occidental estuvieron relacionados con las guerras civiles de Francia y los Países Bajos. Philip Benedict, Guido Marnef, Henk van Nierop y Marc Venard, eds., *Reformation, Revolt and Civil War in France and the Netherlands, 1555-1585* (Amsterdam, 1999), es un estudio comparativo de varios de esos aspectos. N. M. Sutherland, *Princes, Politics and Religion, 1547-1589* (Londres, 1984), y Geoffrey Parker, *The Dutch Revolt* (Londres, 1977), exploran otros elementos. Para el mayor desastre político del siglo, la matanza de la noche de San Bartolomé, véanse Robert McCune Kingdon, *Myths about the St Bartholomew's Day Massacres, 1572-1576* (Cambridge, 1988); James R. Smither, «The St. Bartholomew's Day Massacre and Images of Kingship in France: 1572-1574», *Sixteenth Century Journal*, n.° 22/1 (1991), pp. 27-46; y Nicola Mary Sutherland, *The Massacre of St Bartholomew and the European Conflict* (Londes y Basingstoke, 1973), que sitúa la matanza en su contexto europeo.

En cuanto a las personalidades políticas del siglo XVI, la bibliografía en lengua inglesa está relativamente bien servida. Para Carlos V, Hugo Soly *et al.*, *Charles V, 1500-1558, and his Time* (Amberes, 1999), es una magnífica obra bellamente ilustrada. Pero William S. Maltby, *The Reign of Charles V* (Basingstoke y Londres, 2001), y James D. Tracy, *Emperor Charles V: Impresario of War: Campaign Strategy, International Finance, and Domestic Politics* (Cambridge, 2002), son unos estudios muy útiles. Mía Rodríguez-Salgado, *The Changing Face of Empire: Charles V, Philip II and Habsburg Authority, 1551-1559* (Cambridge, 1988), examina un período crucial de cambios a la luz de sus dos protagonistas. Helmut Koenigsberger, «Orange, Granvelle and Philip II», en Koenigsberger, ed., *Politicians and Virtuosi: Essays in Early-Modern History* (Londres, 1986), pp. 97-119, forma parte de una colección de ensayos, rica en observaciones acerca de la política europea en el siglo XVI. Se recomienda leerlo junto con Mía J. Rodríguez-Salgado, «King, Bishop, Pawn? Philip II and Granvelle in the 1550s and 1560s», en Krista de Jonge y Gustaaf Janssens, eds., *Les Granvelle et les anciens Pays-Bas* (Leuven, 2000), pp. 105-134. Helmut G. Koenigsberger, «The Statecraft of Philip II», *European Studies Review*, n.° 1 (1971), pp. 1-21, es un afirmación rotunda de cómo el monarca español gobernó su imperio, que merece la pena de ser comparada con Geoffrey Parker, *The Grand Strategy of Philip II* (New Haven y Londres, 1998); Henry Kamen, *Philip of Spain* (New Haven y Londres, 1997), y Geoffrey Parker, *Philip II* (Chicago, 2002), son dos obras recomendables para el reinado de este soberano. Dejando la corte española de los Habsburgo,

Robert J. W. Evans, *Rudolf II and his World: A Study in Intellectual History* (Oxford, 1973), es un estudio sin parangón sobre un importantísimo personaje de finales del siglo XVI. En cuanto a las reinas de la Europa del siglo XVI, hay dos «perfiles en lid»: R. J. Knecht, *Catherine de' Medici* (Londres, 1988), y Christopher Haigh, *Elizabeth I* (Londres, 1988); este último es uno de tantos estudios biográficos sobre la soberana inglesa disponibles en la actualidad.

El escenario político y los ceremoniales han sido el objetivo de un gran número de investigaciones recientes, buena parte de las cuales han concentrado su atención en el siglo XVI. Roy Strong, *Art and Power: Renaissance Festivals, 1450-1600* (Londres, 1986), constituye un excelente punto de partida. Edward Muir, *Civic Ritual in Renaissance Venice* (Princeton, 1981), es un óptimo estudio sobre el caso concreto de Venecia. Del mismo autor, *Ritual in Early Modern Europe* (Cambridge, 1997), sitúa algunas cuestiones en un contexto más amplio. Frances A. Yates, *Astrea: The Imperial Theme in the Sixteenth Century* (Londres, 1975), explora en las justificaciones intelectuales del poder dadas por el Renacimiento. Allan Ellenius, ed., *Iconography, Propaganda and Legitimation* (Oxford, 1998), contiene ciertos estudios útiles sobre el siglo XVI y una buena bibliografía bastante actual. Ralph A. Giesey, *The Royal Funeral Ceremony in Renaissance France* (Ginebra, 1960), y R. A. Jackson, *Vivat Rex! A History of the French Coronation Ceremony from Charles V to Charles X* (Chapel Hill, Carolina del Norte, 1984), son ejemplos representativos de un enfoque del ceremonial político que ha dado importantes resultados para la Europa del siglo XVI.

En cuanto al arte de gobernar propio del siglo XVI, Quentin Skinner, *The Foundations of Modern Political Thought*, 2 vols. (Cambridge, 1978), sigue siendo el mejor punto de partida, aunque encontramos excelentes capítulos sinópticos, además de una buena bibliografía, en J. H. Burns, ed., *The Cambridge History of Political Thought, 1450-1700* (Cambridge, 1991). Si hay un autor al que debemos tomar como fuente primordial para la política de este período, éste es Maquiavelo. Peter Bondanella y Mark Musa, *The Portable Machiavelli* (Londres, 1979 y reimpr.), ofrece los textos completos de *El príncipe* y *La mandrágora* y una selección de *Los discursos*. Felix Gilbert, *Machiavelli and Guicciardini* (Princeton, 1965), es un excelente estudio comparativo. Roberto Ridolfi, *The Life of Niccolò Machiavelli* (Chicago, 1965), sigue siendo la biografía de referencia. J. G. A. Pocock, *The Machiavellian Moment: Florentine Political Thought and the Atalantic Republic Imaginations* (Princeton, 1975), sitúa el pensamiento político florentino en una tradición más larga. Robert Bireley, *The Counter-Reformation Prince: Anti-Machiavellianism or Catholic Statecraft in Early-Modern Europe* (Chapel Hill, Carolina del Norte, 1990), es un notable estudio acerca del arte de gobernar católico en la Contrarreforma. Julian H. Franklin, *John Bodin and the Rise of Absolutist Theory* (Cambridge, 1973), también sitúa a Bodin en una tradición más larga, mientras que Anthony Pagden, ed., *The Languages of Political Theory in Early-Modern Europe* (Cambridge, 1987), sitúa en el contexto el vocabulario de la política del siglo XVI.

Para la guerra y el conflicto militar, John R. Hale, *War and Society in Renaissance Europe* (Londres, 1985), es una excelente introducción. Michael Roberts, «The Military Revolution, 1560-1660», en Roberts, ed., *Essays in Swedish History* (Londres, 1967), discutía un caso al que Geoffrey Parker respondió en «The Military Revolution, 1560-1660—a Myth?», en Parker, ed., *Spain and the Netherlands, 1559-1659* (Londres, 1979). El debate se extendería mucho más allá del siglo XVI, como resulta evidente en Jeremy Black, *A Military Revolution? Military Change and European Society, 1550-1800* (Londres y Basingstoke, 1991), y Geoffrey Parker, *The Military Revolution: Military Innovation and the Rise of the West* (Londres, 1988). Del mismo autor, *The Army of Flanders and the Spanish Road 1567-1659: The Logistics of Spanish Victory and Defeat in the Low Countries' Wars* (Cambridge, 1972), constituye un fecundo estudio de las realidades estratégicas de la Europa del siglo XVI. M. E. Mallett, *Mercenaries and their Masters: Warfare in Renaissance Italy* (Londres, 1974), es un magnífico estudio de un fenómeno que aún era importante. Michael E. Mallett y John R. Hale, *The Military Organization of a Renaissance State: Venice, c.1400-1617* (Cambridge, 1984), constituye el apasionante estudio de un estado que creyó que la tecnología militar era la respuesta a sus problemas de seguridad. J. R. Mulryne y M. Shewring, eds., *War, Literature and the Arts in Sixteenth-Century Europe* (Londres y Basignstoke, 1989), contiene ensayos sobre el impacto del conflicto militar en la imaginación europea del siglo XVI. Philippe Contamine, *War and Competition between States* (Oxford, 2000), contiene diversos estudios relevantes para el siglo XVI y una bibliografía de más de 750 obras y artículos.

3. Sociedad

La última investigación europea llevada a cabo por Henry Kamen, *Early Modern European Society* (Londres, 2000), sigue siendo el mejor estudio de carácter general en la materia; con una buena bibliografía, pero un índice menos útil, Christopher Black, *Early Modern Italy: A Social History* (Londres, 2000), indaga en este complejo tema (y justifica las aserciones y propensiones de este capítulo), mientras que James Casey, *Early Modern Spain: A Social History* (Londres, 1999), pone de manifiesto con rigor las complejidades sociales españolas. Otros estudios regionales son: Jean Bérenger, *A History of the Habsburg Empire 1273-1700* (Harlow, 1994), especialmente el capítulo 16; Keith Wrightson, *English Society 1580-1680* (Londres, 1982); y Natalie Zemon Davis, *Society and Culture in Early Modern France* (Stanford, California, 1975), por algunos ensayos inspiradores, además de su *The Return of Martin Guerre* (Cambridge, Mass., 1983; Harmondsworth, 1985), como el libro de la película (en la que prestó su colaboración como asesora). Robert Jütte, *Poverty and Deviance in Early Modern Europe* (Cambridge, 1994), y Merry Wiesner, *Women and Gender in Early Modern Europe* (Cambridge, 1993), exploran en dos de los temas abordados en este capítulo, pero a lo largo de un período más extenso. Carlo Ginzburg, *The Cheese and the Worms: The Cosmos of a Sixteenth-Century Miller*, trad. ing. de John y Anne Tedeschi (Baltimore, 1980; Harmondsworth, 1982), cuenta la historia de Menocchio. Existe, además, una traducción literal de las actas y documentos del juicio, con una excelente introducción: Andrea Del Col, *Domenico Scandella Known as Menocchio: His Trials before the Inquisition* (Binghampton, NY, 1996). Guido Ruggiero, ed., *A Companion to the Worlds of the Renaissance* (Oxford, 2002), una gran colección multidisciplinaria producida por los especialistas de gran renombre, principalmente norteamericanos, contiene numerosos capítulos que resultan de gran utilidad para desarrollar las cuestiones planteadas en este y en otros capítulos del presente libro; cuenta además con una gran bibliografía compuesta.

4. Mentalidad

La vida intelectual europea del siglo XVI se desarrolló bajo el impulso del Renacimiento italiano. No hay ninguna obra suficientemente buena de la historia cultural de la Italia del siglo XVI, pero encontramos valiosos estudios sobre los centros culturales más importantes. Para Venecia, véanse William J. Bouwsma, *Venice and the Defense of Republican Liberty: Renaissance Values in the Age of the Counter-Reformation* (Berkeley, California, 1978); Oliver Logan, *Culture and Society in Venice, 1470-1790* (Londres, 1972); y Margaret L. King, *Venetian Humanism in an Age of Patrician*

Dominance (Princeton, 1986). Para Roma, véanse John F. D'Amico, *Renaissance Humanism in Papal Rome* (Baltimore, 1983), e Ingrid Rowland, *The Culture of the High Renaissance: Ancients and Moderns in Sixteenth-Century Rome* (Cambridge, 1998). Para Nápoles, véase Jerry H. Bentley, *Politics and Culture in Renaissance Naples* (Princeton, 1987). Dos libros que abordan el tema de Florencia a finales del Renacimiento son: Eric Cochrane, *Florence in the Forgotten Centuries, 1527-1800* (Chicago, 1973), y Cochrane, ed., *The Late Italian Renaissance, 1525-1630* (Nueva York, 1970).

Para la difusión de las nuevas doctrinas en la Europa transalpina, el capítulo 7 de Denys Hay, *The Italian Renaissance in its Historical Background* (Cambridge, 1977[2]), sigue siendo una valiosa introducción. Charles G. Nauert, *Humanism and the Culture of Renaissance Europe* (Cambridge, 1995), explora el desarrollo de la nueva cultura en el norte de Europa. Varias colecciones de ensayos hablan sobre los efectos del Renacimiento en culturas locales: Heiko A. Oberman y Thomas A. Brady, Jr., eds., *Itinerarium Italicum: The Profile of the Italian Renaissance in the Mirror of its European Transformations* (Leiden, 1975); el volumen II de Albert Rabil, Jr., ed., *Renaissance Humanism: Foundations, Forms, and Legacy*, 3 vols. (Filadelfia, 1988); Anthony Goodman y Angus MacKay, eds., *The Impact of Humanism on Western Europe* (Nueva York, 1990); y Roy A. Porter y Mikulás Teich, eds., *The Renaissance in National Context* (Cambridge, 1992). La mayoría de las obras acerca del Renacimiento en el norte europeo se centran en un único país. En el caso de Francia, véanse Franco Simone, *The French Renaissance* (Londres, 1969); Werner L. Gundersheimer, ed., *French Humanism, 1470-1600* (Londres, 1969); Donald Stone, Jr., *France in the Sixteenth Century* (Edgewood Cliffs, NJ, 1969); y A. H. T. Levi. ed., *Humanism in France and in the Early Renaissance* (Manchester, 1970). Augustin Renaudet, *Préréforme et humanisme à Paris pendant les premières guerres d'Italie, 1494-1517* (París, 1952[2]), es una obra que sigue siendo inmejorable, pero no está disponible en lengua inglesa. Para el humanismo inglés antes de 1500, véase Roberto Weiss, *Humanism in England during the Fifteenth Century* (Oxford, 1957[2]). Para el uso político de las doctrinas humanistas durante los reinados de Enrique VIII y Eduardo VI, véase James K. McConica, *English Humanists and Reformation Politics* (Oxford, 1965). Para el período 1500-1534, el lector debe recurrir a los estudios biográficos de personajes como John Colet y Tomás Moro. Para Alemania, Eckhard Bernstein, *German Humanism* (Boston, 1983), supone una breve introducción; pero la obra de mayor alcance en lengua inglesa es Lewis W. Spitz, *The Religious Renaissance of the German Humanists*

(Cambridge, Mass., 1963). Para España, la principal obra de referencia es Marcel Bataillon, *Erasme et l'Espagne*, 3 vols. (Ginebra, 1991), que ha sido traducida al castellano, pero no al inglés.

El humanismo «cristiano» o «bíblico» fue fundamentalmente creación del humanista francés Jacques Lefèvre d'Etaples y del humanista holandés Erasmo de Rotterdam. Philip Edgcumbe Hughes, *Lefèvre: Pioneer of Ecclesiastical Renewal in France* (Grand Rapids, Michigan, 1971), se concentra en la influencia de Lefèvre en la Reforma, aunque presta cierta atención a los inicios de su carrera. Véanse asimismo el ensayo de Eugene F. Rice, Jr., en Gundersheimer, *French Humanism*, pp. 163-180, y la introducción que hace Rice a *The Prefatory Epistles of Jacques Lefèvre d'Etaples and Related Texts* (Nueva York, 1971).

Los estudios que giran en torno a la figura de Erasmo son mucho más numerosos e incluyen las *Collected Works of Erasmus*, que serán publicadas próximamente por University of Toronto Press, y que pueden complementarse con un diccionario biográfico, *Contemporaries of Erasmus*, 3 vols. (Toronto, 1985-1987). Hay muchísimas biografías de Erasmo. La mejor de las más antiguas es Johan Huizinga, *Erasmus of Rotterdam* (primera edición en inglés, 1924; reimpr. Princeton, 1984). Entre otras biografías cabe destacar también las de Margaret Mann Phillips (Londres, 1949) y Roland H. Bainton (Nueva York, 1969) y, más recientemente, las de Cornelis Augustijn (Toronto, 1991), Lisa Jardine (Princeton, 1993) y James D. Tracy (Ginebra, 1996). Erika Rummel, *The Confessionalization of Humanism in Reformation Germany* (Oxford, 2000), analiza la interacción entre el humanismo erasmiano y la Reforma alemana. Para otros grandes «humanistas cristianos», véanse John B. Gleason, *John Colet* (Berkeley, 1989), y las numerosas biografías de Tomás Moro. La más clásica sigue siendo la de R. W. Chambers (Nueva York, 1935). Otras más recientes incluyen las de Alistair Fox (New Haven, 1983), Richard Marius (Nueva York, 1984) y Peter Ackroyd (Londres, 1998). En cuanto a la obra más célebre de Moro, véase J. H. Hexter, *More's Utopia: The Biography of an Idea* (Princeton, 1952).

En su nivel más básico, el humanismo fue un programa de estudios clásicos. Fundamental para el estudio de la erudición del humanismo temprano es la obra de Ronald G. Witt, *«In the Footsteps of the Ancients»: The Origins of Humanism from Lovato to Bruni* (Leiden, 2000). Entre las obras que exploran la recuperación de la antigua literatura griega y latina, cabe destacar: R. R. Bolgar, *The Classical Heritage and its Beneficiaries* (Cambridge, 1954); Rudolf Pfeiffer, *History of Classical Scholarship, 1300-*

1850 (Oxford, 1976); y L. D. Reynolds y N. G. Wilson, *From Byzantium to Italy: Greek Studies in the Italian Renaissance* (Baltimore, 1992). Ann Moss, *Renaissance Truth and the Latin Language Turn* (Oxford, 2003), explora en las consecuencias intelectuales que tuvo el cambio estilístico del latín medieval al latín humanista. Para la erudición humanista bíblica, véase Jerry H. Bentley, *Humanists and Holy Writ: New Testament Scholarship in the Renaissance* (Princeton, 1983). Dos obras de Anthony Grafton, *Joseph Scalinger: A Study in the History of Classical Scholarship*, 2 vols. (Oxford, 1983-1993), y *Defenders of the Text: The Traditions of Scholarship in an Age of Science* (Cambridge, Mass., 1991), estudian el desarrollo de la crítica de textos.

El humanismo ejerció una gran influencia en la educación. Para las escuelas italianas, son fundamentales las obras de Paul F. Grendler y Robert Black, aunque estos dos autores no coinciden en ciertas cuestiones sumamente importantes. Véanse Grendler, *Schooling in Renaissance Italy: Literacy and Learning, 1300-1600* (Baltimore, 1989), y Black, *Humanism and Education in Medieval and Renaissance Italy* (Cambridge, 2001). Grendler, *The Universities of the Italian Renaissance* (Baltimore, 2002), demuestra que la nueva erudición fue penetrando silenciosamente en las universidades italianas sin suscitar demasiadas controversias.

Al norte de los Alpes, sin embargo, la reforma educacional humanista encontró más resistencia. Terrence Heath, «Logical Grammar, Grammatical Logic, and Humanism in Three German Universities», *Studies in the Renaissance*, n.º 18 (1971), pp. 9-64, explica cómo las reformas humanistas de los planes de estudio pusieron en peligro la educación tradicional. James H. Overfield, *Humanism and Scholasticism in Late Medieval Germany* (Princeton, 1984), y Erika Rummel, *The Humanist-Scholastic Debate in the Renaissance and Reformation* (Cambridge, Mass., 1995), ofrecen distintas opiniones cuando se preguntan si los conflictos provocados por la reforma de los planes de estudio dieron o no lugar a un verdadero choque entre las culturas medieval y renacentista.

Mark H. Curtis, *Oxford and Cambridge in Transition, 1558-1642* (Oxford, 1959), puso en entredicho la opinión convencional de que las universidades inglesas siguieron siendo fundamentalmente medievales hasta el siglo XIX. Dos historias más recientes confirman sus conclusiones: James McConica, ed., *The Collegiate University* (Oxford, 1986), vol. III de *The History of the University of Oxford*; y Damian Riehl Leader, *The University to 1546* (Cambridge, 1988), vol. I de *A History of the University of Cambridge*. En cuanto a París, Renaudet, *Préréforme*, ofrece un estudio detallado de la vida intelectual de la universidad de esta ciudad, pero sólo hasta 1517 aproximadamente. Para España, véase Richard Kagan, *Students and Society in Early Modern Spain* (Baltimore, 1974). Josef Ijsewijn, «The Coming of Humanism to the Low Countries», en H. A. Oberman y T. A. Brady, Jr., eds., *Itinerarium Italicum* (Leider, 1975), pp. 193-301, habla de las reformas educativas llevadas a cabo en los Países Bajos. Para los florecientes *collèges* municipales de Francia, véase George Huppert, *Public Schools in Renaissance France* (Urbana, Illinois, 1984). Para Inglaterra, véanse Joan Simon, *Education and Society in Tudor England* (Cambridge, 1969), y Rosemary O'Day, *Education and Society, 1560-1800* (Londres, 1982).

Los debates suscitados por el concepto de «humanismo civil» de Hans Baron pertenecen a la historiografía del siglo XV, pero la tesis de este autor relacionada con el republicanismo florentino es sumamente importante para comprender a Nicolás Maquiavelo. Felix Gilbert, *Machiavelli and Guicciardini: Politics and History in Sixteenth-Century Florence* (Princeton, 1965), considera a Maquiavelo el heredero del republicanismo florentino. Peter Godman, *From Poliziano to Machiavelli: Florentine Humanism in the High Renaissance* (Princeton, 1998), vincula también a Maquiavelo con el humanismo florentino temprano. J. G. A. Pocock, *The Machiavellian Moment: Florentine Political Thought and the Atlantic Revolution* (Princeton, 1975), explora en la historia posterior de la ideología republicana florentina.

Los humanistas jurídicos franceses que descubrieron que las leyes y las instituciones políticas de su país no emanaban del derecho romano, sino que tenían sus raíces en la Edad Media, son el tema de estudio de Donald R. Kelley, *Foundations of Modern Historical Scholarship: Language, Law, and History in the French Renaissance* (Nueva York, 1970), y de George Huppert, *The Idea of Perfect History: Historical Erudition and Historical Philosophy in Renaissance France* (Urbana, Illinois, 1970).

Los descubrimientos renacentistas de textos tuvieron una gran influencia en la filosofía. Dos obras generales son Charles B. Schmitt y Quentin Skinner, eds., *The Cambridge History of Renaissance Philosophy* (Cambridge, 1988), y Brian P. Copenhaver y Charles B. Schmitt, *Renaissance Philosophy* (Oxford, 1992). Entre las obras importantes que estudian el neoplatonismo renacentista, cabe destacar: el capítulo 3 de P. O. Kristeller, *Renaissance Thought* (Nueva York, 1991); Michael J. B. Allen, *The Platonism of Marsilio Ficino: A Study of his Phaedrus Commentary* (Berkeley, California, 1984) e *Icastes: Marsilio Ficino's Interpretation of*

Plato's Sophist (Berkeley, California, 1989); Arthur Field, *The Origins of the Platonic Academy of Florence* (Princeton, 1988); y James Hankins, *Plato in the Italian Renaissance*, 2 vols. (Leiden, 1991[2]).

El neoplatonismo renacentista puso de relieve la respetabilidad de la magia, la astrología, la filosofía hermética y otras ciencias ocultas. Entre las diversas obras que tratan el ocultismo en tiempos del Renacimiento, cabe destacar: Wayne Shumaker, *The Occult Sciences in the Renaissance* (Berkeley, California, 1972); Ingrid Merkel y Allen G. Debus, eds., *Hermeticism and the Renaissance Intellectual History and the Occult in Early Modern Europe* (Washington, DC, 1988); y Gary K. Waite, *Heresy, Magic and Witchcraft in Early Modern Europe* (Nueva York, 2003). Dos productos sobresalientes de la «escuela Warburg» de historia son D. P. Walker, *Spiritual and Demonic Magic from Ficino to Campanella* (Londres, 1958) y Frances A. Yates, *Giordano Bruno and the Hermetic Tradition* (Chicago, 1964). Para el interés renacentista por la cábala judía, el mejor manual es Gershom Scholem, *Major Trends in Jewish Mysticism* (Nueva York, 1944[3]). El lector con conocimientos de lengua francesa debería consultar François Secret, *Les Kabbalistes chrétiens de la Renaissance* (París, 1964).

Aunque la obra de Platón ejerció una gran influencia en la vida intelectual del siglo XVI, no encontró un lugar en la enseñanza filosófica de las universidades, que siguieron aceptando a Aristóteles como la máxima autoridad en materia de filosofía. Charles B. Schmitt analiza esta predominancia de Aristóteles en *Aristotle and the Renaissance* (Cambridge, Mass., 1983), *Studies in Renaissance Philosophy and Science* (Londres, 1981) y *The Aristotelian Tradition and Renaissance Universities* (Londres, 1984).

Aristóteles aportó el marco filosófico para la enseñanza de las ciencias y la medicina en las universidades. Una excelente introducción a las ciencias en la época renacentista es Marie Boas, *The Scientific Renaissance, 1450-1630* (Nueva York, 1962), así como Robert Mandrou, *From Humanism to Science, 1480-1700* (Harmondsworth, 1978). La conciencia renacentista de la importancia que tenían las matemáticas es el tema de estudio de Peter Dear, ed., *The Scientific Enterprise in Early Modern Europe: Readings from Isis* (Chicago, 1997). La materia crucial para la llamada «revolución científica» fue la astronomía, asociada a la obra de Nicolás Copérnico y sus sucesores. Entre las obras que pueden sernos útiles en este sentido, cabe destacar: Thomas S. Kuhn, *The Copernican Revolution: Planetary Astronomy in the Development of Western Thought* (Nueva York, 1959); Alexandre Koyré, *The Astronomical Revolution: Copernicus, Kepler, Borelli* (Ithaca, NY, 1973); Robert Westman, ed., *The Copernican Achievement*

(Berkeley, California, 1975); Edward Rosen, *Copernicus and the Scientific Revolution* (Malabar, Florida, 1984); y Owen Gingerich, *The Eye of Heaven: Ptolemy, Copernicus, Kepler* (Nueva York, 1993). Dos libros que ofrecen diversas perspectivas innovadoras en el tema de las ciencias durante el Renacimiento son: Paula Findlen, *Possessing Nature: Museums, Collecting, and Scientific Culture in Early Modern Italy* (Berkeley, California, 1994), y Lorraine Daston y Katharine Park, *Wonders and the Order of Nature* (Nueva York, 1998).

En cuanto a la medicina del Renacimiento, véanse Nancy G. Siraisi, *Medieval and Early Renaissance Medicine: An Introduction to Knowledge and Practice* (Chicago, 1990) y *Medicine in the Italian Universities, 1250-1600* (Leiden, 2001). Para la tradición de Paracelso en la medicina, véase Allen Debus, *The Chemical Philosophy: Paracelsian Science and Medicine in the Sixteenth and Seventeenth Centuries*, 2 vols. (Nueva York, 1977).

Para la filosofía moral estoica en la Italia renacentista, véase Charles Trinkaus, *Adversity's Noblemen: The Italian Humanists on Happiness* (Nueva York, 1940). Jason L. Saunders, *Justus Lipsius: The Philosophy of Renaissance Stoicism* (Nueva York, 1955), habla de la aparición del neoestoicismo durante las guerras de Religión. Estas guerras también estimularon un renovado interés por la filosofía política. La literatura a favor del derecho de rebelión contra los gobernantes tiránicos es uno de los temas de Quentin Skinner, *The Foundations of Modern Political Thought*, 2 vols. (Cambridge, 1978). Para Jean Bodin (o Bodino), el pensador político más importante de la época, véanse Julian Franklin, *Jean Bodin and the Sixteenth-Century Revolution in the Methodology of Law and History* (Nueva York, 1963) y *Jean Bodin and the Rise of Absolutism Theory* (Cambridge, 1973).

La retórica humanística se convirtió en rival del racionalismo aristotélico, especialmente tras la publicación póstuma en 1515 de las *Disputationes dialectiae* del humanista frisio Rodolfo Agricola. Para Agricola, véanse F. Akkerman y A. J. Vanderjagt, eds., *Rodolphus Agricola Phrisius, 1444-1485* (Leiden, 1985), y Peter Mack, *Renaissance Argument: Valla and Agricola in the Traditions of Rhetoric and Dialectic* (Leiden, 1993). Los retóricos raras veces atacaron abiertamente la autoridad de Aristóteles, que sí que sufrió los ataques directos del influyente filósofo francés Pierre de la Ramée (Petrus Ramus). El estudio principal es Walter J. Ong, *Ramus, Method, and the Decay of Dialogue* (Cambridge, Mass., 1958). Otras obras que hablan sobre De la Ramée y la retórica son: Wilbur Samuel Howell, *Logic and Rhetoric in England, 1500-1700* (Princeton, 1956), y Neal W. Gilbert, *Renaissance Concepts of Method* (Nueva York, 1960).

Para el auge del escepticismo, Richard H. Popkin, *The History of Scepticism from Erasmus to Descartes* (Assen, 1960; ed. rev. en Berkeley, California, 1979), es la mejor obra en la materia. Véanse también Luciano Floridi, *Sextus Empiricus: The Transmission and Recovery of Pyrrhonism* (Nueva York, 2002); Victoria Kahn, *Rhetoric, Prudence, and Scepticism in the Renaissance* (Ithaca, NY, 1985); y Zachary Sayre Schiffman, *On the Threshold of Modernity: Relativism in the French Renaissance* (Baltimore, 1991). Aunque no fuera un escéptico, Rabelais hizo referencia a los autores escépticos y jugó con las paradojas. Véase Barbara C. Bowen, *The Age of Bluff: Paradox and Ambiguity in Rabelais and Montaigne* (Urbana, Illinois, 1972). Lucien Febvre, *The Problem of Unbelief in the Sixteenth Century: The Religion of Rabelais* (Cambridge, Mass., 1982), indaga las inquietudes intelectuales del pensamiento francés. En cuanto al propio Rabelais, recomendamos las biografías de Marcel Tetel (Nueva York, 1967) y M. A. Screech (Ithaca, NY, 1979). Dos útiles biografías de Montaigne, el portavoz del escepticismo más influyente antes de Descartes, son las de Peter Burke (Nueva York, 1982) y Donald M. Frame (Nueva York, 1968). Paolo Rossi, *Francis Bacon: From Magic to Science* (Londres, 1968), demuestra que las ideas platónicas y ocultistas influenciaron a Bacon. Véase asimismo Lisa Jardine, *Francis Bacon: Discovery and the Art of Discourse* (Cambridge, 1974).

5. Las turbulencias de la fe

La transición de la Alta Edad Media al Renacimiento y la Reforma ha sido objeto de una atención especial por parte de una serie de autoridades en Thomas A. Brady, Heiko Augustinus Oberman y James D. Tracy, eds., *Handbook of European History, 1400-1600: Late Middle Ages, Renaissance, and Reformation*, 2 vols. (Leiden y Nueva York, 1994-1995). Para la religión véanse especialmente los ensayos de Scribner y Van Engen en el volumen I, y todas las secciones 1 y 2 del volumen II Una introducción a este tema que sigue siendo excelente, además de mucho más breve, es Steven Ozment, *The Age of Reform 1250-1550: An Intellectual and Religious History of Late Medieval and Reformation Europe* (New Haven, 1980). Otra obra de varios autores, editada por E. Iserloh, J. Glazik y H. Jedin, *Reformation and Counter Reformation*, trad. ing. de A Biggs y P. W. Becker, que constituye el volumen V de H. Jedin y J. Dolan, eds., *History of the Church* (Nueva York, 1980), es víctima de su postura abiertamente procatólica y también de su época. Para la Reforma, encontramos diversos estudios de varios autores en Andrew Pettegree, ed., *The Reformation World* (Londres y Nueva York, 2000), y en R. Po-chia Hsia, ed., *A Companion to the Reformation World* (Oxford, 2004). También recomendamos los ensayos de Euan Cameron, *The European Reformation* (Oxford y Nueva York, 1991), y Carter Lindberg, *The European Reformation* (Oxford y Cambridge, Mass., 1996), y, más recientemente, el trabajo en cierta medida idiosincrásico, pero brillante, de Owen Chadwick, *The Early Reformation in the Continent* (Oxford y Nueva York, 2001), así como el amplio estudio, perfectamente académico, de Diarmaid MacCulloch, *Reformation: Europe's House Divided, 1490-1700* (Londres, 2004; edición americana, *The Reformation: A History*, Nueva York y Londres, 2004).

Las creencias populares antes y después de la época de la Reforma siguen pendientes de un estudio completo y definitivo, debido al problema que plantean los testimonios y el método. Keith Thomas, *Religion and the Decline of Magic Studies in Popular Beliefs in Sixteenth and Seventeenth Century England* (Nueva York, 1997; publicado originalmente en Londres, 1971), pese a su antigüedad y a la fuerte influencia de algunas fuentes protestantes posteriores a la Reforma, sigue siendo muy útil. Desde una perspectiva católica abiertamente apologética, otra obra, brillante pero partidista, Eamon Duffy, *The Stripping of the Altars: Traditional Religion in England, 1400-1580* (New Haven, 1992), resulta también particularmente útil. Ambos estudios se refieren a Inglaterra, aunque parte (no todo) de lo que dicen puede aplicarse a Europa en general. Para Europa continental dependemos de los estudios realizados en los distintos países. Algunos de los mejores publicados en lengua inglesa son: W. A. Christian, *Local Religion in Sixteenth-Century Spain* (Princeton, 1981); J. N. Galpern, *The Religions of the People in Sixteenth-Century Champagne* (Cambridge, Mass., 1976); y el que probablemente resulte más apasionante de todos, David Gentilcore, *From Bishop to Witch: The System of the Sacred in Early Modern Terra d'Otranto* (Manchester y Nueva York, 1992). R. W. Scribner, *Popular Culture and Popular Movements in Reformation Germany* (Londres y Ronceverte, Virginia Occidental, 1988), contiene unos ensayos excelentes sobre este tema. Stephen Wilson, *The Magical Universe: Everyday Ritual and Magic in Pre-Modern Europe* (Londres, 2000), adolece de falta de detalles cronológicos y regionales y es pobre en reflexiones teóricas, aunque contiene abundante información.

En cuanto a la Iglesia antes de la Reforma, un estudio excelente sigue siendo Francis Oakley, *The Western Church in the Later Middle Ages* (Ithaca, NY, y Londres, 1979), al igual que Robert Swanson, *Religion and De-*

votion in Europe, c.1215-c.1515 (Cambridge y Nueva York, 1995). Los sermones están comentados con perspicacia en Larissa Taylor, *Soldiers of Christ: Preaching in Late Medieval and Reformation France* (Nueva York, 1992), y se aborda acertadamente el tema de la eucaristía en Miri Rubin, *Corpus Christi: The Eucharist in Late Medieval Church* (Cambridge y Nueva York, 1991). Thomas N. Tentler, *Sin and Confession on the Eve of the Reformation* (Princeton, 1977), sigue siendo un óptimo estudio acerca de la teoría y la práctica confesionales, aunque es necesario complementarlo con las obras de W. David Myers, *«Poor, Sinning Folk»: Confession and Conscience in Counter-Reformation Germany* (Ithaca, NY, y Londres, 1996), y Anne T. Thayer, *Penitence, Preaching and the Coming of the Reformation* (Aldershot, 2002). J. A. F. Thomson, *Popes and Princes, 1417-1517: Politics and Polity in the Late Medieval Church* (Londres y Boston, 1980), ofrece una valoración equitativa y justa del papado antes de la Reforma.

De Martin Lutero probablemente se hayan escrito más biografías que de cualquier otro personaje histórico, aparte de los grandes líderes políticos. Entre tantísimo material, el historiador necesita conocer la obra, imparcial y minuciosa, de Martin Brecht, *Martin Luther*, trad. ing. de James L. Schaaf, 3 vols. (Filadelfia, 1985-1993), la biografía moderna definitiva, y la más fantástica, pero siempre brillante, de Heiko A. Oberman, *Luther: Man between God and Devil*, trad. ing. de Eileen Walliser-Schwarzbart (New Haven, 1989). Algunas obras importantes estudian la transmisión del mensaje de la Reforma a través de panfletos e ilustraciones. Robert W. Scribner, *For the Sake of Simple Folk: Popular Propaganda for the German Reformation* (Cambridge y Nueva York, 1981; y otra edición posterior, Oxford y Nueva York, 1994), ha sido la pionera en este tema en lengua inglesa; igualmente notables son Mark U. Edwards, *Printing, Propaganda, and Martin Luther* (Berkeley, California, 1994), y Peter Matheson, *The Rhetoric of the Reformation* (Edimburgo, 1998).

La hasta ahora numerosa literatura acerca de la acogida de la Reforma en las ciudades europeas ha disminuido de manera considerable en los últimos años (paradójicamente en la misma medida que ha aumentado la cantidad de material sintético y crítico). El ensayo introductorio, considerado hoy día un clásico, de A. G. Dickens, *The German Nation and Martin Luther* (Londres, 1974), sigue ofreciendo resúmenes accesibles de obras monográficas más antiguas. Steven E. Ozment, *The Reformation in the Cities: The Appeal of Protestantism to Sixteenth-Century Germany and Switzerland* (New Haven, 1975), sigue siendo válida, aunque incurre en ciertas exageraciones. También válida es la obra de Bernd Moeller, *Impe-*

rial Cities and the Reformation: Three Essays, ed. y trad. ing. de H. C. Erik Midelfort y Mark U. Edwards, Jr. (Durham, Carolina del Norte, 1982). Thomas A. Brady, *Turning Swiss: Cities and Empire, 1450-1550* (Cambridge y Nueva York, 1985), como es una obra bastante sofisticada desde el punto de vista conceptual, resulta sumamente difícil al lector no especialista. Entre los numerosos estudios regionales son dignos de mención: Lorna Jane Abray, *The People'e Reformation: Magistrates, Clergy, and Commons in Strasbourg, 1500-1598* (Ithaca, NY, 1985); Susan C. Karant-Nunn, *Zwickau in Transition, 1500-1547: The Reformation as an Agent of Change* (Columbus, Ohio, 1987); y Lee Palmer Wandel, *Voracious Idols and Violent Hands: Iconoclasm in Reformation Zurich, Strasbourg, and Basel* (Cambridge y Nueva York, 1995).

Un fructífero género de obras históricas que tratan el tema de la Reforma se ha concentrado en la puesta en vigor de las medidas reformadoras en el ámbito parroquial, incluidas las relativas al culto y la disciplina así como a la inculcación de la doctrina. Una buena colección de ensayos que abordan este tema es Andrew Pettegree, ed., *The Reformation of the Parishes: The Ministry and the Reformation in Town and Country* (Manchester, 1993). Entre los mejores estudios regionales, cabe destacar: C. Scott Dixon, *The Reformation and Rural Society: The Parishes of Brandenburg-Ansbach-Kulmbach, 1528-1603* (Cambridge, 1996), y Bruce Tolley, *Pastors and Parishioners in Württemberg during the Late Reformation, 1581-1621* (Stanford, California, 1995). Para los territorios helvéticos de habla alemana, una buena introducción general es Bruce Gordon, *The Swiss Reformation* (Manchester y Nueva York, 2002). Por su parte, Susan Karant-Nunn, *The Reformation of Ritual: An Interpretation of Early Modern Germany* (Londres, 1997), aborda una interesante interpretación de los cambios culturales.

El fecundo estudio de Peter Blickle, *The Revolution of 1525: The German Peasants' War from a New Perspective*, trad. ing. de Thomas A. Brady, Jr., y H. C. Erik Midelfort (Baltimore, 1981), domina, aunque no totalmente, el tema imperecedero de los movimientos campesinos de la década de 1520. Entre las demás obras existentes, el lector de lengua inglesa tiene que depender principalmente del magnífico estudio de Tom Scott, «The Peasants' War: A Historiographical Review», *Historical Journal*, n.° 22 (1979), pp. 693-720 y 953-974, y de Tom Scott y Robert W. Scribner, eds., *The German Peasants' War: A History in Documents* (Atlantic Highlands, NJ, 1991). De las muchas biografías de Thomas Müntzer que aparecieron con motivo del quinto centenario de su nacimiento en 1989, las más responsables probablemente sean Hans-Jürgen Goertz, *Thomas Müntzer: Apocalyptic Mystic and Visionary*, trad. ing. de Jocelyn Jaquiery y ed. de Peter Matheson (Edimburgo, 1993), y Tom Scott, *Thomas Müntzer: Theology and Revolution in the German Reformation* (Nueva York, 1989).

En cuanto al movimiento asociado con Juan Calvino disponemos actualmente del exhaustivo y magnífico trabajo de investigación de Philip Benedict, *Christ's Churches Purely Reformed: A Social History of Calvinism* (New Haven, 2002). Esta obra abarca muchos más aspectos que otros estudios de diversos autores sobre los movimientos calvinistas, a los que en cierto sentido supera, los mejores de los cuales son sin duda Menna Prestwich, ed., *International Calvinism 1541-1715* (Oxford, 1985), y Andrew Pettegree, Alastair Duke y Gillian Lewis, eds., *Calvinism in Europe, 1540-1620* (Cambridge y Nueva York, 1994). El propio Calvino, un personaje siempre esquivo y modesto, no ha favorecido la elaboración de una biografía convincente como las que en los últimos tiempos se han venido llevando a cabo. En William James Bouwsma, *John Calvin: A Sixteenth Century Portrait* (Nueva York, 1988), y David Curtis Steinmetz, *Calvin in Context* (Nueva York, 1995), la vida pasa a un segundo lugar, y adquieren importancia las especulaciones acerca de la relación existente entre su pensamiento y las tendencias intelectuales de la época. Para encontrar algunos pensamientos estimulantes sobre Calvino, recomendamos la obra póstuma de Heiko A. Oberman, *The Two Reformations: The Journey from the Last Days to the New World*, editada por Donald Weinstein (New Haven y Londres, 2003), caps. 7-10.

En cuanto a la renovación del catolicismo a comienzos de la Edad Moderna, se han publicado en los últimos años diversos trabajos de investigación, entre los que cabe destacar Robert Bireley, *The Refashioning of Catholicism, 1450-1700: A Reassessment of the Counter Reformation* (Basingstoke, 1999); R. Po-chia Hsia, *The World of Catholic Renewal, 1540-1770* (Cambridge, 2005[2]); Michael A. Mullett, *The Catholic Reformation* (Londres, 1999); y el que lleva el título más provocador de todos, John W. O'Malley, *Trent and All That: Renaming Catholicism in the Early Modern Era* (Cambridge, Mass., 2000). La literatura anterior ha quedado perfectamente representada en David Martin Luebke, *The Counter-Reformation: The Essential Readings* (Malden, Mass., y Oxford, 1999). La obra de Jean Delumeau, especialmente su *Catholicism between Luther and Voltaire: A New View of the Counter-Reformation* (Londres y Filadelfia, 1977), sigue arrojando importantes sombras de controversia sobre este tema.

En cuanto a los anabaptistas y otros grupos parecidos, buena parte de la historiografía sigue estancada en un molde apologético y confesional, aunque hay notables excepciones. George Huntston Williams, *The Radical Reformation* (Kirksville, Missouri, 1992³), pese a haber sido radicalmente aumentada, conserva la esquematización, en cierto sentido rígida, de las sectas y el espíritu defensivo de la edición original, pero está al corriente del pensamiento académico moderno. Michael G. Baylor, ed. y trad., *The Radical Reformation* (Cambridge y Nueva York, 1991), ofrece algunos textos de fuentes muy importantes. También merece la pena la lectura de la controvertida obra revisionista de Claus Peter Clasen, *Anabaptism, a Social History, 1525-1618: Switzerland, Austria, Moravia, South and Central Germany* (Ithaca, NY, 1972). Más recientemente, Klaus Deppermann, *Melchior Hoffman: Social Unrest and Apocalyptic Visions in the Age of Reformation*, trad. ing. de Malcolm Wren, ed. de Benjamin Drewery (Edimburgo, 1987), pone en el punto de mira al anabaptista «atípico». Hans-Jürgen Goertz, *The Anabaptists*, trad. ing. de Trevor Johnson (Londres y Nueva York, 1996), es una buena traducción de la característica obra de este autor. Werner O. Packull y Geoffrey L. Dipple, eds., *Radical Reformation Studies: Essays Presented to James M. Stayer* (Aldershot, 1999), presenta algunos de los debates modernos sobre los aspectos más cruciales.

6. Europa y el mundo en expansión

J. H. Parry, *The Age of Reconnaissance* (Londres, 1963), y G. V. Scammell, *The World Encompassed* (Londres, 1981), son dos obras de carácter general que pueden resultar bastante útiles. Carlo M. Cipolla, *Guns, Sails and Empires* (Nueva York, 1965), y Stuart B. Schwartz, ed., *Implicit Understandings* (Cambridge, 1994), describen los primeros descubrimientos. En cuanto a los españoles y portugueses en América, los volúmenes I y II de la *Cambridge History of Latin America*, Leslie Bethell, ed., 11 vols. (Cambridge, 1984-1995), ofrecen un relato exhaustivo. Para Cristóbal Colón y el Caribe, Samuel Eliot Morison, *The European Discovery of America: The Southern Voyages AD 1492-1616* (Oxford y Nueva York, 1974), y Carl Ortwin Sauer, *The Early Spanish Main* (Berkeley y Los Ángeles, 1966), son dos obras de lectura imprescindible. En cuanto a los conquistadores españoles, James Lockhart, *The Men of Cajamarca* (Austin, Texas, 1972), y Rafael Varón Gabai, *Francisco Pizarro and his Brothers* (Norman, Oklahoma, 1997), abordan perspectivas diversas. Nobel David Cook, *Born to Die* (Cambridge, 1998), aborda la catástrofe demográfica. Para fray Bartolomé de las Casas y la historiografía posterior, D. A. Brading, *Orbe Indiano. De la monarquía católica a la república criolla, 1492-1867* (Fondo de Cultura Económica, México, 1991), resulta una obra exhaustiva. James Lockhart, *The Nahuas after the Conquest* (Stanford, California, 1992), es una obra innovadora de lectura imprescindible. P. J. Bakewell, *Silver Mining and Society in Colonial Mexico* (Cambridge, 1971), sigue siendo recomendable. En cuanto a Perú, James Lockhart, *Spanish Peru 1532-1560* (Madison, 1968), Steve J. Stern, *Peru's Indian Peoples and the Challenge of Spanish Conquest* (Madison, 1982), y Peter J. Bakewell, *Miners of the Red Mountain* (Albuquerque, 1984), abarcan exhaustivamente temas como la sociedad y la economía colonial.

Charles R. Boxer, *The Portuguese Seaborne Empire 1415-1825* (Londres, 1969), es una buena obra introductoria. Sanjay Subrahmanyam, *The Portuguese Empire in Asia, 1500-1700* (Londres, 1993), es un estudio fundamental, pero puede ser complementado con Bailey W. Diffie y George W. Winius, *Foundations of the Portuguese Empire 1415-1580* (Minneapolis, 1977), y James C. Boyajian, *Portuguese Trade in Asia and the Habsburgs, 1580-1640* (Baltimore, 1993). Existen dos notables biografías: Peter Russell, *Prince Henry «the Navigator»: A Life* (New Haven, 2000), es de lectura imprescindible, y Sanjay Subrahmanyam, *The Career and Legend of Vasco da Gama* (Cambridge, 1997), cuyo título lo dice todo. Para el comercio de esclavos de África, Philip P. Curtian, *The Atlantic Slave Trade: A Census* (Madison, 1969), sigue siendo una obra indispensable. Para África, recomendamos John Thornton, *Africa and Africans in the Making of the Atlantic World, 1400-1800* (Cambridge, 1992). Stuart B. Schwartz, *Sugar Plantations in the Formation of Brazilian Society, 1550-1835* (Cambridge, 1985), y Robin Blackburn, *The Making of New World Slavery* (Londres, 1997), son dos obras muy completas. Gauvin Alexander Bailey, *Art on the Jesuit Missions in Asia and Latin America 1542-1773* (Toronto, 1999), abarca muchos más temas que el arte. Adrian Hastings, *The Church in Africa 1450-1950* (Oxford, 1994), sigue los pasos de los portugueses y los jesuitas en Etiopía. Stephen Neill, *A History of Christianity in India: The Beginnings to AD 1707* (Cambridge, 1984), sigue los pasos del relato de los cristianos de Santo Tomás.

Cronología

1492	Cristóbal Colón se pone al frente de una expedición al Caribe y descubre las Indias Occidentales, en la creencia de que forman parte de Asia.
	Muerte de Lorenzo «el Magnífico», de la familia Médicis, que gobierna Florencia.
	Conquista del reino musulmán de Granada por los Reyes Católicos; Isabel y Fernando decretan la conversión obligatoria de todos los judíos de sus reinos, o su expulsión.
1493	Pedro Mártir de Anglería escribe una de las primeras relaciones de los descubrimientos de Colón para el público europeo en una serie de cartas dirigidas al cardenal Ascanio Sforza.
1494	Carlos VIII de Francia invade Italia al frente de sus ejércitos.
	Piero Di Lorenzo De' Medici es expulsado de Florencia; instauración en la ciudad de una república teocrática bajo la tutela de Girolamo Savonarola.
	Por el tratado de Tordesillas las tierras recién descubiertas se reparten entre España y Portugal.
1495	Programa de «reforma imperial» propuesto por el emperador Maximiliano I para el Sacro Imperio Romano en la dieta de Worms.
1497	Vasco de Gama emprende una expedición a la India a través del cabo de Buena Esperanza.
1498	Muerte de Carlos VIII: Luis XII lo sucede como rey de Francia.
	Ejecución de Savonarola; Florencia se convierte en una república secular.
1499	Guerra de Suabia entre la Confederación Helvética y Maximiliano I, a consecuencia de la cual los suizos consiguen de hecho la independencia del Imperio.
1500	Pedro Alvares Cabral descubre las tierras de lo que hoy día es Brasil y las reclama para Portugal.
1503	Muerte del papa Alejandro VI (Rodrigo Borgia); Giuliano Della Rovere es elegido papa, con el nombre de Julio II, tras el breve pontificado de Pío III; el poder de los Borgia en los

Estados Pontificios se viene abajo tras la muerte de Alejandro.

Erasmo de Rotterdam publica la primera edición del *Enquiridión*.

1505   Erasmo publica las *Anotaciones* al Nuevo Testamento de Lorenzo Valla.

1506   Julio II encarga a Donato Bramante que comience la reconstrucción total de la basílica de San Pedro de Roma.

1507   Martin Waldseemüller publica un mapamundi en el que el continente recién descubierto se llama «América».

1508   Liga de Cambrai formada por el papado, Francia, el Imperio y Aragón contra Venecia.

Miguel Ángel Buonarroti comienza a pintar el techo de la Capilla Sixtina.

1509   Muerte de Enrique VII de Inglaterra; lo sucede su hijo, Enrique VIII, que se casa con Catalina de Aragón, viuda de su hermano.

Jacques Lefèvre d'Étaples publica su *Quíntuple Salterio*.

Los ejércitos de la Liga de Cambrai derrotan a Venecia en la batalla de Agnadello.

Julio II publica la bula *Liquet omnibus*, por la que concede indulgencia plenaria a los que contribuyan a la reconstrucción de San Pedro.

1511   Aparición del *Elogio de la locura* de Erasmo.

1512   Jacques Lefèvre d'Étaples publica su comentario a las Epístolas de Pablo.

El «Saco de Prato» provoca la caída De la república de Florencia y la restauración del gobierno de los Médicis.

Se reúne en Roma el V Concilio de Letrán.

1513   Muere el papa Julio II; Giovanni de' Medici es elegido papa con el nombre de León X.

Los suizos derrotan a los franceses en la batalla de Novara.

Los ingleses derrotan a los franceses en Guinegatte y a los escoceses en Flodden.

Maquiavelo escribe más o menos por esta época *El Príncipe* y los *Discursos*.

1514   Albrecht von Hohenzollern es nombrado arzobispo-elector de Maguncia, e incurre en grandes deudas con el papado.

1515	Muere Luis XII de Francia; sube al trono Francisco I.
	Batalla de Marignano: los franceses y los venecianos derrotan a los suizos cerca de Milán.
	Albrecht von Hohenzollern recibe permiso para cubrir parte de sus deudas con el papado vendiendo indulgencias en sus territorios.
1516	Muerte del rey Fernando de Aragón; le sucede como rey de España Carlos de Habsburgo («Carlos de Gante», el futuro emperador Carlos V).
	Erasmo publica su *Novum Instrumentum*, versión griega del Nuevo Testamento acompañada de su propia traducción al latín.
	Publicación de la *Utopía* de Tomás Moro.
	Pedro Mártir de Anglería publica la primera colección de sus *De Orbe Novo Decades*, la descripción más leída del Nuevo Mundo.
1517	Martín Lutero escribe sus *Noventa y cinco tesis* acerca de la validez de las indulgencias en respuesta a la campaña de venta de este tipo de privilegios en el territorio del arzobispado de Maguncia.
1518	Lutero debate con Johann von Eck en Leipzig.
1519	Muerte de Maximiliano I; Carlos V es elegido titular del Sacro Imperio Romano Germánico.
	Hernán Cortés desembarca en México y comienza la conquista del territorio en nombre de España.
	Fernando de Magallanes empieza el viaje que lo llevará a dar la primera vuelta al mundo.
1520	Lutero publica varios de sus panfletos más famosos, que tienen una circulación enorme, y es excomulgado por el papa León X.
	Sublevación de los Comuneros de Castilla.
	Ascensión de Solimán I como sultán del Imperio Otomano.
1521	Lutero comparece ante una sesión especial de la dieta de Worms y se niega a retractarse de sus opiniones.
	Muerte del papa León X.
	Philipp Melanchthon publica la primera edición de sus *Lugares comunes*, en los que se codifica y explica la teología de Lutero.
	Belgrado se rinde y cae en manos de los otomanos.

1522	Lutero publica las primeras ediciones de su Nuevo Testamento en alemán.
	Elección del papa Adriano VI.
	Batalla de Bicocca: las tropas imperiales derrotan a los franceses.
	Rodas se rinde a los otomanos.
1523	Muerte de Adriano VI: Giulio De' Medici es elegido papa con el nombre de Clemente VII.
	Las disputas desencadenadas en Zúrich inauguran la Reforma en la ciudad.
	Lefèvre d'Étaples publica la traducción francesa del Nuevo Testamento.
	Suecia se erige en reino independiente bajo la autoridad de Gustavo I Vasa y se separa de Dinamarca.
1524	Erasmo publica su *Diatriba sobre el libre albedrío*, rompiendo claramente con Lutero y sus seguidores.
1525	Batalla de Pavía: Carlos V derrota y captura a Francisco I.
	«Guerra de los Campesinos» en Alemania, seguida de matanzas punitivas generalizadas a manos de la nobleza del país.
	Lutero se casa con Katharina von Bora, y publica *De servo arbitrio* en respuesta a Erasmo.
	Reforma de la ciudad de Nuremberg.
1526	Batalla de Mohács: invasión de la mayor parte de Hungría y los Balcanes por los otomanos.
	La Dieta de Spira autoriza una solución temporal permisiva de las divisiones religiosas entre los príncipes y las ciudades de Alemania.
1527	Saco de Roma por las tropas de Carlos V, irritadas por no haber cobrado su soldada: el papa Clemente VII se ve obligado a buscar refugio junto al emperador.
	La dinastía de los Médicis es expulsada de Florencia y se restaura la república.
	Gustavo I Vasa establece el control real sobre las propiedades de la Iglesia en Suecia durante una sesión de los estados generales en Västerås.
	Enrique VIII de Inglaterra comienza el proceso de repudio de su primera esposa, Catalina de Aragón.
1528	Publicación del *Libro del cortesano* de Baltassare Castiglione.
	Reformas de las ciudades de Hamburgo, Constanza y Berna.

1529   Reunión de la Dieta de Spira que amenaza a los príncipes y las ciudades partidarias de la Reforma: los estados reformados presentan una «protesta» contra este decreto.

La conferencia de Marburg entre Lutero y Ulrico Zuinglio y sus respectivos aliados y partidarios no logra que las partes alcancen un acuerdo teológico.

Se concluye la Reforma de las ciudades de Estrasburgo y Basilea.

Por la capitulación de Toledo Carlos V autoriza a Francisco Pizarro a emprender la conquista del Perú.

1530   Reunión de la Dieta de Augsburgo, que no logra resolver la disputa religiosa; presentación de la Confesión de Augsburgo y de la Confesión Tetrapolitana por los reformadores luteranos y los reformadores del sur de Alemania respectivamente.

Francisco I nombra los primeros catedráticos reales, inaugurando así el Collège Royal.

Restauración del gobierno de los Médicis en Florencia.

1531   Creación de la Liga Protestante de Esmalcalda, dirigida por las ciudades y los príncipes luteranos.

Batalla de Kappel y muerte de Ulrico Zuinglio.

1532   Publicación de la primera edición (póstuma) del *Príncipe* de Maquiavelo.

Publicación de la primera edición del *Pantagruel* de Rabelais.

1533   Juan Calvino huye de Francia y se refugia en Basilea tras asociarse a los reformadores.

La Ley de Restricción de las Apelaciones enemista a Enrique VIII de Inglaterra con el papado.

Pizarro derrota al imperio inca y conquista Cuzco.

1534   La Ley de Supremacía declara a Enrique VIII jefe supremo de la Iglesia de Inglaterra.

Muerte del papa Clemente VII: Alejandro Farnesio es elegido papa con el nombre de Paulo III.

Lutero publica su traducción completa de la Biblia al alemán.

1535   Sitio y captura de la ciudad de Münster, en poder del «reino» anabaptista establecido en ella por Jan Beukelszoon de Leiden.

El Edicto de Coucy ofrece una amnistía temporal a los protestantes de Francia.

Primera Biblia protestante en francés, publicada en Neuchâtel.

Pizarro funda Lima y la nombra capital del Perú español.

1536   Francisco I invade y conquista el ducado de Piamonte-Saboya.

Muerte de Erasmo de Rotterdam y de Jacques Lefèvre d'Étaples.

La «concordia de Wittenberg» une a los luteranos y a los reformadores del sur de Alemania.

Establecimiento del luteranismo en Dinamarca.

Primera edición de la *Institutio* de Juan Calvino, publicada en Basilea.

Ginebra decide adoptar la Reforma; Calvino se establece en esta ciudad.

Primera Confesión Helvética adoptada por las iglesias reformadas suizas.

1537   Convocatoria infructuosa de un concilio general de la Iglesia en Mantua.

Paulo III publica la bula *Sublimis Deus*, en la que se afirma que los indígenas americanos son «verdaderamente humanos... y capaces de comprender la fe católica».

1538   Juan Calvino, desterrado de Ginebra, se establece en Estrasburgo.

1540   Su publica la bula de fundación de la Compañía de Jesús.

Caída de Thomas Cromwell en Inglaterra.

1541   Calvino regresa a Ginebra a petición del consistorio municipal; publica las *Ordenanzas eclesiásticas* de la ciudad y una edición revisada de la *Institutio* en francés.

Coloquio de Ratisbona: intento fallido de reconciliación de los católicos y los protestantes de Alemania.

Pedro de Valdivia funda Santiago de Chile.

1542   Piermartire Vermigli y Bernardino Ochino, destacados exponentes del catolicismo, se pasan a la Reforma; instauración de la Inquisición Romana.

1543   Primera edición de la obra *De revolutionibus orbium coelestium* de Copérnico.

1545   Inauguración del concilio de Trento.

1546	Muerte de Martín Lutero.
	Estalla la guerra entre Carlos V y la Liga de Esmalcalda.
1547	Batalla de Mühlberg: Carlos V derrota a la Liga de Esmalcalda.
	El concilio de Trento se traslada a Bolonia y clausura su primera fase.
	Muerte de Francisco I; ascensión de Enrique II al trono de Francia.
	Muerte de Enrique VIII; ascensión de Eduardo VI al trono de Inglaterra.
1548	Dieta «Férrea» de Augsburgo: Carlos V publica el *Interim* o pacto interino de religión para Alemania.
	Los luteranos, divididos ante el *Interim*.
1549	El «consenso de Zúrich» establece un acuerdo teológico entre Zúrich y Ginebra.
	Muchos teólogos protestantes del continente se instalan en Inglaterra; publicación del primer *Libro de oraciones comunes*.
	Muerte del papa Paulo III.
1550	Giammaria Ciocchi Del Monte es elegido papa con el nombre de Julio III.
	Debate organizado en Valladolid entre fray Bartolomé de las Casas y Juan Ginés de Sepúlveda acerca de la moralidad de la conquista del Nuevo Mundo por los españoles y el trato dispensado a sus habitantes.
1551	El concilio de Trento inicia su segunda fase de deliberaciones.
	Enrique II de Francia y el duque Mauricio de Sajonia firman el acuerdo de Lochau para atacar al emperador Carlos V.
1552	«Guerra de los Príncipes» en Alemania: el duque Mauricio ataca a Carlos V; Enrique II pone sitio a Metz, Toul y Verdún; la paz de Passau pone fin a las hostilidades.
	Se clausura la segunda fase del concilio de Trento.
	Publicación del segundo *Libro de oraciones comunes* en Inglaterra.
	Francisco López de Gómara publica su *Historia General de las Indias*.
1553	Muerte de Eduardo VI; ascensión de María I al trono de Inglaterra; restablecimiento del culto católico y destierro de los protestantes extranjeros.

1554	Inglaterra restaura la unidad con la Iglesia católica Romana.
1555	Gian Pietro Carafa es elegido papa con el nombre de Paulo IV.

Se alcanza la paz de Augsburgo en el Sacro Imperio Romano Germánico bajo los auspicios de Fernando, hermano de Carlos V.

Fracaso del golpe de estado de Perrin en Ginebra: Calvino consolida su autoridad y su prestigio en la ciudad.

Comienzan en Inglaterra las ejecuciones de protestantes acusados de herejía.

Carlos V abdica y cede a su hijo Felipe II el gobierno de los Países Bajos.

1556	Carlos V abdica y cede la corona de España a su hijo Felipe II y el Imperio y las posesiones austriacas a su hermano Fernando I.

Thomas Cranmer, arzobispo de Canterbury, es juzgado y ejecutado por herejía.

1557	Felipe II hace la primera declaración de «bancarrota» de la corona española y aplaza el pago de las deudas a sus acreedores.
1558	Muerte de Carlos V.

Muerte de María I; ascensión de Isabel I al trono de Inglaterra.

1559	La paz de Cateau-Cambrésis pone fin a las guerras de Italia.

Muerte de Enrique II; Francisco II, menor de edad, sube al trono de Francia.

El primer sínodo nacional protestante publica la Confesión Galicana.

Calvino publica la edición definitiva de la *Institutio*.

Restablecimiento en Inglaterra de la supremacía real sobre la Iglesia y del *Libro de oraciones comunes* por un estatuto parlamentario.

Paulo IV publica el *Índice de libros prohibidos*.

Muerte del papa Paulo IV; Giovanni Angelo De' Medici, elegido nuevo pontífice con el nombre de Pío IV.

1560	Muerte de Francisco II; lo sucede como rey de Francia su hermano Carlos IX, menor de edad.

El parlamento escocés de la Reforma crea la Iglesia reformada escocesa.

Muerte de Philipp Melanchthon.

	Felipe II declara por segunda vez la bancarrota de la corona española.
1561	Las iglesias reformadas de los Países Bajos preparan la «Confesión Belga».
1562	La matanza de Vassy comienza la primera fase de las guerras de Religión en Francia.
	El concilio de Trento inaugura su tercera y última fase.
1563	El concilio de Trento clausura su última sesión.
	Publicación de la Confesión de Heidelberg de la Iglesia reformada del Palatinado Electoral.
	Adopción en Inglaterra de la primera versión de los Treinta y Nueve Artículos de la Religión.
1564	Muerte de Calvino.
	Muerte de Fernando I: Maximiliano II es elegido titular del Sacro Imperio Romano Germánico.
	Promulgación y publicación de los decretos del concilio de Trento.
1565	Muerte del papa Pío IV
	Los caballeros de la orden de San Juan derrotan a los otomanos en Malta.
1566	Michele Ghislieri es elegido papa con el nombre de Pío V.
	Publicación del catecismo romano.
	Las prédicas de los «curas iletrados» y la furia iconoclasta precipitan el conflicto en torno al protestantismo en los Países Bajos.
	Las iglesias reformadas de Suiza adoptan la Segunda Confesión Helvética.
	Muerte de Solimán I, sultán del imperio otomano.
1567	El duque de Alba, al frente del gobierno militar español, crea en los Países Bajos el Tribunal de la Sangre o de los Tumultos, destinado a sofocar la rebelión.
1568	Los españoles tienden una emboscada a los barcos de John Hawkins y Francis Drake en San Juan de Ulúa.
	Los condes de Egmont y Hoorn son ejecutados en Bruselas por el gobierno español.
1569	Rebelión de los «condes del norte» (católicos) contra Isabel I.
	La Unión de Lublin fusiona Polonia y Lituania en una república.
1570	El papa Pío V excomulga y destituye a Isabel I de Inglaterra.

El consenso de Sandomierz une a los protestantes trinitarios de Polonia en un pacto conjunto contra los unitaristas.

1571 La Santa Alianza derrota al Imperio otomano en la batalla naval de Lepanto.

Adopción por parte de la Iglesia de Inglaterra de la versión definitiva de los Treinta y Nueve Artículos.

1572 Boda de Enrique de Navarra y Margarita de Valois; a continuación se produce en París y en otras ciudades la matanza de la Noche de San Bartolomé.

Estalla de nuevo la sublevación de los Países Bajos en Holanda y Zelanda.

1573 Primera edición de la *Francogallia* de François Hotman.

1574 Muerte de Carlos IX; le sucede como rey de Francia Enrique III.

Los otomanos reconquistan Túnez, hasta ese momento en poder de don Juan de Austria.

1575 La «Confesión de Bohemia» establece la coexistencia entre las iglesias no católicas de este país.

Felipe II declara por tercera vez la bancarrota de la corona española.

1576 Muerte de Maximiliano II; lo sucede como titular del Sacro Imperio Romano Germánico Rodolfo II.

La paz de Monsieur ofrece a los protestantes franceses unas condiciones sumamente favorables, pero irrita a los católicos, que deciden la formación de una liga.

El saco de Amberes a manos de las tropas españolas, cuyos pagos se han retrasado, une temporalmente a todos los Países Bajos contra el gobierno de Felipe II.

1577 Se acuerda una fórmula de concordia que une a los elementos escindidos de las iglesias luteranas (el *Libro de la concordia* que encarna dicho acuerdo será publicado en 1580).

El «Edicto Perpetuo» lleva supuestamente la paz a los Países Bajos, pero poco después es derogado.

1578 Los moros derrotan a los portugueses en la batalla de Alcazarquivir (Al Kasr al Kebir), en el norte de África: en ella perece el rey de Portugal don Sebastián, con el cual se extingue la dinastía.

Alejandro Farnesio, duque de Parma, es nombrado gobernador general de los Países Bajos.

1579	La Unión de Utrecht da una forma rudimentaria a la alianza de las provincias del norte de los Países Bajos, sublevadas contra Felipe II.
1580	La corona de Portugal pasa a España.
	Publicación de los *Ensayos* de Montaigne.
	Francis Drake da la vuelta al mundo y regresa a Inglaterra con el botín arrancado al imperio español.
1581	Las provincias del norte de los Países Bajos retiran su lealtad a Felipe II.
1582	Se introduce la reforma gregoriana del calendario, lo que provoca que exista una diferencia de diez días en el cómputo del tiempo entre los países católicos y los protestantes.
1583	Las tropas católicas invaden el arzobispado de Colonia para expulsar al candidato protestante a la sede episcopal, acto que supone una amenaza para la paz religiosa en Alemania.
1584	Muerte de Francisco, duque de Anjou, que deja a la casa de Valois sin herederos.
	La Liga Católica se establece en Francia para prevenir la sucesión en el trono de Enrique de Navarra, de religión protestante.
	La Liga Católica firma el Tratado de Joinville con Felipe II de España.
	Asesinato de Guillermo «el Taciturno», líder de la sublevación de Holanda.
1585	Estalla la guerra entre España e Inglaterra tras la alianza de Isabel I con la república de los Países Bajos a raíz de la firma del tratado de Nonsuch.
	El duque de Parma conquista Amberes para España arrebatándosela a los rebeldes holandeses.
1587	El gobierno de Isabel I ejecuta a María, reina de Escocia, acusada de conspiración.
	Barcos ingleses hostigan a la flota española en Cádiz.
1588	La Armada Invencible zarpa rumbo a Inglaterra, pero es atacada por los ingleses en la batalla de Gravelinas y no consigue desembarcar en Gran Bretaña.
	El papa Sixto V instituye las «congregaciones» de cardenales.
	Enrique III ordena los asesinatos del duque y del cardenal de Guisa.

1589	Enrique III de Francia es asesinado; lo sucede en el trono Enrique de Navarra, con el nombre de Enrique IV.
	Giovanni Botero publica su *Razón de estado*.
1590	El papa Sixto V publica una revisión defectuosa de la Vulgata latina.
	Felipe II consigue una onerosa subida de impuestos destinados a sufragar los gastos de guerra.
	José de Acosta publica la *Historia natural y moral de las Indias*.
1592	Tras una sucesión de breves pontificados, Ippolito Aldobrandini es elegido papa con el nombre de Clemente VIII.
	Publicación de la nueva revisión de la Vulgata de Sixto V efectuada por Clemente VIII.
1593	Enrique IV de Francia anuncia su abandono del protestantismo y su reconversión al catolicismo.
1594	Enrique IV toma posesión en París y es coronado rey.
	Estalla en Irlanda la sublevación del conde de Tyrone.
1595	Enrique IV declara la guerra a España por el continuo apoyo de los españoles a la Liga Católica.
1596	Ataque por sorpresa de los ingleses contra la flota española y las fortificaciones de Cádiz.
	Felipe II declara la bancarrota de la corona española por cuarta vez.
	Johannes Kepler publica su *Mysterium Cosmographicum*.
1598	El Edicto de Nantes pone fin al conflicto religioso en Francia, concediendo una tolerancia parcial a la iglesia reformada de su reino.
	La paz de Vervin pone fin al conflicto entre Francia y España.
	Muerte de Felipe II; lo sucede como rey de España su hijo, Felipe III.
	Los rebeldes irlandeses derrotan a las tropas inglesas en Yellow Ford.
1601	Las tropas inglesas derrotan a los rebeldes irlandeses en Kinsale.
1603	Muerte de Isabel I de Inglaterra; la sucede Jacobo VI de Escocia, con el nombre de Jacobo I.
	La sublevación de Irlanda es sofocada.
1604	Tratado de Londres: se firma la paz entre España e Inglaterra.

1606	El papado decreta un interdicto contra la República de Venecia.
1607	La conquista de Donauwörth por el duque de Baviera amenaza de nuevo con desestabilizar la paz religiosa en Alemania.
1608	El emperador Rodolfo II es obligado a ceder el control de parte de sus territorios a Matías I.
1609	Se declara una tregua de doce años en la guerra entre España y los holandeses.
	La disputa por la sucesión de los ducados de Jülich-Cleves amenaza la estabilidad religiosa de Alemania.
1610	Enrique IV de Francia es asesinado; lo sucede Luis XIII, menor de edad.
1611	El emperador Rodolfo II es desposeído en beneficio de Matías I.

Mapas

MAPA 1 Europa y el territorio de los Habsburgo, *ca.* 1556.
Fuente: Joseph Bergin *et alii, Short Oxford History of Europe: The Seventeenth Century* (Oxford University Press, Oxford, 2001), p. 245.

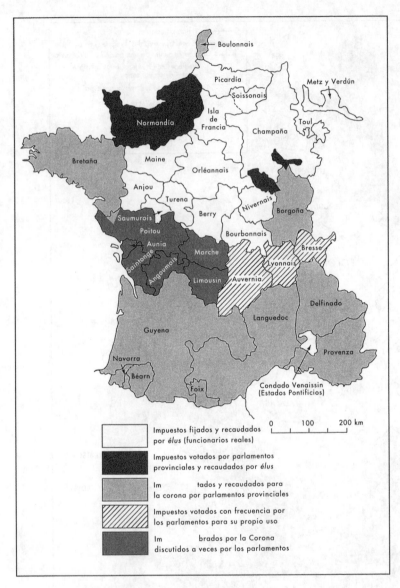

Mapa 2 Francia y su diversidad administrativa, *ca.* 1600.

Mapa 3 Italia, 1559.
Fuente: Paul Grendler *et alii, Encyclopedia of the Renaissance* (Charles Screibner's Sons, © Charles Screibner's Sons, 2000. Reimpreso con permiso del Gale Group).

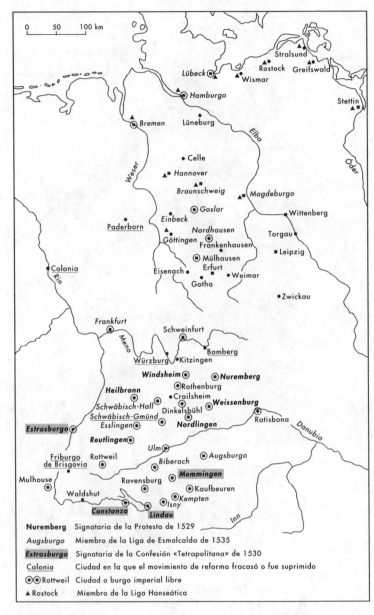

0   50   100 km

Stralsund
Lübeck · Rostock Greifswald
Wismar
Hamburgo
Stettin
Bremen · Lüneburg
Elba
Óder
· Celle
Hannover
Braunschweig · Magdeburgo
· Goslar
Einbeck · Wittenberg
Paderborn · Nordhausen Torgau
Göttingen Frankenhausen · Leipzig
Colonia · Mülhausen
Rin Eisenach Erfurt
Gotha · Weimar
· Zwickau
Frankfurt Schweinfurt
Meno Bamberg
Würzburg · Kitzingen
Windsheim · Nuremberg
Rothenburg
Heilbronn · Crailsheim
Schwäbisch-Hall Weissenburg
Schwäbisch-Gmünd Dinkelsbühl
Estrasburgo Esslingen Nördlingen Ratisbona
Danubio
Reutlingen
Friburgo Rottweil Ulm
de Brisgovia Biberach · Augsburgo
Mulhouse Memmingen
Ravensburg · Kaufbeuren
Waldshut · Kempten
Isny Inn
Constanza Lindau

Nuremberg	Signataria de la Protesta de 1529	
Augsburgo	Miembro de la Liga de Esmalcalda de 1535	
Estrasburgo	Signataria de la Confesión «Tetrapolitana» de 1530	
Colonia	Ciudad en la que el movimiento de reforma fracasó o fue suprimido	
⊙ⓞRottweil	Ciudad o burgo imperial libre	
▲ Rostock	Miembro de la Liga Hanseática	

Mapa 4 Las ciudades y poblaciones del Imperio y la Reforma.
Fuente: Euan Cameron, *The European Reformation* (Oxford University Press, Oxford, 1991), p. 211.

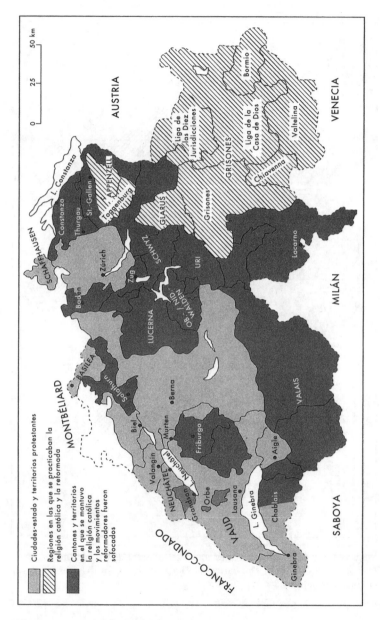

Mapa 5 La Confederación Helvética, *ca.* 1540.
Fuente: Euan Cameron, *The European Reformation* (Oxford University Press, Oxford, 1991), p. 220.

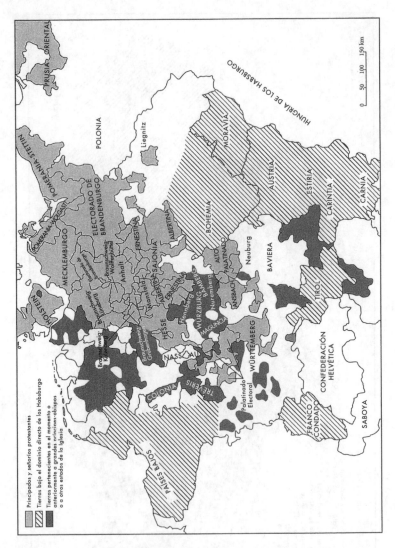

Mapa 6 Los principados alemanes antes de la Guerra de Esmalcalda, *ca*. 1547. *Fuente:* Euan Cameron, *The European Reformation* (Oxford University Press, Oxford, 1991), p. 264.

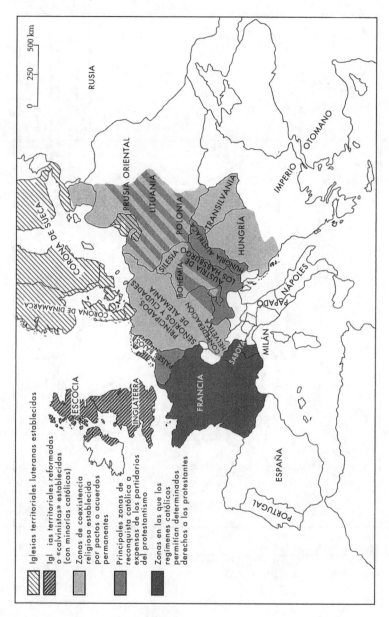

Mapa 7 La estructura religiosa de Europa, *ca.* 1600.
Fuente: Euan Cameron, *The European Reformation* (Oxford University Press, Oxford, 1991), p. 362.

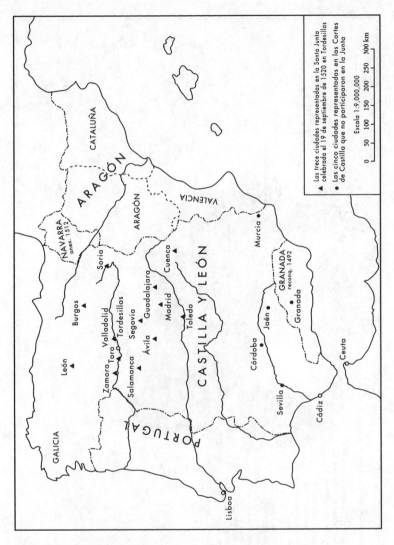

Mapa 8 La Península Ibérica.
Fuente: Richard Bonney, *The European Dynastic States 1494-1660* (Oxford University Press, Oxford, 1991), p. 536.

Mapa 9 Recuperación del territorio perteneciente a los Países Bajos españoles por parte de los holandeses, 1590-1604.
Fuente: Jonathan I. Israel, : *The Dutch Republic: Its Rise, Greatness, and Fall 14777-1806* (Oxford University Press, Oxford, 1995), p. 243.

Lista de colaboradores

CHRISTOPHER F. BLACK es catedrático de historia de Italia en la Universidad de Glasgow. Entre otros temas, está especializado en historia social de Italia a comienzos de la Edad Moderna, sobre todo en las cofradías y la vida parroquial. Empezó con una meticulosa investigación de la ciudad de Perugia, de su política, su cultura y su arte, sobre la que publicó diversos artículos. Es autor de *Italian Confraternities in the Sixteenth Century* (1989, reimpr. 2004), *Early Modern Italy: A Social History* (2000) y *Church, Religion and Society in Early Modern Italy* (2004).

D. A. BRADING, FBA, es catedrático emérito de historia de México de la Universidad de Cambridge, antiguo director del Centro de Estudios Latinoamericanos y miembro de la junta de gobierno del Clare Hall de Cambridge. Sus temas de investigación se centran en la historia de América Latina durante los primeros siglos de la Edad Moderna. Entre sus numerosas publicaciones, cabe destacar *Miners and Merchants in Bourbon Mexico, 1763-1810* (1971), *Haciendas and Ranchos in the Mexican Bajío, León, 1700-1860* (1978), *Prophecy and Myth in Mexican History* (1984), *The Origins of American Nationalism* (1985), *The First America: The Spanish Monarchy, Creole Patriots and the Liberal State, 1492-1867* (1991), *Church and State in Bourbon Mexico: The Diocese of Michoacán, 1749-1810* (1994) y más recientemente *Mexican Phoenix: Our Lady of Guadalupe: Image and Tradition across Five Centuries* (2002).

EUAN CAMERON es el decano académico y titular de la cátedra Henry Luce III de historia de la Iglesia de la Reforma del Seminario Teológico de la Unión en la ciudad de Nueva York. Sus campos de investigación se mueven en torno a las diferencias, la disidencia y la división religiosa durante la Edad Media y los primeros siglos de la Edad Moderna en Europa. Es autor de *The Reformation of the Heretics: The Waldenses of the Alps 1480-1580* (1984), *The European Reformation* (1991), *Waldenses: Rejections of Holy Church in Medieval Europe* (2000) e *Interpreting Christian History: The Challenge of the Churches' Past* (2005). También ha sido el editor de *Early Modern Europe: An Oxford History* (1999).

MARK GREENGRASS es catedrático de historia de la Universidad de Sheffield. Ha realizado y publicado numerosos trabajos de investigación sobre la historia de Francia de los primeros siglos de la Edad Moderna; además, ha sido director del Hartlib Papers Project que trascribió, editó y publicó la singular colección de manuscritos de Samuel Hartlib (c.1600-1662). En la actualidad dirige el John Foxe Project de la Academia Británica para la Universidad de Sheffield. Entre sus numerosas obras publicadas, cabe destacar *France in the Age of Henri IV* (1984), *The French Reformation* (1987), *Conquest and Coalescence: The Shaping of the State in Early Modern Europe* (1990) y *The Longman Companion to the European Reformation, c.1500-1618* (1998). Ha sido coeditor de *Samuel Hartlib and Universal Reformation: Studies in Intellectual Communication* (1994) y *The Adventure of Religious Pluralism in Early Modern France* (2000).

CHARLES G. NAUERT es catedrático emérito de historia de la Universidad de Missouri-Columbia. Sus temas de investigación son, entre otros, la historia de las relaciones entre la cultura humanística y la cultura escolástica de las universidades del norte de Europa, y en un ámbito más general, la historia de las ideas en la Europa renacentista. Uno de sus intereses concretos es la recuperación del interés por el escepticismo antiguo durante el siglo XVI. Es autor de *Agrippa and the Crisis of Renaissance Thought* (1965), *The Age of Renaissance and Reformation* (1977) y *Humanism and the Culture of Renaissance Europe* (1995), así como de un extenso artículo sobre comentarios renacentistas acerca de la *Historia Natural* de Plinio el Viejo, publicado en *Catalogus Translationum et Commentariorum*, 4. Es también autor del *Historical Dictionary of the Renaissance* (2004). Ha escrito asimismo las introducciones y las notas para los volúmenes XI y XII de *The Collected Works of Erasmus*, publicados por la University of Toronto Press.

TOM SCOTT es catedrático honorario del Instituto de Estudios de la Reforma de la Universidad de Saint Andrews. Sus campos de investigación abarcan las relaciones de las ciudades con las zonas rurales y las identidades religiosas en la Alemania de finales de la Edad Media y comienzos de la Moderna, incluyendo numerosos aspectos de la Reforma en sus fundamentos populares y la guerra de los Campesinos de Alemania. Entre sus muchas publicaciones de historia social y económica de comienzos de la Edad Moderna, cabe destacar *Freiburg and the Breisgau: Town-Country Relations in the Age of Reformation and Peasants' War* (1986), *Thomas*

Müntzer: Theology and Revolution in the German Reformation (1989), *Regional Identity and Economic Change: The Upper Rhine, 1450-1600* (1997), *Society and Economy in Germany, 1300-1600* (2002) y *Town, Country, and Regions in Reformation Germany* (2005). Además, ha sido el editor de *The Peasantries of Europe from the Fourteenth to the Eighteenth Centuries* (1998) y coeditor de *The German Peasants' War: A History in Documents* (1991).

Índice analítico

Índice